« Partage du savoir » est une collection qui tend à rendre compte des réalités complexes, des préoccupations humaines et contemporaines. Elle a vocation à dépasser le seul cadre disciplinaire de la recherche universitaire. Il s'agit ici de rétablir les passerelles entre la science et le citoyen.

EDGAR MORIN

LES VERTIGES
DE L'EMPLOI

L'entreprise face
aux réductions d'effectifs

RACHEL BEAUJOLIN

LES VERTIGES
DE L'EMPLOI

L'entreprise face
aux réductions d'effectifs

BERNARD GRASSET
LE MONDE DE L'ÉDUCATION

Ce livre a reçu le soutien de la Fondation d'entreprise Banques CIC pour le livre et de la Fondation Charles Léopold Mayer pour le progrès de l'homme.

à Jacques B.

Avant-propos

Je suis entrée, comme tant d'autres jeunes, sur le marché du travail en tant que stagiaire. Quelle ne fut pas ma stupeur quand, stagiaire dans une grande entreprise industrielle en 1992, j'ai été témoin de scènes où des responsables de la gestion des ressources humaines cochaient des noms sur des listes pour trouver le sureffectif exigé par la direction. On m'a demandé de garder le secret. Dans le même temps, on demandait à la direction des ressources humaines de préparer les salariés aux changements technologiques et économiques à venir, tout en exigeant qu'elle mette en œuvre des plans sociaux à répétition. Dans quel monde de folie et de schizophrénie étais-je entrée ? Un peu plus tard, dans une autre entreprise, j'ai entendu le directeur général affirmer ne jamais vouloir stopper le rythme des réductions d'effectifs en dessous de 3 % par an, malgré une rentabilité positive et stable depuis plus de trois années. Ce même homme s'interrogeait néanmoins et de façon tout à fait sincère sur l'avenir des jeunes dans cette société qui en laisse plus d'un quart au chômage… Et ma stupeur a été encore plus grande quand j'ai constaté que personne ne parlait de tout cela — du moins à l'époque — et qu'il existait très peu de travaux sur cette question gênante. Quand ils existaient, ils se voyaient fortement critiquer…

Mon désir de recherche est venu à ce moment-là.

Comment expliquer ce qui motivait ce qu'on appelle pudiquement dans la langue spécialisée des gestionnaires : la réduction d'effectifs ?

Il a donc fallu mener l'enquête, en partant des quelques indices disponibles. Et pour cela, il fallait aller chercher entre les lignes ; derrière les chiffres ; dans les interstices des discours ; dans la mémoire des individus. Il fallait aussi accepter d'aborder la question des réductions d'effectifs en la contournant quelque peu car mon sujet gênait à la fois les dirigeants comme les salariés d'entreprise.

Il fallait donc à tout prix éviter « l'effet espion ». Dans de nombreux cas, il s'agissait de protéger au mieux les individus ayant accepté de témoigner, non seulement en restituant de façon anonyme leurs propos, mais de plus en éliminant des sources d'identification possibles. Pour que la parole se libère, il a fallu beaucoup de temps et de patience : revoir certaines personnes à plusieurs reprises, parfois de façon informelle, ou encore accepter d'écouter sans prendre de notes. Certains interlocuteurs me précisaient : « *Je vais vous donner des éléments que vous me demandez mais c'est pour vous, pour votre recherche. La holding n'en soupçonne même pas l'existence et je ne veux pas qu'elle sache qu'ils existent.* » J'ai pu entrer au cœur de certaines entreprises et assister à des processus de décisions à condition de garder l'anonymat.

Comment expliquer le recours répété aux réductions d'effectifs tandis que, dans bien des cas, les entreprises concernées ont des bilans économiques et financiers si ce n'est bons du moins corrects ? Dans quelle mesure ces politiques destructrices d'emploi ne viennent pas fortement mettre à mal toutes les politiques sociales développées depuis une vingtaine d'années ? Et finalement, que deviennent les missions, dans un tel contexte, de l'entreprise en général et d'une éventuelle politique socio-économique de l'entreprise, en particulier? Car de fait, ce qui caractérise le cycle économique de 1990-1994 par rapport aux autres, c'est que le recul de l'emploi est fort et qu'il dure[1]. Sur cette période, les entreprises françaises ont, d'après le ministère de l'Economie[2], plus détruit d'emplois que n'aurait pu le laisser prévoir le simple prolongement de comportements antérieurs, bien que, sur le plan économique, les entreprises conservent entre 1991 et 1993 un niveau de taux de marge supérieur à ceux atteints au début des années 1970. Le taux de recours aux licenciements économiques atteint en 1992 des records jamais connus depuis les décennies d'expansion de l'après-guerre (on enregistre 600 000 licenciements économiques cette année-là, soit 13 % des flux d'entrée au chômage); en 1993, l'effet combiné de la hausse des licenciements économiques et du recul des embauches semble avoir atteint son maximum[3] (les entreprises atteignent leur plus haut niveau de destructions d'emploi, les plus grandes ayant en moyenne diminué de 6 % leur effectif permanent); et en 1994, la reprise économique ne crée pas les effets escomptés en matière d'emplois stables[4] (la reprise donne lieu à des embauches à durée limitée). Et aujourd'hui encore, même si le taux de licenciements économiques a diminué, les entreprises continuent de se reconfigurer et les dirigeants de maîtriser autant que possible le niveau d'emplois internes.

Les débats dans l'entreprise ou dans la cité sur les destructions d'emplois sont relativement pauvres au regard de l'enjeu qu'elles constituent. Le projet initial de ce travail de recherche était alors de tenter de comprendre ce qui, à ce moment-là, fonde la décision de réduction des effectifs; de mobiliser des grilles d'analyse de recherche en gestion mais aussi en sociologie des organisations pour éclairer cette décision de gestion ; d'interroger les pratiques de gestion des effectifs à l'œuvre pour accéder à une réflexion sur les mécanismes régissant la décision de réduction des effectifs.

Or justement, dans ses décisions, l'entreprise se livre peu sur elle-même, et les voiles posés sur l'analyse des processus de décision en matière de réduction des effectifs s'avèrent singulièrement opaques. A vouloir explorer l'analyse de ces logiques internes et des processus de décision qui régissent les réductions d'effectifs, on est confrontés à des zones d'ombre et de secret. Les entreprises déploient des trésors de diplomatie et de résistance pour ne pas avoir à aborder leurs décisions en matière de suppression d'emplois. Les dirigeants expliquaient alors qu'il s'agissait de décisions sur lesquelles il n'existait pas d'analyse a posteriori, qu'ils n'étaient d'ailleurs pas certains qu'il soit pertinent de se pencher sur cette question et qu'enfin, de toute façon, personne ne dirait jamais rien. Ils acceptaient de parler des plans d'accompagnement et de reconversion mis en place ou de la gestion des mobilités mais l'amont de la décision de licencier restait entouré d'un rideau de fumée. Lors de discussions informelles avec des directeurs des ressources humaines dans le cadre des séminaires confidentiels, la parole se libérait quelque peu : *« chez nous, le Président craint une OPA et il ne faut surtout pas que l'on soit en sureffectif »* ; *« les années de politique sociale que nous avons menée jusqu'ici nous coûtent cher aujourd'hui »* ; *« de toute façon, on ne sait pas mesurer l'emploi »*. Ou, ils exprimaient des formes de désarroi : *« quand je vois tous ces jeunes au chômage, je me demande ce que l'on fait »* ; *« je dois encore annoncer un plan social, je me demande quand tout cela va s'arrêter, quand on va commencer à se calmer »*. Mais, dans tous les cas de figure, ils précisaient : *« sur-*

tout, ne dites pas que je vous ai dit cela », « *ne le répétez pas* ». A fortiori, il n'était pas envisageable de mener une étude dans leur entreprise : « *C'est trop chaud en ce moment, je ne veux pas prendre le risque de remuer tout cela.* » Il apparaissait que le processus de décision en matière de réduction des effectifs se masquait et en même temps prenait des formes d'expression diverses. Les discours tenus par l'entreprise sur les processus de décision en matière de réduction des effectifs se dissimulaient : ce qui était approuvé en privé se voyait souvent dénié en public. Il était difficile voire impossible d'en parler. Le sujet suscitait des réactions parfois violentes et les éventuels terrains d'étude se dérobaient.

La question devenait alors : comment penser un événement qui se cache, dans la dissimulation ou dans l'absence, sachant que si on l'aborde de front, on prend le risque de n'obtenir en retour que rejet et dénégation ? Face aux résistances rencontrées, il s'agissait de tenter d'approcher le sujet, sans pour autant susciter de réactions trop épidermiques.

Un tel projet concernant des pratiques de gestion de l'emploi rencontrait une difficulté supplémentaire : les décisions de réduction des effectifs laissent peu de traces. Les dirigeants rencontrés affirment à ce titre : « *On n'a jamais rien écrit là-dessus.* » Et même s'il existe quelques documents, tels des procès-verbaux de comité d'entreprise ou des comptes rendus de réunions de direction, il est souvent précisé combien la nature des débats y est aseptisée, voire éludée : « *On ne va certainement pas y retranscrire les points chauds.* » Les données quantitatives consolidées — bilans sociaux, comptes de résultats, tableaux de bord — demeurent, elles, partielles et sujettes à des interprétations diverses, nécessitant une mise en perspective et une confrontation à d'autres données. Enfin, les différents registres de la gestion y sont abordés de façon cloisonnée : d'un côté la direction des ressources humaines traite les aspects humains de l'entreprise (bilan social et éventuellement tableaux de bord de gestion des effectifs) ; d'un autre côté, c'est à la direction administrative et financière que l'on demande de porter un regard analytique sur les comptes, les résultats ou encore l'efficacité des différentes entités de l'entreprise. Ma recherche visait à trouver les liens qui existent entre les diagnostics stratégiques et les décisions en matière d'emploi ; entre les instruments de gestion de la performance et ceux du facteur travail ; entre la dimension économique et la dimension sociale de la gestion d'une entreprise.

Ce livre a ainsi pour objet de fournir les outils de compréhension d'un monde : celui d'une entreprise qui, au cours des années 1993-1998, entre dans une quête effrénée de flexibilité, déstabilisante pour tous. Il ne vise pas tant à faire un panorama dramatique de la tourmente que de montrer comment on a pu en arriver là, en démontant les mécanismes de décision en matière de réduction des effectifs et de course à la flexibilité de l'emploi.

Introduction

Au début des années 1990, les mesures de réduction d'effectifs engagées par les entreprises se succèdent à la fois de manière spectaculaire avec des plans sociaux qui soulèvent des débats passionnés dans la cité mais aussi de manière moins visible, mais implacable avec des blocages d'embauches et des départs anticipés. Les uns évoquent alors les dures lois de la concurrence et les effets de la mondialisation : il faut s'adapter pour survivre, ce qui implique hélas de commettre des sacrifices. Les réductions d'effectifs résultent alors d'un calcul des sureffectifs et de l'exercice de la rationalité froide de gestionnaires efficaces. Les autres crient au scandale, voire au crime. La crise de l'emploi obnubile tous les esprits et menace la démocratie. L'entreprise, dont on se défiait il y a peu encore, est aujourd'hui l'objet d'attentes pressantes de la part des citoyens et des politiques. La société aime l'entreprise, il convient donc que celle-ci lui rende son affection. On l'adjure ainsi d'embaucher et surtout de ne pas licencier, pour éviter l'augmentation de l'exclusion.

Les passions s'exacerbent, lorsque surgit l'idée que l'entreprise est animée par des forces maléfiques. Des emballements médiatiques sur certains livres à fort tirage viennent renforcer l'opinion publique dans sa peur du chômage. Le succès de *L'horreur économique* de V. Forrester irrite les économistes, embarrasse patrons et politiques. Il touche juste, même si la question de l'exclusion est réduite à la manipulation d'un deus ex machina financier agissant dans la clandestinité[1] et asservissant la masse dans une soumission coupable. La thèse, de plus, en offrant à l'ensemble des acteurs une explication à leur désarroi a le mérite de désigner un coupable auquel tous les maux de la société peuvent être attribués. On s'aperçoit alors de l'absence d'un véritable débat de fond. Car de fait, qui parle aux citoyens de la crise qu'ils vivent ? Derrière les échecs successifs des politiques publiques de l'emploi, le chômage est au-devant de la scène et réduit la crise sociétale à la crise de l'emploi. Dans ce vide de données, les réductions d'effectifs ne sont saisies que sous le seul angle de leurs effets polluants sur la cité. Du côté des dirigeants d'entreprise, on renvoie à l'inéluctable économique ; du côté des responsables politiques, on assure que la reprise de la croissance viendra tout arranger ; du côté de nombre d'experts en économie, on se bat à coups de comparaisons et de prévisions statistiques. La plupart d'entre eux assurent qu'en libérant encore plus l'entreprise de toutes ses entraves, le marché fera son office et la croissance économique ramènera la paix sociale. Mais il n'est pas sûr que les discours parlent vraiment à ceux à qui ils s'adressent car ils livrent souvent des interprétations trop parcellaires des réalités vécues dans l'entreprise.

Comment se vit la crise à l'intérieur de l'entreprise ? Des chefs de service doivent annoncer à des salariés qu'ils ont encadrés pendant des années qu'ils sont licenciés. Des cadres qui jusque-là se pensaient intouchables se retrouvent eux aussi dans la masse des « charrettes ». De jeunes diplômés découvrent une jungle à laquelle on ne les avait pas préparés. Des directeurs des ressources humaines s'interrogent sur leur fonction lorsqu'ils sont contraints d'accumuler les plans sociaux. Des représentants syndicaux se retrouvent démunis dans leur rôle de contre-pouvoir. Des inspecteurs du travail en viennent à fermer les yeux sur de légères irrégularités quant aux conditions de travail, au profit de l'emploi. Des salariés n'osent plus s'exprimer, par peur — fondée ou non — de représailles.

« L'entreprise moderne [2] » apparaît, au début des années 1990, déstabilisée dans ses fondements. La recherche permanente de flexibilité — c'est-à-dire le développement d'une gestion de l'emploi allégée, sélective et multiple, vers des systèmes de plus en plus souples — met en cause le modèle de l'emploi salarié à temps plein dans la grande entreprise industrielle qui a constitué le fondement de la régulation sociale. Dans ses modes de gestion de l'emploi, elle rompt avec le contrat à durée indéterminée à temps plein comme modèle dominant de mobilisation du facteur travail et d'intégration au travail : elle est entrée dans un mouvement de flexibilisation qui amène à une grande hétérogénéité de situations. Dans son positionnement sur des marchés, elle se vit en situation de guerre concurrentielle et doit affronter des contraintes multiples qui parfois la déroutent. Dans ses discours, elle oscille entre le postulat selon lequel tout doit changer et l'affirmation selon laquelle rien de fondamental ne change.

Dans cette ambivalence des discours et parfois des pratiques de gestion, le débat sur les décisions en matière de réduction des effectifs reste confidentiel, laissant dans l'ombre les processus et les mécanismes qui y mènent. C'est l'objet de ce livre que d'éclairer les mécanismes à l'œuvre. Ma recherche a commencé au début des années 1990. La période était marquée par un phénomène massif de destruction et de reconfiguration des emplois, qui semblait aller au-delà d'un simple ajustement aux évolutions d'activité et qui prenait des formes très diverses. Ces premiers constats m'ont amenée à une série de questions : le caractère massif et répété des destructions d'emploi répondrait-il à un phénomène de réaction à la «crise» ? Ou s'agirait-il d'une amorce de mutation dans la mobilisation interne du travail ?

L'entreprise du début des années 1990 s'inscrit dans un monde en situation de crise, alors même qu'elle se croyait dans un mouvement de modernisation. L'entreprise vit dans le tourbillon de la quête de flexibilité, de la guerre concurrentielle et dans l'ambiguïté entre ses discours et ses pratiques. Dans cette situation proche de la panique, l'emploi est vécu à la fois comme une charge qu'il s'agit de rationaliser à tout prix et comme un risque que l'incertitude marchande qui pèse sur les décideurs ne permet pas d'assumer. Il devient l'objet de toutes les spéculations, faisant de la réduction des effectifs une fin en soi. La crise de l'emploi renvoie dès lors à une crise de l'entreprise comme institution sociale. La crise actuelle concerne bien évidemment le déficit d'emplois permanents suffisants à occuper l'ensemble de la population active. Celle-ci apparaît comme la plus visible, ne serait-ce que par ses effets individuels et collectifs sur l'ensemble de la population. Mais en examinant les processus de décision en matière de gestion des effectifs, et plus particulièrement de leur réduction, d'autres lieux d'expression de cette crise apparaîtront. La réduction d'effectifs vient en effet interroger à la fois les instruments de gestion et de décision, les modalités d'instrumentation des relations entre agents économiques, le comportement des décideurs quand ils perçoivent l'environnement comme incertain, les capacités de réaction des individus en situation de crise et, finalement, le sens même de l'action individuelle et collective. Si le chômage et les destructions d'emploi touchent de plein fouet en premier lieu ceux qui en subissent les effets, la société dans son ensemble s'en trouve modifiée, par effet de capillarité. On pourra le vérifier en examinant la mécanique des réductions d'effectifs et son pendant, la quête de flexibilité de l'emploi. Nombre de décideurs sont pris dans un tournis gestionnaire annihilant les capacités d'élaboration alternative… peut-être d'autant plus qu'ils ont eux-mêmes peur de tomber dans le vide.

PREMIÈRE PARTIE

QU'EST L'ENTREPRISE DEVENUE ?

Quand A.D. Chandler retrace le développement historique de « l'entreprise moderne » aux États-Unis, il montre à quel point cette dernière est devenue en l'espace de moins d'un siècle (1850-1914) le modèle dominant de la coordination des flux marchands[1]. « L'entreprise moderne », de grande taille, est intégrée[2] et intégrative[3] ; elle se stabilise comme forme d'organisation particulière[4], stabilise les individus qui la composent et exerce peu à peu une fonction centrale dans la structuration et dans l'évolution de l'économie, de la population active, des modes de régulation économiques et sociaux[5].

En France, le mouvement de constitution de « l'entreprise moderne » est plus tardif, mais à partir des années 1960, c'est la grande entreprise industrielle qui prévaut[6]. Pourtant, à partir de la fin des années 1960 puis au milieu des années 1970, l'entreprise face à la crise découvre sa mortalité. L'exemple le plus marquant est alors, en France, la sidérurgie, qui entre de façon massive dans une grande phase de restructurations, rompant fortement dans ses modes de fonctionnement avec son passé. Même si tous les secteurs ne sont pas aussi profondément touchés, le spectre de la crise économique et, au-delà, celui d'une remise en cause profonde de l'organisation et de la relation de travail atteignent la quasi-totalité des entreprises, grandes ou petites, productrices de biens industriels ou prestataires de services.

Qu'est alors devenue l'entreprise moderne ? En matière d'emploi et d'organisation, l'entreprise de la première moitié des années 1990 connaît, notamment en France, trois mouvements simultanés : elle allège ses effectifs en diminuant le niveau d'emplois permanents et en se recentrant sur « le cœur de son métier » (l'entreprise allégée) ; elle accroît les critères et les épreuves de sélection pour les salariés habilités à faire partie du « noyau dur » (l'entreprise sélective) ; et elle recourt à une multiplicité de formes flexibles d'emploi et d'organisation, en externe comme en interne (l'entreprise éclatée). Les contraintes qui pèsent sur l'entreprise ont évolué : en premier lieu, les critères de compétitivité se sont complexifiés. Pour l'entreprise, il s'agit aujourd'hui non seulement d'assurer une diminution tendancielle des prix mais de plus, de mener la bataille de la qualité et de l'innovation. En second lieu, le poids de la sphère financière s'est accru, consacrant le triomphe de la finance sur l'économie[7] et introduisant des contraintes accrues de rentabilité. Entre des pratiques de gestion de l'emploi venant interroger le salariat à temps plein dans l'entreprise et la tourmente des marchés dans laquelle elle est plongée, comment l'entreprise, conciliant des contraintes économiques et un développement social, peut-elle conserver son statut de figure centrale dans la société ? Les entreprises semblent aujourd'hui chercher leurs marques, tout en continuant à tenir simultanément des discours sur les contraintes de marché qu'elles subissent et sur la nécessité de leur fonction sociale.

CHAPITRE 1

L'entreprise allégée, sélective et éclatée

Quand elles cherchent à accroître leur flexibilité en matière d'emploi et de travail, les entreprises jouent simultanément sur trois registres : l'allégement permanent des effectifs, la sélection accrue des salariés habilités à faire partie du « noyau dur » des salariés employés en CDI à temps plein, et l'éclatement multiple des formes d'organisation et de mobilisation du facteur travail. Ce qui semble devenir la condition d'adaptation de l'entreprise à des turbulences du marché dont elle ne connaît pas a priori toutes les donnes, c'est la recherche d'un « noyau dur » minimum, gage de flexibilité, de réactivité et de souplesse : l'entreprise allégée réduit ses effectifs en vue de diminuer son niveau d'emplois permanents et sait se recentrer sur un noyau dur d'activités et de métiers. Ce « noyau dur » de salariés est sélectionné à l'entrée (sélection lors de l'embauche), au cours de son parcours dans l'entreprise (processus d'évaluation et de définition des mobilités) et à la sortie (sélection des salariés en sureffectif) : l'entreprise sélective durcit et multiplie les épreuves de jugement de ses salariés pour se doter d'une main-d'œuvre dont on suppose qu'elle pourra répondre aux évolutions à venir. Enfin, autour du « noyau dur » de l'emploi interne, différentes formes de

flexibilité de l'emploi et du travail se mettent en place :
c'est l'entreprise éclatée, qui multiplie et superpose une
grande variété de formes contractuelles de mobilisation
du facteur travail, pour répondre au plus juste aux variations — quantitatives et qualitatives — d'activité,
compte tenu d'un niveau d'emplois permanents diminué. Et dans cette diversité, on va retrouver plusieurs
modalités de flexibilité de la main-d'œuvre : la flexibilité contractuelle (CDD, intérim, recours à la sous-traitance, au travail indépendant...), la flexibilité du temps
de travail (horaires variables, travail à temps partiel,
annualisation du temps de travail...), la flexibilité fonctionnelle (polyvalence, adaptation des compétences...)
et la flexibilité des lieux de travail (mobilité géographique, travail à distance...).

Au cours de la décennie 1980, le thème de la flexibilité est devenu une des préoccupations majeures des
entreprises comme des gouvernements, ainsi qu'un des
principaux sujets de débats entre directions et organisations syndicales. Dans le cas de la France, on peut noter,
du côté patronal, l'expression réitérée de projets ou de
propositions de réformes du droit du travail[1], afin de
lever les rigidités produites par ce dernier. Du côté de
l'intervention du législateur, on peut mentionner par
exemple l'établissement de décrets et de lois étendant
les possibilités de recours aux contrats à durée déterminée (CDD[2]), au temps partiel et au travail temporaire[3].
Du côté des politiques publiques de l'emploi, on peut
souligner la création par l'État de formes d'emploi
aidées se concrétisant par des formules de contrats
flexibles, pour lutter contre les effets sélectifs du marché
du travail. Mais simultanément, les négociations natio-
nales interprofessionnelles sur la flexibilité connaissent
une succession d'échecs, notamment depuis le revers
connu par la négociation interprofessionnelle de 1984,

rendant tabou le terme de flexibilité. Ainsi, que ce soit dans l'adhésion ou dans l'opposition, que ce soit dans l'offensive ou dans le retrait, la flexibilité est certes présente, mais cette présence est relativement creuse : les débats sur la flexibilité informent peu sur ses enjeux et a fortiori, sur ses modes de mise en œuvre[4].

Pour donner sens à la notion de flexibilité, on dispose alors de travaux d'économistes du travail qui en ont proposé un cadre d'analyse. Concernant les modes de fonctionnement du marché du travail, P.B. Doeringer et M.J. Piore[5] ont par exemple théorisé au début des années 1970 la notion de segmentation du marché du travail. Ils distinguent le « marché interne du travail » du « marché externe du travail ». Le « marché interne » structure l'allocation de la main-d'œuvre sur des emplois dits « primaires » selon des règles collectivement négociées, par opposition à des procédures de marché. Cela correspond en France au contrat à durée indéterminée (CDI) à temps plein, encadré par des conventions collectives, soit le modèle type du salariat. Plus récemment, J. Atkinson a conceptualisé le « modèle de la firme flexible[6] ». Pour être flexible, il s'agit pour l'entreprise de disposer d'une main-d'œuvre lui permettant de « coller au marché » et ce dans trois dimensions : la « flexibilité fonctionnelle » vise à déployer les salariés rapidement sur telle ou telle tâche ; la « flexibilité numérique » permet de disposer à tout instant du volume exact de travail nécessaire à la production ou à la prestation de service du moment (ce volume peut s'entendre en temps de travail ou en emploi) ; la « flexibilité financière » (ou encore salariale) tend, en redéfinissant les systèmes de rémunération, à corréler au plus près le coût du travail et l'activité. Dans tous les cas, il s'agit pour l'entreprise non seulement d'optimiser ses modes de fonctionnement, mais aussi d'accroître sa réactivité au moindre coût. Et ces trois sources de flexibilité de la main-d'œuvre peuvent être obtenues en interne ou en externe.

En pratique, l'entreprise établit en fin de mois et en fin d'année un recensement de ses effectifs incluant les personnes employées en CDI et en CDD. En comparant ces chiffres d'une année sur l'autre on peut identifier un processus de diminution des effectifs. Mais cette opération ne fournit qu'un solde net et pour comprendre comment les effectifs ont été réduits, il faut suivre pour une entité donnée les mouvements de sa main-d'œuvre ; il faut pointer les entrées et les sorties de personnel, avec leurs motifs (à l'entrée, on trouvera, par exemple, des embauches en CDI ou CDD, des contrats d'apprentissage ; à la sortie, on trouvera, par exemple, des licenciements, des démissions ou des «départs naturels»). On rencontre alors une grande variété de configurations, qui toutes amènent à limiter ou à abaisser le niveau d'emplois permanents. Une réduction nette d'effectifs peut ainsi être le solde de flux d'entrées et de sorties dont il peut devenir difficile de faire le tri.

Dans le cas d'Assist, groupe de prestations de services professionnels, l'effectif total a été réduit de 5 % en deux ans (1992-1994). Cette diminution est la conséquence de flux importants : il y a eu 1 300 entrées et 1 700 départs. Le directeur des ressources humaines du groupe explique ainsi : «*Au total, on a affiché un effectif presque identique mais c'est un chiffre un peu factice. Il y a eu pas mal de croissance externe.*» Il signifie par là que le rachat d'activités a fait gonfler l'effectif, tandis que la vente ou la restructuration d'autres activités l'ont fait diminuer. Les différentes branches de ce groupe ont modifié leur périmètre juridique et d'activité ainsi que leur organisation. On peut observer plusieurs mouvements de restructuration : des activités ont été cédées (totalement ou partiellement) et d'autres filialisées ; des activités ont cessé et d'autres ont été étendues ; des activités ont été rachetées et rattachées à d'autres. Si l'on compare l'organigramme de l'entreprise en 1994 avec celui de 1992, on peut constater qu'il y a eu de très importantes modifications, liées notamment à des suppressions et à des regroupements de structures. Ces différentes modifications du spectre d'activités ont eu des incidences sur le volume et la nature des emplois du groupe. Le niveau d'ensemble a diminué, beaucoup d'emplois ont été déplacés et les individus présents ont été en partie changés. Il devient d'ailleurs très difficile de rendre compte de l'évolution des effectifs et de leur structure, et de cerner l'évolution des différents périmètres du groupe. Par exemple, si l'on s'en tient aux données consolidées au niveau du groupe, on ne peut déterminer de façon précise comment ont évolué parallèlement les effectifs et les niveaux d'activité. Or, il n'existe en l'occurrence aucun processus d'analyse de ces données. Moyennant quoi, le directeur des ressources humaines explique : « *Hormis des flux globaux, on ne sait pas bien ce qui se passe dans les différentes entreprises du groupe... sauf quand il y a un pépin.* » De fait, la comptabilité des effectifs est ici nettement moins affinée que celle des coûts. Les « données sociales » recensées dans les bilans sociaux de chaque entreprise du groupe ne sont pas consolidées et sont difficilement comparables dans le temps à cause des changements successifs de spectre. Finalement, on peut estimer que des décisions ayant des conséquences sur les emplois sont prises, mais ces liens de cause à effet sont difficiles à reconstituer. Et dans ce vide d'analyse, les effets sur l'emploi de décisions stratégiques restent ignorés.

A l'inverse, l'annonce et la mise en place d'un plan

social sont des actes très visibles et faciles à recenser. Le plan social est un dispositif qui suppose le respect de procédures juridiques contrôlables (consultation des institutions représentatives du personnel, mise en place de mesures de conversion, détermination de critères dans l'ordre des licenciements...) ; il donne lieu bien souvent à des négociations avec les pouvoirs publics (notamment pour l'octroi de préretraites du Fonds national pour l'emploi) ; il se voit fréquemment repris par les médias ; il implique pour l'entreprise la production d'argumentaires économiques[7], ainsi que la mise en place d'une organisation particulière à l'élaboration et au suivi du déroulement du plan. Mais les mesures progressivement élaborées par le législateur depuis dix ans[8] pour surveiller ce plan social ne constituent qu'une goutte d'eau dans la marée des licenciements économiques et a fortiori des réductions d'effectifs. Le plan social forme la partie émergée de l'iceberg des licenciements économiques[9], qui eux-mêmes, ne correspondent qu'à une part de la panoplie des mesures mises en œuvre par les entreprises pour réduire leurs effectifs.

Que contient donc un plan social ? Le cas de l'entreprise Cigogne constitue un modèle de gestion des sureffectifs par mise en œuvre de plans sociaux successifs, dont les contenus ont été progressivement adaptés en fonction de négociations avec les organisations syndicales et les pouvoirs publics. L'inspecteur du travail en charge de ce dossier parle d'une *« Rolls Royce des plans sociaux »*. Cigogne est une entreprise appartenant à un grand groupe industriel de produits de grande consommation. En 1993, elle est constituée d'un siège social et de quatre usines de production, implantées dans l'est de la France. Avec 40 % de parts de marché, Cigogne est leader français sur un marché stagnant et dégage depuis la fin des années 1980 une rentabilité oscillant autour de 10 % du chiffre d'affaires. Les deux modalités privilégiées de ces plans ont été les préretraites et la reconversion externe par appel au volontariat. Et pour assurer la gestion des sureffectifs, la direction de l'entreprise a bâti dès 1986, une kyrielle de mesures d'accompagnement, en sus des préretraites FNE : aide aux mutations avec subvention[10], prime d'initiative individuelle[11], aide à l'installation à son compte (assistance technique, examen des possibilités d'essaimage, aide d'un service spécialisé du groupe) avec une subvention supplémentaire s'il y a un deuxième emploi créé, incitations financières versées aux entreprises lors de l'embauche d'un salarié en sureffectif, aide au passage à temps partiel, travail saisonnier renouvelé, aide au retour au pays (conventions ONI) et enfin aides au reclassement externe[12] (aide à la formation, mise en place d'une antenne emploi interne et aide à la recherche d'un emploi[13]). Ces dispositifs d'accompagnement sont conçus, voire pour certains financés et coordonnés par le groupe : ce dernier a mis en place une structure spécialisée rattachée à la direction générale des ressources humaines (DGRH), en charge d'assister les entreprises du groupe dans la gestion des sureffectifs. Cette structure assure la mise en place des « antennes emploi », définit leurs modes de fonctionnement, finance l'intervention de consultants en reclassement et les coordonne. De ce fait, un certain nombre de moyens centralisés au niveau du groupe sont mis à la disposition de l'entreprise et des salariés inscrits sur le plan social, telles des prestations de conseil juridique, de conseil à la création d'entreprise, d'aides à la mobilité professionnelle (formations d'adaptation à l'emploi) et géographique. Au niveau des établissements, ce sont les services ressources humaines qui assurent la mise en œuvre et le suivi de ces dispositifs, en collaboration avec les responsables opérationnels. Ainsi, pour réduire ses effectifs, l'entreprise Cigogne a progressivement installé une série de dispositifs et a structuré une organisation propre à leur mise en œuvre. Et les plans se succédant, les différents acteurs impliqués ont acquis un véritable savoir-faire dans la mise en œuvre de plans sociaux.

En dehors de ce type d'exemples, assez caractéristiques des entreprises industrielles à forte tradition « sociale », on trouve de multiples situations où les entreprises réduisent leurs effectifs sans mise en œuvre d'un plan social. Elles opèrent des licenciements économiques hors procédure de plan social (ou encore des « licenciements secs »), des « départs négociés », des politiques de blocage des embauches et de non-renouvellement des départs dits « naturels », mais aussi des abandons d'activité donnant lieu à des transferts de personnel (essaimage, sous-traitance, filialisation…). Ces mesures alimentent toutes un même processus, celui amenant une entité juridique à afficher, en fin de mois ou en fin d'année, un nombre réduit de personnel. Par exemple, chez Assist, les départs ont été obtenus selon trois modalités : mise en œuvre de plans sociaux, séries de licenciements économiques de moins de dix personnes sans élaboration d'un plan social et transactions individuelles. Le recours à des mesures importantes de réduction des effectifs en dehors du cadre d'un plan social est rendu possible dans ce groupe par au moins deux facteurs : l'éclatement juridique des structures et la forte proportion de cadres dans l'effectif. En effet, l'éclatement juridique des structures semble favoriser la possibilité de réaliser des petits plans de moins de dix personnes : « *comme on a beaucoup filialisé, on peut faire des petits paquets un peu partout et atteindre notre cible sans toutes les contraintes d'un plan social* », explique un directeur des ressources humaines. Pour les transactions individuelles, elles ont pu prendre la forme de démissions ou de licenciements pour incompatibilité d'humeur, le dénominateur commun de ces pratiques étant qu'elles s'opèrent dans le cadre de négociations individuelles, qui font intervenir en parallèle le responsable hiérarchique, le responsable de la gestion des ressources humaines et le salarié. D'après le directeur des ressources humaines, « *la plupart du temps, un chef de service nous indique qu'il pourrait se séparer de tel salarié. On voit avec lui comment on peut faire et on va voir le salarié en question en lui proposant quelque chose* ». Ou encore, « *on a fait savoir de façon informelle qu'il existait des possibilités de départs négociés et certaines personnes viennent nous voir spontanément* ». Et c'est un mode de rupture qui s'opère particulièrement auprès des cadres : « *Au niveau du siège, on essaye de pousser au départ certains cadres : on leur propose de fortes sommes d'argent ou de les aider à faire autre chose. Par exemple, on a incité certains cadres à devenir consultants, en leur assurant un certain volume de contrats pendant trois années.* » Et il ajoute : « *C'est cher, mais c'est propre et sans bruit.* » Et dans toutes ces configurations, il s'agit bien pour l'entreprise d'une stratégie intentionnelle de réduction des effectifs : comme l'affirme le DRH, « *on est partis dans une chasse au gras et on cherche à supprimer des postes tous azimuts* ». Les responsables opérationnels (chefs de service, directeurs de centres d'activité) le savent et signalent les départs possibles. Mais dans le cas de cette entreprise, on a préféré recourir à des séries de mesures individuelles, par définition éparses et de ce fait relativement insaisissables ; processus qui amène d'ailleurs un de ses dirigeants à affirmer : « *Nous avons réduit nos effectifs de façon nette, mais en douceur ; d'ailleurs, personne ne nous taxe d'entreprise qui licencie.* »

De telles mesures de réduction des effectifs hors mise en œuvre d'un plan social sont identifiées de façon floue par l'outil statistique actuel et donc mal connues. L'ensemble des pratiques de gestion des effectifs (embauche, rupture contractuelle, transferts, mobilités, etc.) n'est que partiellement évalué : au niveau macro-économique, on ne peut saisir que, soit des flux globaux de destructions et de créations nettes d'emplois [14] — sans les caractériser précisément —, soit les évolutions des formes d'emplois (CDI, CDD, intérim, stages divers relevant de l'ensemble des mesures de promotion de l'emploi [15]). Les trajectoires d'emploi des individus, ainsi que les natures de ruptures contractuelles demeurent inexplorées : « Si l'on peut évaluer au moins officiellement la part des divorces eu égard aux mariages enregistrés et dans le même mouvement, le temps moyen des mariages, il n'en va pas de même dans le domaine des relations du travail. Ici, l'on ne dispose pas d'une statistique élémentaire qui permettrait sur cent recrutements opérés d'évaluer ceux qui, six mois ou deux ans après, se sont terminés par un licenciement ou un départ volontaire [16]. » Et en particulier, depuis la suppression de l'autorisation administrative de licenciement économique en 1986, il n'existe plus de statistique exhaustive sur les licenciements économiques [17]. De telles mesures de réduction des effectifs peuvent revêtir des formes juridiques très variées, dont la réalité du motif n'est pas toujours saisissable, ce qui complique à nouveau l'analyse des données. Par exemple, une transaction individuelle sous forme de démission peut dissimuler une stratégie de suppression d'un poste.

Les mesures de réduction des effectifs hors procédure de plan social se retrouvent en outre occultées par l'attention qu'on accorde à la gestion de l'emploi dans les grandes entreprises : elles sont la cible de tous les regards en la matière, que ce soit de la part des pouvoirs publics, des organisations syndicales ou des médias. Or justement, une grande part des licenciements économiques s'opère dans les petites entreprises et en particulier dans les entreprises de moins de 50 personnes [18]. Lors de l'étude d'un tissu de PME sous-traitantes [19], nous avons observé que les entreprises de moins de 100 salariés privilégient trois modalités de réduction des effectifs : le non-renouvellement des départs naturels, particulièrement quand la pyramide des âges le permet ; des licenciements secs successifs ; et à nouveau, des départs négociés. Ces constats rejoignent des conclusions tirées quant à l'inégalité des salariés face aux modalités de la rupture contractuelle, selon la taille de l'entreprise : par exemple, les licenciements secs (sans mesures d'accompagnement) se retrouvent en grande partie dans les petits établissements [20]. Mais les mécanismes de mobilisation de l'emploi dans les PME sont relativement moins auscultés que dans les grandes entreprises, laissant libre cours à des discours peu débattus sur le développement de l'emploi dans les PME, de type : « l'avenir de l'emploi est dans les PME. »

Enfin, à force de centrer l'attention sur les plans sociaux, on en viendrait parfois à oublier que les entreprises et les administrations relevant du service public réduisent elles aussi leurs effectifs. Le statut de fonctionnaire n'autorise pas le recours au licenciement économique mais laisse l'employeur seul juge de la gestion de ses effectifs, tels que le renouvellement partiel des départs ou encore le recours à des emplois dits d'insertion et subventionnés, en substitution de salariés à statut. En outre, la constitution de filiales de droit privé appartenant à des grandes entreprises du service public permet de créer des sphères de liberté plus grande en matière de gestion de l'emploi, permettant l'embauche de salariés sous statut privé.

Dans tous ces mouvements, le phénomène de réduction des effectifs s'est fortement développé au cours de la première moitié des années 1990. Si les données statistiques sont limitées, elles permettent néanmoins de constater plusieurs formes de diffusion des licenciements économiques et des destructions d'emplois. Les réductions d'effectifs semblent au cours de la première moitié des années 1990 ne pas connaître de frontière sectorielle[21]. Les pertes d'emploi gagnent tous les établissements[22]. Et les mesures de réductions d'effectifs se répètent plus qu'auparavant au sein d'un même établissement[23]. Le type de populations concernées par les mesures de réduction d'effectifs évolue aussi : à partir de 1992, elles atteignent fortement les cadres[24].

Quand on s'interroge sur les catégories socioprofessionnelles touchées par les mesures de réduction des effectifs, on observe qu'elles se sont progressivement diffusées des ateliers aux bureaux, des cols bleus aux cols blancs, des effectifs de production aux effectifs de structure, ou encore de la main-d'œuvre directe à la main-d'œuvre indirecte. Dans le cas de Cigogne, ce sont essentiellement les agents de production qui ont été touchés par les premiers plans sociaux, au cours de la période 1986-1992. Mais depuis 1992, les mesures de réduction des effectifs se sont étendues aux populations d'employés et de cadres : il s'est agi, à partir de cette période, de réduire les effectifs du siège ainsi que les effectifs des équipes commerciales. Dans le cas d'Assist, les différents directeurs des ressources humaines des branches mettent en avant en 1994 le fait que les *« grandes restructurations sont maintenant passées »*. Pour autant, ce constat n'entame pas la tendance poursuivie en matière de gestion des effectifs. Le président a ainsi annoncé fin 1994 : « *Ce qui importe, c'est de mettre en résonance les branches, car ni les clients ni nos marchés ne s'intéressent à nos organigrammes internes, certainement trop complexes et qu'il convient de simplifier.* » Propos que le directeur des ressources humaines traduit de la façon suivante : « *concrètement, cela signifie qu'une réorganisation de la holding est en cours ; on va partir à la recherche de doublons, de personnes qui font la même chose* » ; « *maintenant qu'on a fait le ménage, on va s'attaquer aux structures* ». Ce mouvement est généralement stimulé par la mise en œuvre de démarches de « reengineering [25] », où il s'agit de refondre l'organisation et en particulier de faire fondre les effectifs de structure.

Ainsi, les réductions d'effectifs se répètent et se diffusent. Elles donnent lieu à la mise en place de nouvelles procédures, de nouveaux systèmes de gestion de l'emploi et appellent des restructurations organisationnelles. En dehors des mesures amenant à des ruptures contractuelles et à l'activation de sorties de salariés, les grandes entreprises ont mis en place des procédures de blocage des embauches et de gestion des mobilités, afin de contrôler au plus près les mouvements d'entrée sous forme de CDI ou de CDD. De telles procédures rendent plus difficile l'accès à l'emploi stable dans les entreprises, en freinant les recrutements et en stimulant un mécanisme de préférence pour des formes flexibles d'emploi.

Dans les grandes entreprises, des « Bourses de l'emploi » fonctionnent comme un mini-marché interne protégé de l'emploi : elles affichent les postes vacants dans l'entreprise pour donner la priorité aux postulants en interne et elles présentent des candidats à la mobilité. De tels systèmes visent à fluidifier et à animer les mobilités internes : il s'agit de recourir autant que possible aux ressources internes plutôt que d'embaucher[26]. Quand un poste est ouvert en interne, le responsable hiérarchique (un chef de service, un directeur de département) doit l'afficher par le biais de médias développés à cette fin (Minitel ou journal interne des mobilités, par exemple). En parallèle, les responsables ressources humaines des différentes entités de l'entreprise se réunissent régulièrement lors de «people's review» pour confronter les postes vacants et les salariés dont la mobilité est rendue nécessaire (ou est demandée). En rapprochant ainsi les postes et les personnes, ils évaluent les possibilités d'établir, pour une personne, des passerelles entre deux postes. Le responsable hiérarchique en quête de remplaçant pour un poste vacant est alors astreint, pendant une période qui dure souvent plusieurs mois, à ne pas rendre publique — en dehors de l'entreprise — l'offre d'emploi. Et quand ils font appel à une main-d'œuvre externe, les opérationnels doivent apporter la preuve que l'emploi ne peut être occupé par un salarié de l'entreprise ; pour que le recours à la mobilité interne soit considéré comme inactivable et que, de ce fait, l'ouverture du poste à l'embauche externe puisse s'opérer, il faut l'accréditation d'un nombre important de responsables. Comme l'ont observé C. Leboucher et P. Logak en étudiant l'entreprise face à l'embauche, il faut recueillir de nombreuses signatures pour qu'une demande de personnel supplémentaire puisse aboutir à une embauche effective en CDI[27]. Nombre de responsables opérationnels et de directeurs des ressources humaines nous ont précisé que, compte tenu du vivier de ressources humaines disponible dans chaque grande entreprise, il est rare de ne pas trouver en interne quelqu'un qui puisse être adaptable au poste vacant. Surtout quand l'entreprise s'en donne les moyens en termes de formation d'adaptation au nouveau poste. L'allon-

gement de la procédure d'embauche par sa centralisation est en lui-même un facteur de recours à des formes
d'emploi autres que le CDI : en attendant que le poste
soit éventuellement renouvelé, soit le service arrive à
s'organiser autrement avec les ressources disponibles,
soit il va être amené à faire appel, suivant les cas, à un
stagiaire, à un intérimaire ou à un prestataire externe[28].
Ces procédures peuvent amener à supprimer l'emploi :
d'après les responsables opérationnels que nous avons
rencontrés, le fait de laisser un poste vacant comporte le
risque qu'il soit définitivement supprimé : *« On était
trois cadres dans le service. Il y en a un qui est parti à
la retraite. On s'est organisés sans lui : on a travaillé
plus, on a pris un stagiaire-école et après trois mois à
ce rythme, la direction nous a expliqué qu'on pouvait
très bien continuer comme cela. »* Ainsi, l'activation de
tels flux internes, soumis à des procédures de contrôle
centralisées, accroît le durcissement des frontières
externes de l'entreprise à l'emploi sous forme de CDI :
l'embauche est maîtrisée a priori par les directions des
ressources humaines et elle suppose, pour les responsables opérationnels, du temps et des efforts supplémentaires de négociation et d'argumentation auprès des
niveaux centraux de la décision.

Et au-delà des suppressions de postes, quand une
entreprise se crée, on cherche d'emblée à limiter le
niveau d'emplois permanents. C'est particulièrement le
cas lors de l'implantation de nouveaux établissements de
production dont le procès est fortement automatisé et où
les ouvriers travaillent à la chaîne, parfois en équipes.
On y retrouve un taux important d'ouvriers et un faible
poids des ingénieurs et cadres, ces entreprises ayant
cherché à alléger les structures et à diminuer les niveaux
hiérarchiques[29], *« pour conserver la souplesse nécessaire »*. De la même façon, face à un développement de

son activité, l'entreprise va dans un premier temps essayer de ne pas prendre le risque d'embaucher, soit en s'employant à absorber au moins une partie du surplus d'activité avec l'effectif existant, soit en déployant des formes flexibles d'emploi.

L'entreprise qui s'allège est ainsi une entreprise qui rompt des contrats de travail, qui supprime des postes, qui vend ou externalise des pans de son activité, qui stimule les mobilités internes, qui freine ses embauches en CDI. Dans l'ensemble de ces processus — que ce soient des mesures de réduction des effectifs, des procédures de freinage des embauches ou des politiques de limitation des créations d'emploi lors de nouvelles implantations —, on retrouve la traduction simultanée de plusieurs objectifs recherchés par l'entreprise : amener le niveau d'emplois permanents au niveau bas de l'activité, recentrer les effectifs sur le « cœur du métier », mais aussi alléger l'organisation pour accroître sa réactivité.

La diminution des effectifs s'accompagne alors de transformations organisationnelles. Par exemple, l'entreprise Cigogne a cherché à abaisser le niveau d'effectif permanent pour améliorer sa flexibilité face aux variations saisonnières et pour éviter l'alternance entre le recours aux heures supplémentaires en période haute et le recours au chômage technique en période basse : *« Dans mon service, les règles de calcul sont les suivantes : on a un effectif minimum (saison basse) qui est égal à neuf équipes. Le reste est devenu de l'appoint. Avant 1986, on était au plafond haut en permanence. Depuis, on a calé les effectifs sur le niveau bas et le reste, on le comble avec des CDD ou des intérimaires »*, explique un chef d'atelier. Pour Assist, ses évolutions structurelles du milieu des années 1980 à aujourd'hui sont caractérisées par un mouvement parallèle de

« *recentrage sur le cœur du métier* » et de restructurations. Assist a connu une première période (1983-1986) où le groupe a procédé à « *une intégration verticale* », a connu « *des aventures avec lesquelles on a eu des retours de manivelle et des sinistres* » et où « *on était allés trop vite* ». Puis, Assist s'est restructuré, cherchant à « *accroître la rentabilité des métiers où on est forts* ». Ce point est régulièrement repris par le président dans ses communications internes : « *Il nous faut renforcer les activités du groupe dans lesquelles ses compétences sont reconnues et qui lui permettent d'occuper une place prépondérante sur d'importants marchés.* » De son côté, Local, entreprise de prestations de services aux particuliers, a lancé en 1992 une grande opération de réorganisation, afin « *de tourner l'organisation vers la clientèle* » et « *de répondre de façon diversifiée aux attentes des différents types de clientèle* ». Local est alors passée d'une organisation par régions à une organisation par produits. Le directeur des ressources humaines de Local explique : « *Avant, il y avait cinq directions régionales, avec chacune de grosses équipes (commerciaux, techniciens, responsables de la gestion) et chacun couvrait l'ensemble des produits, qui sont très différents. Maintenant, nous sommes passés à une logique de marchés : la direction commerciale couvre l'ensemble des agences et est organisée en sept lignes de produits. Au niveau des directions régionales, seuls les cadres comptables sont restés.* » Et « *toute l'entreprise est maintenant orientée vers le client, ce qui suppose un changement radical de culture ; les gens ne sont plus dans un système où ils font comme les autres, installés à un niveau hiérarchique ; ils font chacun dans leur produit, avec un enjeu commercial direct pour chacun* ». Une telle réorganisation s'est traduite par la mise en œuvre d'un plan de restructuration amenant à la suppression de 10 % de l'effectif.

L'entreprise qui s'allège est une entreprise qui, au-delà d'éventuelles adaptations à des baisses de charges, se restructure et se réorganise. Mais l'entreprise qui s'allège supprime-t-elle des postes pour se réorganiser ou se réorganise-t-elle pour supprimer des emplois ? Où sont les moyens, où sont les objectifs ? Où est la poule, où est l'œuf ? Difficile à déterminer à première vue : les reconfigurations organisationnelles engendrent l'identification d'un sureffectif et, réciproquement, la détermination d'une cible amoindrie d'effectifs amène nécessairement à repenser les structures et l'organisation du travail pour s'adapter à cette nouvelle donne. Pour l'heure, nous noterons l'existence d'une dialectique autorenforçante entre le processus de réduction des effectifs et le processus de réorganisation : l'un vient alimenter l'autre, le point ultime d'une double diminution des effectifs et de l'organisation étant atteint par le «downsizing», où il s'agit bien d'une stratégie intentionnelle de contraction et où la « chasse au gras » devient un objectif de l'organisation. Il n'est alors pas précisé ce qui permet de taxer l'emploi de gras, mais la course à la minceur est ouverte.

Tout en diminuant ses effectifs, l'employeur exprime de plus en plus d'exigences à l'égard des salariés habilités à entrer ou à rester dans l'entreprise : il les sélectionne de plus en plus. Si l'employeur teste ses salariés de façon plus fréquente, c'est qu'il lui faut disposer d'un volant de personnel adaptable aux évolutions du système productif, afin de répondre en juste-à-temps aux nouvelles donnes concurrentielles. Les évolutions du marché étant de moins en moins prévisibles, l'employeur va chercher autant que possible à disposer d'un noyau dur de salariés eux-mêmes flexibles, dans le sens d'une adaptation permanente à de nouvelles conditions de travail (compétences à mettre en œuvre, contenu des emplois, lieux de travail, organisation du travail, etc. [30]). Il cherchera en particulier à se doter de salariés capables de polyvalence, d'adaptation aux nouvelles exigences de la production et de la recherche de qualité, de mobilité professionnelle et géographique. Une telle quête peut alors s'opérer soit en accompagnant les salariés en place vers de nouvelles tâches et de nouvelles responsabilités, soit en changeant les individus en place. Bien souvent, on trouvera à l'œuvre une combinaison de ces deux moyens. Dans tous les cas, pour tendre vers cet idéal, l'employeur multiplie les épreuves et les critères de jugement, que ce soit à l'entrée, tout au long du parcours ou à la sortie de l'entreprise. Pour les individus, ces nouveaux outils de gestion du personnel transforment l'emploi en véritable parcours d'obstacles, sans véritable garantie de sécurité de l'emploi.

Dans le but d'adapter les salariés qui y travaillent, l'entreprise va rechercher des leviers de flexibilité interne [31]. Dans cette perspective, l'entreprise Cigogne a développé plusieurs formes de flexibilité des conditions de travail : la flexibilité horaire (l'entreprise a signé un accord de modulation du temps de travail), la flexibilité professionnelle (recherche de polyvalence, accroissement des mobilités fonctionnelles), la flexibilité de la rémunération (l'entreprise a de longue date mis en place un système d'intéressement et de participation). Chez Cigogne, ces différentes dimensions organisationnelles (changements de l'organisation du travail, adaptation du système productif et des compétences des agents) s'insèrent dans un projet global de recherche d'une « organisation qualifiante [32] ». A titre d'exemple, quelques groupes de production ont été reconfigurés, afin que les agents de production aient une visibilité sur toutes les étapes du processus de production et pour faciliter la transmission des informations. En parallèle, cette nouvelle conception de la chaîne de fabrication a permis d'intégrer le contrôle de la qualité des produits et la maintenance de premier niveau dans la définition de poste des ouvriers, dorénavant dénommés « opérateurs ».

Du côté des embauches, les mailles du filet se sont resserrées. L'entreprise sélectionne les individus habilités à intégrer le « noyau dur » : comme le souligne P. Cam en évoquant le recrutement, « les affinités électives sont aussi des affinités sélectives [33] ». Dans un contexte d'incertitude sur les besoins à venir en matière de profils des ressources humaines, les entreprises ont eu tendance à faire évoluer à la fois les processus et les critères de sélection des salariés embauchés. Suivant une logique de type « qui peut le plus, peut le moins », les niveaux de qualification exigés pour chaque catégorie de postes ont été accrus : par exemple, les caissières de supermarché doivent avoir un niveau bac ; les guichetiers de banques, un niveau bac + 2 ; les commerciaux, un niveau bac + 4. Les processus de surqualification à l'embauche se généralisent d'un bout à l'autre de l'échelle des qualifications. Dans cet accroissement des critères de sélection, l'entreprise cherche à employer des individus dont elle aura le moins possible à assurer la charge du temps de formation ; elle cherche des salariés directement « opérationnels ». Ce processus est aussi un sous-produit de la diminution des effectifs : il y a de moins en moins de temps à consacrer à des tâches qui ne soient pas directement opérationnelles, ou encore dont on ne peut apporter d'emblée la preuve de la rentabilité ; il y a donc de moins en moins de temps à consacrer à la « formation sur le tas », à la transmission de savoir-faire in situ. Et dans un contexte d'offres d'emploi en contraction, il devient en effet possible de trans-

férer au moins en partie la charge de la professionnali-
sation des individus sur le système éducatif et de formation professionnelle. Lors d'un recrutement, l'employeur aura ainsi tendance à préférer un candidat
affichant de belles médailles de formation.

Mais le seul niveau de qualification ne suffit pas :
c'est aussi un individu au comportement idoine qui est
recherché. La nature des critères de sélection a également évolué, s'orientant de plus en plus vers des critères
relevant non seulement du domaine des « savoir » ou des
« savoir-faire », mais aussi des « savoir-être ». Lors d'un
recrutement, les critères comportementaux sont aussi
mis à l'épreuve. Dans la mesure où l'entreprise ne peut
pas savoir a priori de façon précise ce qu'elle exigera du
nouvel embauché à moyen terme, elle est amenée lors
du recrutement à évaluer un potentiel ; pour le responsable du recrutement des cadres d'un groupe industriel,
*« maintenant, quand on embauche quelqu'un, on sait
qu'on ne lui demandera pas la même chose dans cinq
ans, alors on cherche à anticiper en retenant des can-
didatures de gens à potentiel d'évolution ».* Les critères
d'objectivation d'un potentiel sont par définition difficiles à établir : il s'agit d'une projection de compétences
individuelles. Tout ceci est bien flou, mais il faut bien
rationaliser et, dans un contexte de chômage élevé, trancher face au volume de candidats. Dans un contexte de
contrôle des embauches, il faut justifier auprès de sa hiérarchie de l'excellence d'un candidat et de la pertinence
de son embauche. Alors, le recruteur mobilise des outils
sophistiqués de sélection et le marché des tests (psy-
chotechniques, graphologiques ou encore morpholo-
giques), plus ou moins sujets à caution, prospère.
D'après un consultant en recrutement, il lui faut à
chaque fois « vendre » les candidats proposés à un client
et pour cela s'armer d'arguments multiples : *« Quand on*

trouve des candidats dont on estime qu'ils correspon-
dent au poste, on doit encore convaincre le commandi-
taire qu'on lui a trouvé la perle rare et les résultats de
tests nous aident à apporter des preuves de ce qu'on
avance. » D'ailleurs, ce même consultant a lui-même
besoin de s'assurer a priori de la qualité d'un candidat
car si ce dernier venait à faire défaut au cours de la
période d'essai, il devrait recommencer l'opération.
L'entreprise se mobilise aussi pour multiplier les entretiens, transformant l'embauche en véritable parcours du
combattant pour les candidats. Ainsi, pour le DRH d'une
entreprise de l'électronique : « *Il n'y a rien de mieux*
pour s'assurer de l'intégration future d'un nouvel
embauché que de le confronter d'emblée à ses futurs
collaborateurs et chez nous, on ne recrutera que si le
candidat ne suscite pas de veto. » Cette recherche d'assurance sur l'embauche trouve pour partie un écho dans
les processus de sélection : les recruteurs ont tendance
à privilégier l'embauche de personnes qu'ils connaissent
ou que leurs réseaux relationnels peuvent être amenés à
leur recommander ; ils tendent ainsi à privilégier des
« recrutements de proximité [34] ». De même, quelle que
soit la procédure de recrutement, l'employeur teste plus
longtemps la personne dans l'exercice d'un poste : le
recours aux stages, à l'intérim et aux CDD avant l'établissement d'un CDI permet d'allonger le temps de la
période d'essai, au cours duquel la remise en cause de
l'embauche demeure aisée.

La recherche de compétences n'entame généralement
pas le souci de maîtriser le coût du travail. Et dans un
contexte d'offres d'emploi en diminution, il devient possible de transférer pour partie la charge du coût du travail soit sur les individus employés (diminution du
niveau des salaires d'embauche), soit sur le budget de
l'État (recours à des formes d'emploi aidées). Entre

l'embauche de compétences et l'embauche d'une main-d'œuvre la moins coûteuse possible, l'entreprise en vient parfois à définir des profils de candidats recherchés qui confinent au «mouton à cinq pattes». Un chef d'entreprise d'une PME du secteur de la plasturgie employant soixante personnes admet par exemple : «*On est aujourd'hui en sous-effectif et c'est une course dangereuse, car il nous manque un bon commercial, mais avec toutes nos contraintes, on ne pourra embaucher quelqu'un que s'il est mobile, qualifié, directement opérationnel, au moins bilingue, autonome et en plus, pas cher; c'est le vrai mouton à cinq pattes, mais tant qu'on ne le trouve pas, on n'arrive pas à se décider à embaucher.*»

Une fois le CDI obtenu, les épreuves d'évaluation ne s'arrêtent pas pour autant : les entretiens annuels d'évaluation (ou d'appréciation), généralisés pour la population des cadres et parfois étendus aux «non-cadres», évaluent l'adéquation des résultats individuels aux objectifs fixés. Ils incluent à nouveau des critères d'évolution de compétences, au sein desquels on retrouve les dimensions du «savoir-être». Les évaluations reposent ainsi sur des grilles de notation élaborées en interne, où on pourra trouver des critères de type «*capacités d'initiative*», «*investissement au travail*», «*disponibilité*», «*contact avec ses collègues*» et, finalement, «*capacités d'évolution*». Le résultat de ces entretiens participe de la détermination de la partie individualisée et variable de la rémunération, ainsi que des décisions de mobilité et de promotion : ils interviennent dans les choix d'évolution de carrière des salariés. Chez Cigogne, les augmentations générales de salaires ont été progressivement réduites au taux symbolique de 1 % par an. Par contre, les responsables hiérarchiques disposent chaque année d'une enveloppe à distribuer au sein de leur équipe en fonction des résultats de chacun. Et pour fonder leurs choix, ils se reposent sur les résultats des entretiens annuels d'évaluation. De même, un responsable des ressources humaines consultera, tel un dossier scolaire, les notes et les comptes rendus d'évaluation lors de choix de promotion. Et ce d'autant plus que les places disponibles à la promotion sont de plus en plus chères : pour un DRH, *« on a des goulots d'étranglement partout et on doit faire des choix »*. La gestion du personnel s'est de la sorte fortement individualisée : pour un directeur d'usine de Cigogne, *« avant, on gérait beaucoup plus un collectif de travail, une dynamique de groupe ; maintenant, on raisonne beaucoup plus trajectoires et reconnaissances individuelles »*. Un dirigeant du groupe Assist estime même qu'une telle évaluation s'opère de façon constante : *« On demande à nos salariés de nous apporter la preuve que l'entreprise a besoin d'eux et en cela, on les évalue au jour le jour. »* Et de fait, les salariés en poste ressentent fortement cette pression, en parlant par exemple d'un droit à l'erreur limité, de comportements types à adopter parce que « bien vus » ou encore de comptes à rendre en permanence. De tels processus ne sont certainement pas nouveaux, mais ils se sont vus de plus en plus formalisés, l'entreprise accroissant ainsi sa production de normes en matière de gestion du personnel. Ce qui est de même récent, ce sont les conséquences que peuvent avoir ces épreuves d'évaluation : elles viennent toucher à la rémunération mais aussi au devenir du salarié qui, dans un contexte de chômage élevé, ne peut que craindre les effets d'une évaluation qui ne serait pas parfaite.

Car les processus de détermination des salariés en sureffectif constituent une nouvelle occasion de sélection. Au-delà des contraintes légales de détermination de l'ordre des licenciements, l'entreprise va privilégier différents critères : il pourra s'agir de se séparer des salariés les plus onéreux («*à qualification égale, on aura tendance à privilégier le départ des salariés dont le salaire est plus élevé*»), de ceux considérés comme les moins compétents («*on en a profité pour licencier les "bras cassés" qui avaient longtemps été tolérés*»), ou de ceux dont l'entreprise estime qu'ils ne seront pas aptes à suivre les évolutions à venir de l'entreprise («*on a sauvé la peau de 20% d'entre eux* [ceux dont le poste était modifié ou déplacé suite à la réorganisation] *mais il y a eu de la casse avec les personnes qui ne voulaient pas ou ne pouvaient pas suivre*»). La mise en œuvre de mesures de réduction des effectifs est ainsi un moment où «les entreprises réaménagent ou développent des aires de flexibilité interne et externe, quantitative et qualitative[35]» et ce sont des choix qui interviennent sur la détermination des contours du sureffectif (quels seront les postes supprimés? et surtout, quels seront les salariés dont on déterminera qu'ils sont en sureffectif?). Ces critères sont redéfinis en permanence et ont tendance à se durcir au fur et à mesure du déroulement des plans de réduction des effectifs : à force d'avoir à désigner des personnes en sureffectif, il faut toujours inventer plus de critères de sélection. Mais dans tous les cas, de telles réorganisations sont l'occasion de reconfigurer la structure des ressources humaines par le biais de la sélection des salariés inscrits sur un plan de réduction des effectifs. Les critères d'une telle sélection restent généralement opaques, dans le sens où ils ne sont pas divulgués. Et les critères d'hier peuvent se voir invalidés ou renforcés ultérieurement, en fonction des objectifs de réduction des effectifs. Car il faudra bien trouver de nouvelles poches de sureffectif si jamais un telle nécessité venait à s'imposer. D'une façon générale, on peut conclure à l'existence d'un mouvement d'élévation du niveau général des qualifications[36] et de diversification des emplois, en parallèle aux processus de réduction des effectifs.

L'entreprise sélective cherche ainsi à disposer d'une main-d'œuvre qui soit flexible, en termes de mobilité professionnelle, d'adaptation à une organisation du travail et à des technologies en évolution. Pour assurer a priori cette dimension de la flexibilité, l'entreprise en vient à développer l'utilisation d'outils de gestion des ressources humaines de plus en plus formalisés et individualisés. Cela mène à des configurations où la relation salariale devient fortement instrumentée, laissant penser à une défiance accrue dans le produit de cette relation (que va donc bien pouvoir produire l'investissement dans la relation salariale ?) qui, de ce fait, nécessite une rationalisation accrue.

La recherche de flexibilité est aussi organisationnelle et elle se retrouve dans la définition des formes de coordination interne : les différentes entités de la grande entreprise sont inscrites dans des relations internes de type client-fournisseur. Par exemple, les structures projet agrègent des ressources en fonction des besoins de la période de développement du projet. Les grandes entreprises ont développé des formes de contractualisation interne, en parallèle à la constitution de « centres de résultats » ou de « centres d'activité », jugés de façon autonome sur leurs résultats. Par exemple, le groupe Assist se définit comme « *un regroupement de branches autonomes* ». Les dirigeants de la holding expliquent : « *Il faut distinguer décision stratégique, qui se prend au niveau de la holding, et décision de gestion, qui est largement décentralisée. Il y a une holding et des branches par métier et c'est un choix qui détermine les répartitions de responsabilités.* » En faisant de l'entreprise une « *fédération de PME* », le groupe Assist a érigé

les cadres supérieurs en « *patrons autonomes* », en
« *capitaines responsables de leurs résultats* » : « *On multiplie les filiales pour créer des responsables... on dit alors qu'ils seront plus impliqués que de simples chefs de service.* » L'identification de centres d'activité jugés sur leurs résultats peut alors donner lieu à des mises en concurrence avec des structures internes ou externes. Le chef de service de la maintenance d'une usine explique par exemple : « *Au vu de nos résultats, la direction nous a proposé le marché suivant : "Voici ce que nous coûterait de recourir à une entreprise extérieure ; soit vous atteignez ce niveau de coût, soit nous devrons fermer le service." Alors, on a tout fait pour atteindre la cible fixée.* » L'entreprise éclatée intègre ainsi dans ses propres modalités de coordination la contrainte marchande et, pour cela, elle divise la structure d'ensemble en sous-structures autonomes, responsables de leurs choix de gestion.

Derrière ce cadre d'ensemble, les différentes entités organisent localement leurs modes de recours à des formes flexibles d'emploi. Ceci est d'autant plus aisé quand un groupe filialise ses activités : chaque filiale peut alors, dans le cadre de la convention collective, élaborer ses propres pratiques de gestion du personnel et de recours à des formes flexibles d'emploi [37]. Et le champ du possible de ces combinaisons s'est fortement étendu, chaque entité développant des formes de flexibilité répondant à ses spécificités (techniques et socio-organisationnelles). Le pendant social de cette « décentralisation des responsabilités » est une tendance forte à la décentralisation du dialogue social, qui peut être observée comme « une revendication patronale de type "dérégulation" [38] » amenant à un affaiblissement de la négociation de branche [39] : il s'agit en effet pour ces entreprises de tendre vers un « sur-mesure » dans l'élaboration de compromis sociaux. Dès lors, on trouvera au sein d'un même groupe des entreprises voire des établissements appliquant de façon différenciée des accords — par exemple, sur l'aménagement et la réduction du temps de travail — et instaurant des politiques salariales différentes. Dès lors, deux salariés employés par le même groupe ou la même entreprise peuvent se trouver insérés dans des règles de gestion du personnel et des conditions d'emploi très différentes. Et le degré de cette différenciation tend à s'accroître dès que le niveau d'emploi est en jeu : la pression du marché du travail donne en effet l'occasion aux employeurs d'embaucher de nouveaux salariés dans des conditions d'emploi plus flexibles, quitte à créer pour eux des systèmes de gestion du personnel parallèles (on pourra ainsi voir la coexistence de grilles de salaires dissemblables) ; de même, la perspective d'embauches ou de maintien de l'emploi fournit souvent l'occasion pour la direction d'activer un processus de négociation d'accord sur la flexibilité (dans le cas de créations d'emplois, on parlera d'accord offensif, et dans le cas de maintien de l'emploi, d'accord défensif). Le niveau de l'emploi est ainsi mis en balance avec les conditions d'emploi, qui deviennent hétéroclites, y inclus pour les salariés d'une même entreprise.

Un tel processus de gestion différenciée prend une ampleur encore plus importante dès que l'on considère l'ensemble des formes contractuelles apportant des ressources de travail à l'entreprise. Compte tenu d'un point mort de l'emploi diminué, l'entreprise mobilise diverses sources de travail (la sous-traitance, le travail indépendant, l'intérim, les stages…) suivant les données économiques du moment (niveau de charge, nature de la production ou de la prestation, zone géographique à fournir, délais de production ou de prestation à respecter, etc.).

Le recours à de tels contrats ne répond pas uniquement à des besoins ponctuels : dans le cas de la sous-traitance de spécialité par exemple, il peut devenir constant. Ces formes d'extériorisation juridique [40] peuvent être assorties de modalités d'extériorisation organisationnelle par lesquelles l'entreprise limite la concentration de larges effectifs sur un même lieu de travail. Par exemple, l'entreprise détache une partie de son effectif sur un chantier ou dans le cadre d'une prestation de services, pour une durée qui peut aller d'une journée à plusieurs mois. Le travail à domicile ou le travail à façon permettent de même à l'employeur de transférer la gestion des conditions de travail et de production soit sur des salariés, soit sur d'autres entreprises. Ainsi, on retrouve au sein d'une même entité juridique de multiples configurations de mobilisation du travail : les termes généraux des conditions de travail (nature du contrat, lieu de travail, temps de travail, structure d'encadrement, échelles de rémunération, convention collective et secteur d'activité de référence...) ne répondent plus à un critère d'unicité dans l'exercice du travail et sont fortement variables, à la fois dans le temps et d'une entité à une autre.

Le spectre des activités externalisées est fortement évolutif : il est constamment redéfini et, de ce fait, les contours du «noyau dur» évoluent de même. Le responsable des achats d'un constructeur automobile explique ainsi : «*Autrefois, on fabriquait nous-mêmes les pneus ; aujourd'hui, la maîtrise du savoir-faire des manufacturiers et les investissements à consacrer à cette activité ne sont plus à la portée de l'entreprise. Le périmètre des études de "make or buy" peut ainsi varier dans le temps.*» C'est un processus qui semble rencontrer peu de limites et partout on se pose la question des limites du «cœur du métier». Les entreprises se recentrent sur «le noyau dur» et pour toutes les activités qui ne sont alors plus considérées comme stratégiques, il est fait recours à une sous-traitance [41] dite de spécialité. On peut ainsi observer une augmentation des postes « frais d'études et de recherche », « rémunération d'intermédiaires et honoraires » et « charges extérieures diverses » (au sein desquelles on retrouve pour l'essentiel des frais de recours à des entreprises extérieures) du compte d'exploitation, en parallèle à la diminution des effectifs. Et le recours à la sous-traitance de spécialité ne semble à nouveau pas connaître de limites en termes d'activités concernées : il peut s'agir de la maintenance, d'un composant du produit final, mais aussi de prestations annexes, telles que la gestion d'un système informatique ou l'accueil téléphonique.

Dans le cas de la sous-traitance sur site, les salariés des entreprises sous-traitantes interviennent directement dans l'entreprise, doivent respecter les mêmes règles de sécurité, sont coordonnés par la ligne hiérarchique du donneur d'ordres, voire dirigés par lui dans la réalisation des tâches. On a une relation triangulaire entre les salariés de l'entreprise sous-traitante, la direction de l'entreprise sous-traitante et la hiérarchie de l'entreprise donneuse d'ordres. M.L. Morin évoque à ce sujet une notion de « direction conjointe [42] », entre une entreprise qui emploie et établit des feuilles de paye et une autre entreprise qui co-encadre le salarié. Chez les donneurs d'ordres, cela peut créer des configurations de travail où se retrouvent sur un même lieu de travail et éventuellement sur des postes similaires, des salariés relevant d'employeurs voire de conventions collectives différentes. Des dirigeants d'entreprises sous-traitantes évoquent par exemple un problème lié à la cohabitation au travail de leurs salariés avec ceux des entreprises donneuses d'ordres, disposant d'un statut bien souvent plus privilégié [43] : « *Ils travaillent directement avec des gens qu'ils connaissent et qui gagnent presque le double et cela crée des tensions.*» De même, les conditions de la négociation sociale sont souvent dégradées : dans le cas des donneurs d'ordres, l'organisation du travail est négociée entre les partenaires sociaux, tandis que chez les fournisseurs, elle est — plus ou moins directement[44] — déterminée par les exigences du client, auxquelles il s'agit de s'adapter immédiatement. Dès lors, les salariés des entreprises sous-traitantes sont bien souvent amenés à accepter contre leur gré nombre d'aménagements dans la définition de leurs conditions de travail. On parle à nouveau d'une gestion différenciée de la main-d'œuvre : dans le mouvement d'externalisation, des emplois sont détruits d'un côté (chez les donneurs d'ordres) et des emplois sont créés d'un autre côté (chez les sous-traitants). En termes d'effets quantitatifs, on ne sait précisément évaluer de tels flux, mais on peut émettre l'hypothèse d'une destruction nette d'emplois. En termes d'effets qualitatifs, on observe que les emplois créés là-bas n'ont pas les mêmes contours que ceux détruits ici : les conditions de travail et les modalités de la négociation sociale peuvent fortement différer.

En dehors du recours à la sous-traitance, l'entreprise éclatée mobilise, suivant ses besoins, des formes dites «particulières[45]» d'emploi. On observe généralement une double tendance de réduction des effectifs et de recours accru aux CDD, à l'intérim, aux stages, ou encore aux formes d'emploi aidées. Les entreprises ont abaissé le niveau de point mort de l'emploi et ont aujourd'hui bien souvent à gérer des situations de «sous-activité frictionnelle». Ainsi, les entreprises rencontrées affirment bien souvent se trouver dans une situation d'effectifs qui correspond à la tranche basse du niveau d'activité : *« on est en permanence en sous-effectifs »* ou encore, «*je ne sais pas comment on fait, mais on n'a jamais assez de volume horaire pour faire le boulot*». Les situations de niveaux d'activité insuffisants pour occuper l'ensemble du personnel se retrouvent alors sur de brèves périodes. Les dirigeants de ces entreprises décrivent des situations ponctuelles de sous-activité, «*quand on est entre deux contrats*», par exemple. En faisant référence à un concept propre à l'analyse du chômage, on pourrait parler de «sous-activité frictionnelle» (ou de «sur-emploi frictionnel») où, pour reprendre la définition du «chômage frictionnel» proposée par B. Gazier[46], le processus permanent de réallocation du travail sur les contrats conduit nécessairement certains salariés à demeurer un certain temps sans activité directement liée à un contrat.

Mais d'habitude, il s'agit bien plus de gérer des situations d'augmentation de l'activité compte tenu d'un bas niveau d'emplois permanents. Dès lors, les entreprises entrent dans un processus de gestion dans la permanence de contrats temporaires. Ces entreprises recourent fréquemment à l'intérim : pour elles, le recours à l'intérim s'est élargi et participe directement des modalités de gestion de la main-d'œuvre. Et ce, d'autant plus que les tensions rencontrées sur le marché du travail et de l'intérim ont facilité l'extension et la banalisation de ce mode de mobilisation du travail. Pour tous, il s'agit en premier lieu d'écrêter les hausses d'activité : «*Pendant les saisons, on prend des intérimaires.*» L'intérim permet de répondre de plus à des oscillations rapides de l'activité, et on peut estimer, comme l'affirme un responsable d'une entreprise de travail temporaire (ETT), que «*l'intérim est devenu un acte réflexe*». Comme conclut une étude menée par C. Ramaux[47], il convient alors de compléter le schéma traditionnel[48] d'analyse du recours à l'intérim, dans la mesure où celui-ci est aussi mobilisé en cas de besoin prévu, régulier et de longue durée. Il apparaît ainsi qu'une partie des emplois en CDI a aujourd'hui été remplacée par des contrats d'intérim : pour une PME de mécanique, « *quand on a déposé le bilan, on a mis une partie du personnel dans une entreprise de travail temporaire et on les a repris ensuite de cette façon* ». Dans certains cas, cette « permutation contractuelle » est en même temps l'occasion d'opérer une « permutation qualitative » des profils de personnes, en substituant par exemple de jeunes intérimaires qualifiés à d'anciens salariés « *fatigués* ». La demande d'intérimaires s'est non seulement accrue mais de plus elle s'est élargie en termes de qualifications et de métiers (pour une ETT, « *depuis deux ans environ, on place aussi des techniciens supérieurs, voire des ingénieurs* »). En fait, les processus de « permutation qualitative » (profils de salariés) et de « permutation contractuelle » (formes de contrats) sont souvent simultanés. Le recours à l'intérim après avoir réduit les effectifs constitue de cette façon une nouvelle occasion de remodeler les contours de la main-d'œuvre, en même temps que l'entreprise se désengage d'une partie de sa responsabilité d'employeur. D'autant plus qu'entre un marché du travail tendu et une situation concurrentielle sur le marché de l'intérim, les entreprises ont peu à peu négocié des coefficients réduits avec les entreprises de travail temporaire.

L'intérim semble être moins adapté aux contenus du travail et aux types de marchés des entreprises dont la spécificité des produits et des procès nécessite d'avoir des personnes qui possèdent des savoirs dans leur domaine, mais qui acquièrent de plus une connaissance propre à leur produit, à leur entreprise. Cette caractéristique limite pour ces entreprises la substituabilité des personnes. Elles préfèrent alors employer des CDD ou des stagiaires, prendre le temps minimum pour les former sur place et les missionner sur un contrat, souvent en équipe avec un salarié. Elles « testent » ces personnes sur des CDD courts ou des stages dans un premier temps puis, « *si ça convient* », elles les sollicitent éventuellement sur de plus longues durées. Ce recours à des contrats à durée déterminée répond à un besoin prévu à l'avance (« *quand on sait qu'on va avoir un contrat* ») et d'une durée relativement longue (au-delà de 3 mois).

On peut finalement noter l'expansion connue par les formes d'emploi dites « particulières ». L'INSEE observe que, depuis le début des années 1980, les entreprises ont considérablement développé le recours à l'intérim et aux CDD pour ajuster leurs effectifs, et le nombre de personnes employées sur ce type de contrats a doublé entre 1981 et 1994 [49]. En outre, le recours à ces formes d'emploi, s'il continue de concerner en majorité des postes d'ouvriers, progresse régulièrement pour les postes d'employés, de professions intermédiaires et de cadres [50]. Ainsi, ces formes sont tellement « particulières » qu'en 1995 un salarié sur onze était employé sous une telle forme d'emploi et un tiers des salariés européens travaillait selon des horaires « atypiques [51] ». Et quand l'activité reprend, c'est le travail temporaire qui est le premier concerné par ce mouvement [52], traduisant bien, d'après la DARES, un changement durable des pratiques de gestion de la main-d'œuvre [53].

L'entreprise éclatée fait appel à de multiples formes flexibles de mobilisation du facteur travail, de façon ponctuelle et durable : elle jongle avec l'ensemble des dispositifs existants afin d'assurer — en termes quantitatifs et qualitatifs — son activité, sans pour autant recourir systématiquement à l'embauche sous forme de CDI à temps plein. Et à l'atomisation des formes d'emploi répond l'atomisation des conditions de la régulation sociale d'entreprise. L'éclatement des structures d'entreprise accentue le phénomène d'absence d'institutions représentatives du personnel (IRP), ou encore de «crise du syndicalisme[54]» : l'effectif diminuant, les seuils de représentativité s'abaissent ; de même, la taille des entreprises diminuant, la présence syndicale dans l'entreprise s'effrite[55]. M.L. Morin évoque alors un «constat de carence[56]» de la présence syndicale. La vocation des IRP s'ancre dans la défense des intérêts des salariés dans une entreprise donnée. Or, nous l'avons vu, les formes d'emploi se multiplient et le recours à la sous-traitance auprès de plus petites entreprises s'intensifie. Dans un cas comme dans l'autre, les IRP n'ont que peu de prise. Les solidarités d'emploi entre salariés du donneur d'ordres, d'un côté, intérimaires ou salariés du sous-traitant, d'un autre côté, sont très difficiles à organiser : chacun cherche à préserver son emploi, ce qui implique parfois de ne pas préserver celui des autres[57]. Enfin, l'organisation des relations professionnelles et la négociation sociale sont structurées par branches professionnelles. Or, la branche recouvre des réalités extrêmement variées et, par exemple, elle ne peut pas saisir des relations de travail très différentes entre les grandes et les petites entreprises. A l'inverse, on observe de plus en plus de situations où des salariés relevant de branches professionnelles (et donc de conventions collectives) différentes travaillent sur un même lieu de travail, voire sous une même subordination technique. Ces différents éléments créent une multiplicité de situations et de fortes disparités que la construction des modes de régulation sociale dans l'entreprise permet de moins en moins de saisir.

Dans un tel panorama d'entreprises allégées, sélectives et éclatées, les deux formes de coordination que sont le marché et l'organisation s'entrecroisent et se superposent selon des configurations multiples. Face à de telles évolutions, le modèle de l'entreprise flexible dissociant un noyau dur et des périphéries dont les pratiques de gestion répondraient à des logiques différentes et cloisonnées, ne rend pas compte de la multiplicité des configurations de mobilisation du facteur travail à l'œuvre, ni de leurs reconfigurations permanentes. S'il semble bien qu'il y ait un mouvement général d'accroissement des sources de flexibilité, celles-ci prennent des formes multiples, qui ne paraissent pas stabilisées : les conditions de la flexibilité sont redéfinies en permanence.

A l'inverse du modèle de la firme flexible, où des cercles concentriques déterminent des frontières, les entreprises étudiées paraissent plus inscrites dans un mouvement de course sans fin à la flexibilité. Les frontières entre le « noyau dur » et les « périphéries » nous paraissent plus mouvantes et floues que stables et identifiables. Entre le noyau dur et les périphéries, on retrouve des situations où des personnes ayant un statut différent (type de contrat, conditions d'emploi, droits différents) travaillent ensemble, sur un même lieu de travail, et répondent aux mêmes responsables hiérarchiques dans l'exécution du travail. Réciproquement, on retrouve des situations où des personnes ont le même statut et relèvent du même employeur, mais travaillent dans des lieux éclatés et sous des directions différentes. Ces pratiques renouvelées de recherche de flexibilité introduisent une dislocation forte entre les différents critères juridiques, organisationnels et sociaux de l'entreprise qui ne se superposent plus, n'étant plus homogènes. Ce constat interroge la notion même de frontières de l'entreprise [58] : on observe un enchevêtrement de structures, de contrats et de formes d'organisation du travail. Les pratiques répétées de flexibilisation viennent alors percuter la représentation centrale de l'entreprise (la grande entreprise industrielle) et du travail (le salariat à temps plein) sur laquelle s'est fondée au cours du siècle la construction de la relation salariale. Le CDI à temps plein ne constitue plus le contrat de référence à l'embauche ; la correspondance entre unité de temps, unité de lieu et unité d'action dans la définition de la relation de travail se distend.

Pour autant, le « centre » allégé et sélectionné n'est pas pérenne : la recherche de flexibilité numérique et financière demeure un des axes de la gestion de ce noyau, essentiellement dur à l'entrée. S'il est peut-être mieux protégé, le « noyau dur » n'en demeure pas moins régulièrement réduit, reconfiguré et finalement soumis en permanence à l'éventualité de la réactivation de la contrainte marchande, qu'elle s'opère au sein de l'entreprise (exigence de résultats et de mobilités) ou qu'elle expose l'individu au marché externe (rupture du contrat de travail).

De telles pratiques de flexibilisation sont rendues possibles par la tension chronique sur le marché du travail : le refus par l'individu de l'adéquation aux exigences est maîtrisé a priori par la crainte de perdre un emploi rare ; à l'inverse, l'accès aux formes flexibles d'emploi est facilité par le volume de l'offre de travail disponible. En outre, cette tension permet à l'entreprise d'accroître sa flexibilité sans nécessairement amoindrir ses exigences de qualité : l'effet de masse du chômage permet de sélectionner les individus, quelles que soient les conditions de travail proposées, et ce à un coût d'accès réduit. Dès lors, les modes de fonctionnement du marché du travail apparaissent marqués plus par un mouvement d'atomisation que de dualité, même s'il semble exister des frontières plus étanches que d'autres [59]. Autrement dit, l'atomisation de l'emploi conduit en effet à une forte inégalité des individus face à l'emploi salarié typique, soit le CDI à temps plein.

Les frontières de l'entreprise à la fois s'estompent et se durcissent. En termes de flux d'emploi, elles deviennent à la fois dures et poreuses. Flexibilité et rigidité vont de pair dans la définition des conditions de travail et d'emploi. La flexibilisation des conditions de travail et d'emploi devient une source de durcissement des conditions d'accès à l'emploi, des conditions de travail et d'emploi et des conditions de fonctionnement de la régulation sociale. Toutes ces configurations inscrivent les individus dans une réversibilité permanente de leur relation de travail et dans des trajectoires d'emploi aléatoires. La recherche de flexibilité des entreprises se répercute sur les trajectoires individuelles, l'individu devenant le dernier maillon de la chaîne.

Le fondement même du contrat de travail [60] apparaît de fait fragilisé, dans la mesure où l'assurance de la sécurité n'est plus garantie. Ne répondant plus à des critères d'unicité et d'universalité, le statut même du salarié s'en trouve aujourd'hui fortement ébranlé.

CHAPITRE 2

L'entreprise dans la tourmente des marchés

Quand l'entreprise du début des années 1990 remodèle ses structures et ses emplois, elle doit faire face à de nouvelles contraintes concurrentielles pour survivre et savoir affronter le tourbillon de cette guerre internationale dont les règles se modifient en permanence. L'entreprise ne peut établir de prévisions fiables. La concurrence porte à la fois sur la capacité à obtenir des marchés et à capter des ressources financières. Pour mener la bataille, il faut à la fois répondre aux exigences des clients et à celles des investisseurs. Cette double contrainte se retrouve dans toutes les entreprises, qu'elles soient grandes ou petites, même si les formes ou les degrés de la concurrence peuvent varier. Elles doivent savoir jouer de l'anticipation et de la réactivité, tout en améliorant leurs performances.

La pression de la concurrence s'opère sur plusieurs registres : la pression sur les prix est toujours maintenue (compétitivité-prix), doublée d'une pression sur des facteurs hors prix de la compétitivité tels que la qualité, les délais, l'innovation, etc. Dans son analyse des confi-

gurations post-fordiennes, B. Coriat évoque les nouvelles normes de concurrence[1]. Il explique que si les
contraintes de coût perdurent, elles s'accompagnent en
outre d'exigences «hors prix» devenues primordiales,
qui pour autant n'effacent pas les premières : la concurrence porte sur la diversité des produits et des prestations, sur la nature et la qualité des produits, tout autant
que sur les coûts. Le tout, dans le cadre de réseaux
mondiaux, où les produits n'ont plus de nationalité
déterminée[2].

La pression sur les prix est toujours très vive : les
grandes entreprises ont moins de maîtrise sur la détermination des prix, celle s'exerçant sur les coûts, et en
particulier sur les coûts salariaux, reste rude[3]. En outre,
des pans entiers de l'économie, jusqu'alors abrités par
une réglementation protectrice, se voient brutalement
exposés à une concurrence élargie. E.H. Bowman et
B.G. McWilliams[4] ont mené une analyse détaillée de
trois secteurs — transports aériens, télécommunications,
banques — ayant traversé l'épreuve de la déréglementation. Ils ont observé un certain nombre de transformations économiques ayant affecté l'ensemble de ces
entreprises : la déréglementation introduit la concurrence sur les prix et provoque une prolifération des
produits, dont le but est de toucher un marché de plus
en plus vaste ; les entreprises se restructurent, rationali-
sent leurs investissements ; de façon parallèle, elles
mènent des politiques de réduction des coûts afin de
conserver leurs taux de profit antérieurs, tout en réduisant leurs prix. L'intensité de la pression sur les prix
varie en fonction des secteurs d'activité et du positionnement stratégique des firmes sur leur marché mais elle
s'affirme sur tous les marchés et constitue dans bien des
cas une dimension incontournable pour les entreprises.

Mais au-delà, les critères de compétitivité se complexifient. L'entreprise doit jouer de façon accrue sur la spécialisation, tout en continuant à réduire ses coûts[5]. On est bien loin de la Ford T, identique pour tous. Pour satisfaire les désirs de chacun, provoquer chez chacun un désir de satisfaction par la consommation, il faut aussi, pour les producteurs et prestataires de services, anticiper une demande par définition éclatée et inconstante. Pour être plus proche du consommateur final, individu devenu «client roi», c'est qu'il faut toujours suivre ses fluctuations d'humeur. Au risque de perdre des parts de marché, il est nécessaire de savoir anticiper sur les moyens à mettre en œuvre (notamment, la recherche et le développement de nouveaux produits ou de nouvelles prestations) pour répondre à la demande, quand elle se manifestera. Or, par définition, une telle anticipation repose sur des hypothèses de marché qui pourront se voir invalidées dans les faits. Ainsi, malgré un outillage marketing sophistiqué, le risque existe toujours de voir une politique de développement ne pas porter ses fruits en termes de volume d'activité, de parts de marché ou encore de chiffre d'affaires.

Dans une telle économie, il va falloir se différencier pour demeurer attractif, en maintenant, voire en réduisant les prix. Dans le cas de Cigogne, entreprise industrielle de produits de grande consommation, la compétitivité hors prix est ainsi liée à des notions de qualité des produits, de diversité des gammes et d'innovation des produits, de notoriété des marques, de fréquence de livraison, par exemple. Pour Assist, entreprise de prestations de services à destination de clients institutionnels («business to business»), il s'agit plutôt de capacités de réponse aux appels d'offre, d'adaptation à la diversité des exigences et de satisfaction des clients, de qualité et de rapidité d'intervention. Le versant organisationnel de telles exigences est constitué de démarches de recherche de qualité (on évoquera alors la «qualité totale», dont les processus de certification ISO), de multiplication des séries et des natures de prestations (on renouvellera régulièrement les gammes), de réduction des délais de production (on parlera pour l'industrie notamment, de «juste-à-temps» ou de «flux tendus», avec comme pendant la recherche de «zéro stock»), de renouvellement et de diversification des produits et des prestations (on misera alors sur des investissements d'innovation). De façon parallèle, les fonctions recherche et développement, marketing, qualité et logistique ont été développées dans les grandes entreprises pour assurer la mise en œuvre et le déploiement coordonnés de ces démarches, avec leur volant d'experts-consultants externes.

Dans une telle économie, il va aussi falloir s'organiser pour s'ajuster en permanence aux variations du carnet de commandes. Or, les rythmes de la demande ont tendance à se raccourcir; l'environnement est perçu comme fortement réversible, sans que les probabilités en soient véritablement connues, rendant les prévisions incertaines. Les dirigeants que nous avons rencontrés ont fréquemment insisté sur les turbulences de l'environnement. Chez Cigogne, où 40 % des ventes s'effectuent sur les mois d'été et dont le volume des ventes augmente avec la température climatique, l'incertitude sur les volumes annuels de vente tient notamment à des facteurs sur lesquels l'entreprise n'a aucune maîtrise : *« on joue l'année sur la saison haute, mais tout dépendra de la situation climatique »*, explique le directeur commercial. Dans le cas de l'entreprise Assist, les ventes dépendent du comportement d'un consommateur qui apparaît versatile : *« on n'a pas de visibilité à plus de quinze jours ; on ne sait pas ce que va vouloir le consommateur demain, ni en quelles quantités »*. D'une façon générale, l'instabilité des marchés est présente dans l'ensemble des entreprises, même si elle connaît des degrés divers ou si elle se manifeste sous des formes différentes.

Dans cette double contrainte «prix» et «hors prix» des critères de compétitivité et de concurrence, c'est alors l'apport en réactivité de l'organisation qui est poursuivi. Il va en effet falloir coordonner des moyens organisationnels pour «coller au marché», en termes de gestion des volumes (on retrouve ici le domaine de la flexibilité numérique de la main-d'œuvre), de gestion des coûts (on retrouve notamment le concept de flexibilité salariale) et de gestion de la valeur ajoutée (on retrouve alors la notion de flexibilité fonctionnelle de la main-d'œuvre).

Si le «client est roi», un autre acteur extérieur à l'entreprise, mais fortement présent dans ses processus de décision, doit aussi être choyé : l'actionnaire. La propriété et le contrôle de la firme sont devenus extrêmement diffus : là où hier une poignée d'investisseurs facilement identifiables avaient des parts dans une entreprise, ce sont aujourd'hui de multiples participants épars, directs et indirects qui «contrôlent» une entreprise (des groupes, mais aussi des investisseurs institutionnalisés, voire des individus[6]). Et les capitaux, ressources stratégiques pour faire face à la concurrence (diversifier les produits, conquérir de nouveaux marchés, etc.), sont dans le même temps devenus des ressources que le monde productif éprouve de plus en plus de difficultés à capter puis à fidéliser. La Banque de France, au vu de l'analyse des comptes de résultat de près de 100 000 entreprises françaises[7], constate pour la période 1988-1991 que la faible progression des salaires, la croissance de la demande d'emplois ainsi que des taux d'intérêt réels élevés auraient dû favoriser des choix de techniques de production plus favorables au travail. Or, le résultat a été inverse. Elle a conclu à un accroissement de la contrainte de rentabilité pesant sur les entreprises, pour répondre aux attentes des apporteurs de fonds, actionnaires et prêteurs. Elle fournit alors l'explication suivante à ce phénomène : « L'insuffisante efficacité des capitaux investis, dont les effets négatifs sur la rentabilité ont été compensés par une réduction des coûts salariaux propre à améliorer les marges […] Le capital est moins flexible que le travail. Par conséquent, en cas d'augmentation de la contrainte de rentabilité, le travail est plus exposé à devenir une variable d'ajustement. »

D'où vient donc cet accroissement de la contrainte de rentabilité ? J.P. Fitoussi explique à ce sujet comment la persistance de taux d'intérêt élevés a engendré une préférence pour le court terme, une forme de dépréciation du futur[8]. Autrement dit, avec des taux d'intérêt réels élevés, il devient rationnel de privilégier les apports de court terme : il vaut mieux exploiter le présent pour en tirer le meilleur profit plutôt que de prendre le risque d'un moindre gain dans l'avenir. A l'origine du désordre des relations monétaires et financières internationales, principal facteur déclenchant de la hausse des taux d'intérêt, il y a pour la stratégie américaine du début et du milieu des années 1980 (politique budgétaire expansionniste et dopage du dollar par des taux d'intérêt élevés). Le pendant de l'appréciation du dollar a été la dépréciation des monnaies européennes. Le deuxième facteur de pression sur les taux d'intérêt a été la déréglementation des marchés de capitaux : la « désintermédiation financière » a accru le poids de la sphère financière et le « risque systémique ». Ce phénomène, couplé avec la globalisation des marchés financiers, a accentué le caractère versatile des capitaux et a engendré une pression plus forte sur le maintien des taux d'intérêt à un niveau élevé. Avec des taux d'intérêt réels élevés,

l'entrepreneur se trouve contraint de dégager une rentabilité au moins égale à celle des marchés financiers s'il
veut attirer des investisseurs. Et sous une telle pression
de rentabilité de court terme, la réduction des coûts salariaux permet de trouver une solution rapide et, dans ce
sens, efficace [9]. Ainsi, l'entreprise, en privilégiant la
liquidité présente sur l'investissement, consacre le
triomphe de la finance sur l'économie.

Depuis lors, les taux d'intérêt ont à nouveau diminué,
mais la contrainte financière ne s'est pour autant pas
desserrée : il demeure que la multiplicité des produits
financiers relayés par l'intervention des investisseurs
institutionnalisés (dits les « zinzins ») constitue un pôle
d'attraction fort et généralement moins risqué que l'investissement financier dans des activités productives. En
effet, les investisseurs pouvant se tourner vers des
placements sans risques et très rémunérateurs, tout en
disposant d'un grand choix pour leurs investissements,
la concurrence sur l'accès aux ressources financières
s'intensifie, l'entreprise étant quelque peu délaissée dans
sa posture centrale de drainage de capitaux. Ainsi, le
coût d'opportunité du capital [10] demeure élevé et accroît
la contrainte de rendement pesant sur les entreprises.
Cette concurrence accrue sur le marché des capitaux
introduit pour les entreprises une forte incertitude sur
leurs disponibilités financières à venir et peut les inciter
d'autant plus à constituer un trésor de guerre [11] : elles ne
peuvent être sûres d'être suivies par la sphère financière
dans des décisions d'investissement ou de développement et elles doivent donc se préserver des capacités
d'autofinancement pour disposer de ressources quand il
s'agira soit de se prémunir contre des revers de marchés,
soit de financer de nouveaux projets. D'ailleurs, ce qui
caractérise la situation des entreprises au cours du cycle
économique 1990-1994, c'est la forte profitabilité des

firmes, qui peut être analysée comme une façon de gérer avec prudence une ressource devenue rare [12].

Dans cette lutte pour attirer des capitaux, l'entreprise doit non seulement restaurer sa rentabilité en cas de déficit de cette dernière, mais de plus, atteindre des niveaux de rentabilité supérieurs à ceux proposés par les produits financiers (coût d'opportunité du capital), voire pour certaines, atteindre un niveau de rentabilité tel qu'il protège d'un risque d'OPA (offre publique d'achat). La barre d'évaluation s'est déplacée : il ne s'agit plus d'obtenir des résultats positifs, mais d'atteindre des résultats « supérieurs à ». Et le critère retenu en la matière n'est pas uniquement le ratio « résultat net sur chiffre d'affaires », mais le ratio « résultat par action », puisque c'est bel et bien ce résultat-là qui viendra rémunérer les investisseurs (en l'occurrence, des actionnaires). En effet, les grandes entreprises doivent « créer de la valeur », ce qui peut-être directement traduit par le fait qu'elles doivent assurer une rentabilité supérieure au coût des capitaux engagés. Ce coût se situant en moyenne autour de 10 % [13], la rémunération des actionnaires doit viser plus [14].

Un tel objectif oriente alors nombre de choix stratégiques : si l'évaluation financière d'une activité conclut à une insuffisance durable de rentabilité à venir, elle peut être abandonnée. A l'inverse, Cigogne est l'entreprise qui apporte la plus importante contribution financière à son groupe d'appartenance, le groupe agro-alimentaire Agri. Par ailleurs, elle dégage d'importants cash-flows, qui participent à la croissance externe du groupe. Les expressions employées dans l'ensemble du groupe pour qualifier Cigogne sont significatifs de son positionnement au sein du groupe et de ses résultats : « *Cigogne est le tabac du président* », « *le président a une truffe sur un marché stable* ». Mais ce même président vit dans la crainte — alimentée par les experts financiers — d'une OPA et pour pallier a priori cette éventualité, il s'agit de ne surtout pas prendre le risque de voir faillir le taux de rentabilité. Alors, Cigogne doit accroître de façon continue sa rentabilité pour se protéger a priori. De la même façon, la stratégie de recentrage du groupe Assist répond d'après l'ensemble de nos interlocuteurs à un objectif affirmé depuis 1986 et renforcé depuis 1991, où il s'agit de passer de *« gros écarts dans le résultat consolidé, avec un poids important des provisions »* à un meilleur équilibre de rentabilité entre les différentes activités et à une stabilisation des résultats exceptionnels. Cet objectif, nous l'avons trouvé régulièrement énoncé dans l'ensemble des journaux internes depuis la fin des années 1980 : *« recherche de l'amélioration de la rentabilité de nos métiers »* (février 1988), et plus récemment (novembre 1994) : *« La rentabilité est notre thermomètre à tous. »* D'une façon générale, les conditions de l'équilibre du groupe ont été redéfinies pour se concentrer sur un équilibre de chacune des parties. D'après les cadres dirigeants de la holding, ce *« tournant de la rentabilité »* renvoie à une évolution des exigences de l'actionnaire majoritaire Colisée vis-à-vis d'Assist : *« le Président actuel est arrivé en 1986 avec une mission claire : restaurer la rentabilité »* ; *« en tant qu'actionnaire, Colisée veut qu'on lui rende compte de la gestion de ses fonds propres »* ; ou encore, *« nous devons apporter en permanence la preuve de notre utilité à Colisée »*. Et le président de déclarer régulièrement : *« Il faut apprendre dans ce groupe à travailler pour ses actionnaires; on ne peut se contenter de viser l'équilibre. »*

Dès lors, pour les entreprises, la stratégie financière est passée d'une logique d'équilibre (avoir une rentabilité positive et une situation financière saine) à une logique inflationniste (offrir une rentabilité toujours plus attrayante), où l'actionnaire devient un partenaire à ménager, à entretenir. En témoignent les efforts continus des entreprises à développer des pratiques de « corporate governance ».

On pourrait objecter qu'une telle contrainte devrait bien, un jour, rencontrer ses propres limites et, de ce fait, atténuer la pente de sa pression. Ce serait omettre, que par définition, la mécanique financière est spéculative et s'auto-entretient, dans un mécanisme de surenchère permanente. Indéfiniment ? La bulle spéculative peut en effet éclater un jour, comme l'a montré J.M. Keynes concernant la crise de 1929 [15]. On notera qu'en l'état actuel, la pression financière ne donne pas de signe d'essoufflement, bien au contraire : l'arrivée des investisseurs anglo-saxons dans le capital des grands groupes français, notamment par le biais des « mutual funds », contraint d'autant plus les grandes entreprises françaises à entrer dans le jeu de la satisfaction incessante de leurs actionnaires, eux-mêmes à l'affût de placements dans des entreprises apportant des gages de création de valeur à venir. La question étant de savoir par quels processus les entreprises peuvent alors atteindre de tels objectifs de création de valeur.

Cette double contrainte — contrainte de compétitivité, contrainte de rentabilité — est, telle qu'elle a été décrite, très significative des grandes entreprises, exposées au marché mondial et cotées en Bourse. Les PME n'en sont pas pour autant épargnées, même si les mécanismes de la pression concurrentielle prennent des formes différentes ; même si elles ne sont pas positionnées sur les mêmes marchés ou même si elles ne sont pas cotées en Bourse. En particulier, les PME en situation de sous-traitance [16], soit les deux tiers des PME [17], doivent aussi répondre à des contraintes multiples, économiques et financières. Elles doivent à la fois répondre aux exigences croissantes des donneurs d'ordres, chercher des modes de financement de leur activité et cela, tout en ne sachant pas de quoi le lendemain sera fait. Elles sont dépendantes du comportement d'autres entreprises dont leur activité dépend (à ce titre, elles sont en situation de subordination vis-à-vis d'un ou de plusieurs donneurs d'ordres) et qui peuvent les abandonner à tout moment (à ce titre, elles sont exposées à une forte incertitude marchande). Un tel abandon peut s'avérer dramatique si la PME concernée réalise une part importante de son chiffre d'affaires avec un client, ce qui est souvent le cas.

En même temps qu'elles ont augmenté leur recours à la sous-traitance, les grandes entreprises donneuses d'ordres ont développé de nouvelles pratiques d'achat afin d'opérer une rationalisation de cette source croissante de coûts. L'acte d'achat a généralement été centralisé, la direction des achats établissant des panels d'entreprises habilitées à être des fournisseurs, après sélection. Cette rationalisation a alors mené à une restructuration des relations interentreprises : les entreprises sous-traitantes évaluées comme étant les plus performantes ont accédé au statut de « fournisseurs de premier rang » (ou encore de « partenaire ») et disposent de « contrats cadre » venant assurer un minimum d'activité ; les autres entreprises sous-traitantes ont été reléguées à des niveaux inférieurs et ne disposent généralement plus d'accès direct au donneur d'ordre principal (on parle de « niveau $n-2$, $n-3$ » par rapport au donneur d'ordres principal). A partir de l'étude d'un tissu de PME sous-traitantes, nous avons envisagé les répercussions de ces nouvelles pratiques d'achat sur une cascade de PME sous-traitantes, positionnées sur des secteurs variés [18]. Nous avons ainsi identifié trois configurations d'entreprises sous-traitantes : des entreprises ayant un profil « partenaire », des sous-traitants « traditionnels » et des petites entreprises « exposées ».

Au premier niveau de la sous-traitance de production, on rencontre dans la vallée de la Maurienne des moyennes entreprises — établissements ou filiales d'équipementiers du secteur de l'automobile ou de l'électronique —, qui s'inscrivent typiquement dans une relation de nature « partenariale [19] » avec leurs donneurs d'ordres. De ce fait, ces entreprises entrent dans une dépendance encadrée, contractualisée : les contrats annuels voire pluriannuels offrent une visibilité à terme au fournisseur, la condition de leur obtention et de leur maintien passant par une adaptation permanente aux exigences du donneur d'ordres. Pour obtenir des contrats cadres, les fournisseurs de premier rang ont franchi un certain nombre d'obstacles : ils ont été sélectionnés et ils passent régulièrement le cap des audits des constructeurs. Ceci signifie donc qu'ils répondent aux exigences de leurs donneurs d'ordres, que ce soit en termes de prix (« *le prix, c'est la condition a minima ; en ce moment, on doit faire − 2 % à − 3 % par an* »), de qualité (« *on doit être en qualité totale* »), de délais (« *on est en flux tendus : on livre directement les sites de production toutes les 24 heures et pour cela, on a installé un magasin à proximité de chaque usine* ») et de participation à la conception (« *on a un bureau d'études qui travaille directement sur les plateaux, on intervient de plus en plus en amont* »). L'assise financière est de même nécessaire à l'accès à la catégorie de fournisseur de premier rang. Pris dans le feu de l'ensemble de ces exigences, auxquelles il s'agit toujours de répondre en « juste-à-temps », les fournisseurs ont à gérer des situations d'urgence permanente : pour l'un d'entre eux, « *on passe notre temps à colmater les brèches car il y a toujours un grain de sable quelque part et dans un tel système, un grain de sable peut enrayer toute la chaîne».* L'adéquation aux contraintes fixées par le donneur d'ordres implique pour les fournisseurs de premier niveau une recherche de flexibilité, dont un des leviers est le recours aux niveaux inférieurs de la sous-traitance. Ainsi, les fournisseurs font eux-mêmes appel à d'autres entreprises sous-traitantes pour assurer une partie de leur activité. Et ils expriment à leur égard de nouvelles natures de contraintes. On observe alors un phénomène de reproduction sur un tissu de petites entreprises de contraintes dérivées de la relation entre partenaires : en « descendant », les contraintes de flexibilité des donneurs d'ordres se traduisent chez les sous-traitants de niveaux $n-2/n-3$ par une forte exposition aux aléas du marché[20], tout en ayant un accès limité aux ressources financières.

Les « sous-traitants traditionnels » sont dans la vallée de la Maurienne de petites (moins de 50 salariés) entreprises de maintenance industrielle, élevées dans le giron de leurs donneurs d'ordres et fortement dépendantes d'eux, qui doivent aujourd'hui s'adapter à un changement de comportement récent des donneurs d'ordres à leur égard, tout en se sentant trahis par eux. Le processus de sélection des sous-traitants s'est déplacé d'un niveau local à un niveau national, où les critères de sélection de la direction des achats s'avèrent nettement plus normés, là où hier la confiance en *« quelqu'un que l'on connaît »* pouvait suffire. La pression marchande pour ces PME se caractérise par un raccourcissement de la visibilité sur le carnet de commandes, par une flexibilisation des contrats passés, par des délais de décision du donneur d'ordres allongés et par une réduction des volumes moyens d'activité par contrat. Tous ont souligné le poids du critère prix lors de mises en concurrence élargies : pour un donneur d'ordres, «*quand on les met en concurrence, on entre dans une logique de moins-disant*» ; pour un sous-traitant, «*tout est devenu une affaire de prix*». La qualité reste primordiale, mais le seul critère du «*on sait qu'ils font du bon boulot*» ne suffit plus : «*Globalement, l'argument du travail bien fait tombe : ça ne passe pas là-haut.*» On passe ainsi d'un fonctionnement de marché quasi de gré à gré entre personnes se connaissant bien à des passations de contrats après appels d'offres exposant les sous-traitants à une concurrence élargie. Compte tenu du poids d'années de dépendance, cette évolution a fortement ébranlé les «sous-traitants traditionnels». Leur activité a baissé mais surtout, elle est devenue moins prévisible qu'hier : ils ont moins de contrats et ceux-ci sont moins importants et moins stables. L'ensemble de ces phénomènes s'est traduit chez les sous-traitants par une diminution de leur chiffre d'affaires, en volume mais surtout en valeur. En outre, les marchés auxquels ils ont accès sont devenus plus incertains, à plusieurs titres : ces sous-traitants disposent de moins en moins de contrats reconduits d'une année sur l'autre («*on n'a plus d'exclusivité nulle part*») et dans le même temps, la demande de leurs donneurs d'ordres s'est atomisée («*avant, on avait en charge l'entretien complet d'un équipement, maintenant, on a des petits bouts*»). Enfin, la pratique élargie de l'appel d'offre expose de plus en plus le sous-traitant à la décision du donneur d'ordres : pour répondre aux appels d'offres, il investit en temps et en compétences et c'est un investissement qui rapporte moins qu'avant, dans la mesure où il n'est plus automatiquement sélectionné. Concrètement, ces éléments se traduisent chez les sous-traitants par une diminution de la visibilité sur leur carnet de commandes : de petits contrats se succèdent, sans que le chef d'entreprise ait une visibilité fixe («*j'ai quinze jours de boulot devant moi mais, ça fait dix-huit mois que ça dure*».) Ils se retrouvent en fait dans une situation paradoxale : ils doivent à la fois faire face à l'urgence permanente, et c'est une urgence qui se répète, sans qu'ils puissent savoir à l'avance sur quelle durée. Face à ces perturbations, quelques-unes de ces entreprises se sont lancées dans une recherche de diversification produits et/ou clients. Mais cette démarche est très difficile à opérer après des décennies de dépendance et la condition en devient alors souvent un apport de fonds extérieur, qui va alors dépendre des appuis financiers que le dirigeant va pouvoir trouver. Il se heurte alors à des formes de frilosité du système bancaire ou du moins éprouve des difficultés à trouver des partenaires financiers.

Les « sous-traitants exposés » de la vallée de la Maurienne sont de petites entreprises assurant une sous-traitance de spécialité[21], située en bout de chaîne des échanges interentreprises et pour laquelle les entreprises sous-traitantes répondent au coup par coup à des appels d'offre, sans disposer de contrats cadres. Ces entreprises de production subissent fortement les aléas de marchés instables et s'inscrivent dans une logique de survie à court terme, en permanence. Les délais de conception et de production des sous-traitants sont généralement supérieurs aux délais de livraison prescrits par les donneurs d'ordres à partir du moment où ils lancent l'ordre de commande : par exemple, « *ils nous disent qu'ils nous commanderont x produits dans les six mois et ils appellent quinze jours avant la livraison. Or, il nous faut environ quatre mois de réalisation* ». Dès lors, le sous-traitant fabrique des produits semi-finis pendant les périodes creuses et les immobilise : « *On a toujours au moins 100 produits semi-finis en réserve et sur appel, on fait les adaptations et on livre.* » En cas de défaillance du client, il prend alors le risque de ne pas pouvoir écouler ses produits : « *Des fois, on arrive à réutiliser les chutes ou à récupérer certaines pièces.* » Compte tenu de la nature des échanges, où les études préliminaires jouent un rôle crucial, les sous-traitants doivent pour chaque contrat éventuel mobiliser des ressources humaines et techniques pour répondre aux appels d'offres et, « *c'est un temps qui n'est jamais rémunéré* ». Dès lors, c'est souvent le chef d'entreprise qui est en charge de ce travail, en sus de ses autres responsabilités : « *L'établissement des devis, les études préliminaires, c'est l'essentiel de ma tâche.* »

Les « sous-traitants exposés » ont connu de fortes baisses d'activité en 1993 et 1994. Les chefs d'entreprise expliquent cette diminution par une érosion générale du marché à l'époque mais surtout par les difficultés rencontrées par leurs clients : « *on a eu des clients qui ont disparu et d'autres qui ont vu leur activité diminuer et qui de ce fait, ont moins commandé* » ; « *quand il y a eu la crise, les clients ont demandé moins de produits, moins compliqués et on y a perdu* ». Il apparaît ainsi que les retournements de conjoncture ont un impact très rapide sur l'activité de ces PME. Pour celles qui ont survécu à cette crise, elles disposent d'une visibilité sur leurs carnets de commandes qui reste limitée : suivant les cas, les chefs d'entreprise l'évaluent dans une fourchette de quelques jours à deux mois, les plus petits ayant généralement une visibilité plus restreinte. En fait, ils affirment avoir des perspectives qui s'améliorent à six mois, mais ce sont des perspectives incertaines : « *On pense qu'on va pouvoir décrocher x millions de francs de contrats mais rien n'est sûr avant la dernière minute.* » Au-delà de problèmes d'activité, elles ont eu à éponger nombre d'impayés au cours de l'année 1993, et d'une façon générale, elles ont en permanence des problèmes de trésorerie qui, dans certains cas, les mènent au dépôt de bilan. Ces entreprises se caractérisent ainsi par une forte vulnérabilité financière, qui devient singulièrement menaçante quand elles doivent éponger des pertes de créances. Dans ce cas, elles affirment disposer de peu de moyens de défense : le recours à l'intervention judiciaire exige du temps et de l'argent dont justement elles ne disposent pas dans ces moments de crise. De plus, elles éprouvent des difficultés dans leur relation avec les banques [22] : *« on est tellement vulnérables, que le banquier ne nous fait pas confiance... c'est le chien qui se mord la queue »* ; *« on n'arrive pas à obtenir de prêts à long terme »*. Or, elles restent très dépendantes du système bancaire, tout en ayant un accès plus limité aux marchés financiers ; en effet, les PMI supportent un coût du crédit supérieur à celui de leurs concurrentes de plus grande taille, elles sont plus endettées que ces dernières mais elles sont moins capitalistiques [23]. Dès lors, expliquent-elles, il leur arrive d'être acculées au dépôt de bilan pour pouvoir repartir sur des bases plus saines. Les sous-traitants « exposés » s'inscrivent ainsi dans une forme de « précarité d'entreprise » : leur survie est périodiquement remise en cause soit par les aléas du marché, soit par leur vulnérabilité financière. C'est une précarité qui certes peut durer mais qui vient freiner leurs tentatives de développement, et les maintient dans une situation de course-poursuite aux contrats et aux financements. Et ceci d'autant plus qu'ils éprouvent des difficultés à trouver des interlocuteurs susceptibles de devenir des partenaires.

Les entreprises sont mises en concurrence et leurs performances sont en permanence comparées, que ce soit pour obtenir des marchés ou des capitaux : c'est celle qui sera évaluée la plus compétitive qui obtiendra un marché ; c'est celle qui sera évaluée la plus rentable qui

obtiendra des moyens financiers. Et l'évaluation de la
compétitivité ou de la rentabilité se penche en tout premier lieu sur la maîtrise des coûts. Ainsi, la compétitivité
sur les prix reste très vive, au point de devenir un objet
de mise en concurrence systématique. Et d'une certaine
façon, il pourra toujours se trouver un concurrent pour
proposer au client un prix plus avantageux ou à l'actionnaire une meilleure rentabilité. Et dans certains cas, ce
mécanisme peut aboutir à une course au « moins-disant »,
la logique du « toujours moins cher » ou du « toujours
plus rentable » ne connaissant pas de fin. Les dimensions
« hors prix » (pour le marché des produits) ou les dimensions « hors rentabilité » (pour le marché des capitaux) ne
sont pas absentes de la compétition, mais elles s'affirment derrière ce primat financier qui vient alors structurer l'ensemble des processus de décision.

Dans la tourmente des marchés des produits et des
marchés financiers, l'entreprise, quelle que soit sa taille
ou son positionnement dans les cascades de relations
interfirmes, est confrontée à plusieurs facteurs de réduction de son horizon temporel : la logique financière fonctionne dans le court terme. C'est un horizon qui se
réduit, en même temps qu'il devient instable.
Finalement, la seule chose dont l'entreprise puisse être
sûre, c'est de ne pas pouvoir évaluer les risques qu'elle
rencontrera dans l'avenir. A ce titre, elle est plongée
dans un univers incertain [24]. Pour diriger, il faut bien prévoir ; pour rassurer ses partenaires, il faut bien afficher
des prévisions. Et pour faire état d'une capacité d'adaptation permanente aux nouvelles donnes concurrentielles, il va falloir faire acte de décision.

CHAPITRE 3

Entre l'économique et le social :
le débat interdit ?

D'un côté, l'entreprise adopte des modes de gestion de la main-d'œuvre qui tranchent par rapport au modèle dominant du salariat à temps plein encadré par des conventions collectives stabilisées dans la grande entreprise intégrée et intégrative. De l'autre, elle est confrontée à des impératifs concurrentiels et financiers qui introduisent de nouveaux facteurs d'instabilité. Les donnes semblent changer à la fois dans les formes de l'organisation comme dans les formes du marché. Les processus de décision dans les entreprises s'en trouvent donc transformés.

Dans ses discours, l'entreprise superpose les registres : les contraintes économiques imposent la réduction des effectifs ; mais l'entreprise s'affiche toujours « citoyenne » et affirme développer des « valeurs communes ». Dans ses pratiques de gestion des ressources humaines, les dimensions sociales sont prises en compte en aval des processus de décision. Il reste difficile d'analyser les pratiques et les processus de décision en matière d'emploi tant l'entreprise se dissimule derrière des discours établis pour se protéger.

Pour argumenter ses mesures de réduction des effectifs, l'entreprise dresse un tableau critique de la situation (il est urgent de prendre des mesures correctives) ; pose comme incontournable la réduction des effectifs (seul levier de restauration ou de l'amélioration de la situation), et présente un calcul rationnel du sureffectif (il faut donc supprimer x % de l'effectif). Les argumentaires économiques de plans sociaux [1] se bâtissent sur un diagnostic de la situation de l'entreprise : l'environnement de l'entreprise, son positionnement sur les marchés, ses résultats économiques et financiers, sa structure d'activités et d'emploi. Ils présentent ensuite un plan d'action visant à rétablir ou à améliorer cette situation et incluant les mesures d'adaptation du niveau des effectifs. Il s'agit de répondre à des contraintes concurrentielles dans un contexte général de rationalisation des coûts, de s'adapter à une récession du marché, ou encore d'anticiper sur elle. La concurrence est féroce, la guerre économique impitoyable, les dirigeants n'y peuvent rien et les entreprises sont bien contraintes de s'ajuster.

Dans le cas de Cigogne, un premier plan social est lancé à l'automne 1986, pour trois ans. Ce plan est présenté comme devant *« parer au plus pressé »* et la direction affirme poursuivre trois objectifs : mettre les emplois en adéquation avec le niveau de production et absorber les écarts de volume (production/ventes) ; rattraper les niveaux de productivité des principaux concurrents de l'entreprise ; gérer au plus près les frais de structure *« qui ont explosé »* et *« qui sont supérieurs à la moyenne des autres entités du groupe »*. Le plan de productivité s'articule autour de deux axes : une politique d'investissements productifs et une recherche de productivité main-d'œuvre *« dont l'objectif est la compétitivité et l'adaptabilité »*. L'objectif fixé est un gain de *« 20 % de productivité en 3 ans »*. Il s'accompagne d'une cible de 20 % de réduction des effectifs sur la même période. Dans le cas d'une entreprise du secteur de l'électronique, où il s'agit de regrouper deux unités qui va se traduire par une suppression de 5 % de l'effectif (soit 97 salariés), l'argumentaire du plan social affirme : *« Il y a des dysfonctionnements qui se traduisent par des pertes, ce qui impose de prendre des mesures drastiques... Plutôt que de multiplier des actions partielles sans doute illusoires, il faut s'attaquer aux problèmes majeurs : les économies de gestion à réaliser... La réorganisation permettra de faire des gains de productivité et la situation actuelle impose de les rendre effectifs, au risque sinon de créer de nouvelles entités structurellement déficitaires... »*

Les argumentaires de plans sociaux ou de plans de restructuration font appel à des concepts indéniables tels que la productivité ou la compétitivité, sans pour autant en expliciter la signification concrète dans les cas considérés ; ils affichent des chiffres tranchants, de type *« le sureffectif s'élève à x % de l'effectif »*, sans pour autant indiquer les critères de calcul retenus ; ils justifient leurs actions par des comparaisons (*« nos principaux concurrents ont un niveau d'effectif [ou un coût du travail] relativement inférieur »*), ils posent comme incontournable la décision de réduction des effectifs mais n'imaginent pas d'autre choix possible sauf pour en récuser la possibilité. Par contre, ils exposent de façon détaillée des mesures d'accompagnement pour assurer la mise en œuvre de la décision de réduction des effectifs. C'est ce qu'on appelle le volet « social ».

La fonction première de ces argumentaires reste de convaincre les institutions représentatives du personnel lors de la procédure de consultation du comité d'entreprise, l'État lors de la négociation d'aides pour l'accompagnement des restructurations (notamment les aides du Fonds national pour l'emploi — FNE), l'inspection du travail lors de contrôles de la mise en œuvre de plans sociaux, voire la justice en cas de recours auprès du juge. Plus l'entreprise est imbriquée dans des réseaux institutionnels, plus elle est amenée à ménager ces acteurs et à produire des argumentaires solides. C'est le cas des grandes entreprises en général, et des grandes entreprises faisant régulièrement appel aux aides de l'État, en particulier.

Ces argumentaires peuvent être considérés comme des outils de la négociation avec l'ensemble de ces interlocuteurs : ils ont pour fonction de rendre acceptable la décision prise, malgré ses effets destructeurs sur l'emploi. En tant qu'instruments de négociation, ils sont inscrits dans un processus permettant d'accepter la décision. En effet, si le discours de l'argumentaire économique apparaît hermétique, les effets sociaux de la décision sont cruellement visibles : la suppression de postes dans l'entreprise et la perte d'emploi pour des individus. Dès lors, il faut d'autant plus la justifier. Et à ce titre l'argumentaire économique semble imparable : il vient offrir une légitimité à la décision prise, la rend imperméable à l'interrogation et, de ce fait, tend à la reconduire.

Ces argumentaires se doublent de discours sur les conditions organisationnelles de la performance : les modes managériales [2] en vigueur, tels le « reengineering [3] » ou le « downsizing », sont vécues comme universelles et prônent un modèle d'entreprise « allégée et souple », qui s'affirme aujourd'hui en opposition au modèle bureaucratique, jugé contraignant et obsolète. Avec le « reengineering », l'entreprise « met à plat » ses processus (par exemple, le processus d'achat, le processus de facturation, le processus de vente, le processus de paye, etc.), afin d'en rendre plus fluides les modes de fonctionnement. Ces analyses permettent notamment d'éclairer des redondances ou encore des goulots d'étranglement ; elles aboutissent bien souvent à l'identification de doublons, de tâches superflues, ou encore de sureffectifs. L'ouvrage de référence sur le «reengineering» de M. Hammer et J. Champy[4] dresse ainsi un diagnostic de crise incontournable («cette crise qui ne finira pas»), montre les atouts du «reengineering» face aux nouvelles exigences concurrentielles («reengineering — le chemin du changement»), explique les modalités précises de la mise en œuvre du «reengineering» et enfin présente quatre cas d'entreprises pionnières ayant réussi grâce à cette méthode. Ainsi, le «reengineering» s'impose parce qu'il est inévitable («c'est notre seul espoir»), universel et applicable en tout circonstance, au quotidien[5]. Les auteurs soulignent à de nombreuses reprises que le «reengineering» est «un tout ou rien, il ne peut pas s'accomplir par petites étapes prudentes», «une pensée de rupture», qui est rendue inévitable par les évolutions fondamentales que connaissent les marchés. De plus, ils positionnent en permanence cette «refonte de l'organisation» par rapport aux échecs connus par l'entreprise bureaucratique. Dans ce discours en négatif par rapport aux méfaits de l'organisation administrative, la crise est telle qu'elle justifie en elle-même de prendre des mesures drastiques (il ne peut y avoir ici de demi-mesure), en s'attaquant aux maux organisationnels (la bureaucratie). Ce type de discours postule ainsi que le bien doit être recherché en adoptant le strict contraire du mal, et que le mal étant grand (toutes les organisations sont menacées par les dysfonctionnements inhérents à l'organisation bureaucratique[6]), il s'agit de s'atteler à cette quête de pureté au plus vite et de façon radicale, d'autant plus que les individus sont soupçonnés a priori d'y résister. Une telle quête est encore plus explicite dans le cas du «downsizing» : cette méthode affiche d'emblée son objectif, soit réduire la taille de l'organisation, la minceur devenant un idéal à atteindre. Et de nombreuses métaphores viennent illustrer ces nouvelles méthodes d'organisation : c'est *« le banc de sardines contre la baleine*[7]*»*, le troupeau de gazelles contre *« le mammouth »*, la *«flottille de frégates contre le paquebot»*. Mais, si la souplesse et la réactivité organisationnelles sont présentées comme des finalités à atteindre, il n'est pas fait mention de la façon dont l'organisation fonctionnera alors, avec quels moyens, ni dans quel mode de management. Pourtant, ces discours sont immédiatement traduits par tous comme un appel à un allégement des structures et des emplois. Et finalement, en l'absence d'analyse précise des modes de fonctionnement de l'entreprise dans les nouvelles configurations organisationnelles, il est mis l'accent plus sur ce qu'il faut quitter que sur ce que l'on va trouver.

Ces discours sur le caractère inéluctable des réductions d'effectifs, d'un côté, et sur la nécessaire refonte organisationnelle, d'un autre côté, se doublent en outre d'un discours sur la responsabilité sociale de l'entreprise. Parmi les entreprises que nous avons étudiées, les plus grandes d'entre elles affichent un positionnement d'entreprise «citoyenne» : l'entreprise doit prendre en compte son environnement (au-delà du simple souci commercial) et assumer des responsabilités sociales d'ordre général (participer à la lutte contre l'exclusion, par exemple). En France, ce discours a été véhiculé par le CNPF quand J. Gandois en était le président[8]. Il a ensuite été repris par les pouvoirs publics, sous la forme d'une injonction : au cours de l'été 1995, le Premier ministre d'alors (A. Juppé) s'est adressé aux entreprises en les exhortant à assumer leurs responsabilités face à l'emploi. De façon concrète, l'allocation par l'État d'aides aux restructurations (conventions FNE) apparaît de plus en plus conditionnée aux efforts des entreprises en matière d'emploi : on évoque alors une « pratique des contreparties [9] ». Ces efforts consistent à assurer de bonnes conditions de reclassement aux salariés en sur-effectif, ou à suivre les mesures pour l'emploi prises par l'État ou les collectivités locales (par exemple, développer l'apprentissage ou participer au financement d'actions de développement local). Ces actions donnent lieu à des manifestations ou à des annonces publiques. La pression du politique (et de la société civile en général) sur l'emploi, avec notamment l'octroi ou non d'aides aux restructurations, pousse ainsi l'entreprise à reconduire les mêmes messages adressés à son environnement. Néanmoins, cette citoyenneté de l'entreprise vis-à-vis de la cité n'entame pas ses processus de décision en matière d'emploi ; elle ne vient que s'y apposer pour n'influer éventuellement que sur les modalités de la mise en œuvre. Finalement, devant l'inéluctable économique, on licenciera tout de même, mais on licenciera bien.

Dans le même temps, les années 1980 ont vu s'épanouir des discours mettant « *l'homme au centre de l'entreprise* [10] » et développant le sentiment d'appartenance des salariés à « leur » entreprise. Les « projets d'entreprise » et autres chartes se sont ainsi multipliés, appelant à une mobilisation de tous et une implication de chacun, orientées vers des valeurs communes partagées. Ces projets, formalisés dans des textes d'union et repris dans tous les médias de la communication interne (panneaux d'affichage, journaux internes, voire télévision interne), affirment ainsi des ambitions collectives (« *être heureux dans l'entreprise* », « *penser pour le bien de l'entreprise* »), parfois déclinées en chartes de comportements individuels à adopter («*être à l'écoute*», «*développer la confiance*», «*coopérer avec ses collègues*», «*dialoguer dans un esprit positif*», «*être solidaire*», «*donner des signes de reconnaissance*», «*accepter la différence*», «*reconnaître ses erreurs*», etc.). On retrouve dans ces discours de mobilisation — oraux ou écrits — des analogies avec la guerre : «*Les managers ne gagneront pas ces batailles seuls ou avec leurs états-majors, si compétents soient-ils : il leur faut en outre impérativement rallier l'adhésion, les idées et le dynamisme de tous les fantassins, dans un projet partagé*[11].» Les ressources humaines y sont considérées comme stratégiques[12] et les dirigeants parlent alors de «*réussir avec les hommes*» et de «*salariés-nerfs de la guerre*». La gestion des ressources humaines et la communication interne doivent alors viser une implication permanente de chacun, dans un esprit d'émulation collective. Et de nombreux outils se développent pour prendre régulièrement la température du moral des troupes (indicateurs de climat social ou de satisfaction, réunions d'expression), pour donner de l'écho à ces politiques (médias internes) ou pour stimuler l'identification à l'entreprise (stages d'intégration ou stages d'incitation collective, et autres manifestations conviviales). A nouveau, les discours véhiculés par ces démarches se superposent aux précédents, de façon cloisonnée. A titre d'exemple, le journal américain *Fortune* a établi quelques mises en parallèle entre des extraits de rapports annuels et des pratiques de réduction des effectifs : «*J'ai confiance parce que je suis très fier du travail accompli par les salariés d'ATT (plus de 300 000 d'entre eux)*» (R. Allen, ATT — 8 500 licenciements et 72 000 incitations au départ) ; «*Nos salariés talentueux et motivés restent engagés et enthousiastes concernant le futur des télécommunications*» (C. Lee, GTE — 6 000 licenciements sur les 17 000 annoncés en 1994) ;

« Nous devons nous reposer sur le jugement des gens qui font véritablement marcher cette compagnie aérienne. Les agents au sol, les bagagistes, les employés aux réservations » (G. Bethune, Continental Airlines — 4 000 licenciements). C'est ici le décalage entre des discours et des pratiques qui apparaît de façon flagrante, jetant alors un doute sur toutes ces intentions d'implication et de valorisation, aussi bonnes soient-elles.

Ces superpositions de discours renvoient finalement à une formulation du type : *« la situation est telle que nous sommes obligés de faire, mais nous faisons bien »* ; les impératifs économiques imposent des décisions de réorganisation et de réduction des effectifs, tandis que la prise en compte d'obligations sociales amène à accompagner au mieux — en interne et en externe — la décision prise. Qu'en est-il alors de la façon dont la grande entreprise articule ces deux dimensions — l'économique et le social — dans ses pratiques de gestion ? Poser une telle question revient notamment à s'interroger sur la place, les missions et l'instrumentation de la fonction « ressources humaines » dans l'entreprise, en tant que fonction se situant dans cette charnière entre l'« économique » et le « social ».

A partir de la fin des années 1960, et surtout du début des années 1970, des secteurs de l'industrie sont touchés par une crise d'activité, après trois décennies d'expansion. C'est à peu près au même moment que la grande entreprise se met à tenir des discours positifs sur le social, c'est-à-dire au moment où elle découvre sa mortalité. Les deux décennies 1970-80 vont alors voir se développer fortement la fonction « ressources humaines » : cette phase peut être rétrospectivement considérée comme une période d'euphorie de la direction des ressources humaines, où l'on assiste à la recherche d'une mise en cohérence de l'organisation et des hommes qui la composent. L'entreprise découvre la « ressource humaine » dans sa pluralité, au-delà de sa capacité de nuisance (notamment de conflit) ; elle étend la notion de social au-delà de la relation syndicale, avec comme corollaire l'énoncé d'une nouvelle nécessité : celle de repenser l'organisation et la place des hommes dans l'organisation. En outre, elle commence à penser l'articulation entre l'« économique » et le « social », ce qui se traduit par exemple par la mise en œuvre d'organisations qualifiantes, dans le cadre d'une recherche de performance globale. A ce titre, le discours d'Antoine Riboud, PDG de BSN, tenu à Marseille en 1972, marque un tournant : il y annonce « le double projet économique et social de BSN » et affirme en particulier que « les entreprises les plus performantes pensent solidairement le changement technologique, le contenu du travail et le changement des rapports sociaux internes à l'entreprise [13] ». De façon parallèle, à partir de la fin des années 1970, l'ANACT [14] (Agence nationale pour l'amélioration des conditions de travail) et les syndicats de salariés amorcent des travaux ayant pour visée d'enrichir les instruments de mesure du facteur travail.

On a alors une convergence forte entre les enjeux énoncés par les différents partenaires sociaux, qui va fournir un terreau favorable pendant la décennie 1980 à la définition et au développement de nouvelles organisations. Leur constat initial commun est le suivant : la mesure du facteur travail est réduite à son seul coût ; ou encore, la mesure de la productivité est réduite à la seule productivité main-d'œuvre, ce qui offre une vision réductrice de la performance. Le travail constitue certes un coût, mais il devient de plus un facteur de valeur ajoutée. Et un changement dans ces modes de mesure

devient d'autant plus pressant que les critères de la compétitivité ont évolué, mettant l'accent sur une compétitivité hors prix : celle de l'innovation, ou de la qualité,
par exemple. Des organisations plus participatives, stimulant l'expression des salariés, comme par exemple les
cercles de qualité, sont mises en place. Et les pouvoirs
publics en incitent le déploiement, notamment en instaurant en 1983 les lois Auroux sur l'expression des
salariés. Dans les grandes entreprises, on pense alors
conjointement le développement de la communication
interne, l'élaboration de projets d'entreprise, l'enrichissement des tâches de production, avec le développement
de la polyvalence, voire d'organisations qualifiantes.
Bon nombre de ces entreprises trouvent un nouveau
souffle dans leur posture de « laboratoire social ». Chez
Cigogne, par exemple, la production a été réorganisée
en groupes autonomes où chaque équipe devient responsable (en termes d'organisation, de qualité, de
rythmes de production, de relations avec les fournisseurs, etc.) de sa part de la réalisation de la production.
Des groupes de réflexion ont alors été mis en place, où
les salariés ont été amenés à s'exprimer en vue d'améliorer les conditions et l'organisation du travail. Il a alors
été demandé à la fonction « ressources humaines » de se
positionner en appui des opérationnels, pour les aider à
concevoir et à mettre en place des outils d'accompagnement du changement, tels que de nouveaux plans de
formation, de nouvelles modalités de promotion des
opérateurs ou encore de nouveaux modes d'animation
des équipes.

La fonction « personnel » passe ainsi au statut de
fonction « ressources humaines », tout en étant de plus
en plus fréquemment intégrée dans les niveaux centraux
de prise de décision : les comités de direction. Le directeur des ressources humaines d'une entreprise de loisirs

appartenant à un grand groupe de services explique ainsi : « *comme la ressource humaine est devenue stratégique, nous avons été autorisés à siéger dans le comité de direction* ». Elle s'extrait d'une logique juridico-administrative pour entrer dans une logique socio-organisationnelle et elle commence à concevoir de nouveaux instruments de gestion. Elle cherche par là même à se doter d'instruments de mesure lui permettant d'évaluer en termes d'efficacité et de performance ces nouvelles organisations et donc d'en apporter la preuve. En particulier, au milieu des années 1980, l'indicateur de productivité globale, conçu par des chercheurs du CERC, est repris dans certaines grandes entreprises. L'enjeu est fort. Avec les nouvelles organisations, il s'agit de mettre en harmonie des trajectoires individuelles, des collectifs de travail et des modes d'organisation. Avec des instruments tel l'indicateur de productivité globale, il devient possible d'en apporter une évaluation économique et, de ce fait, d'insérer les enjeux qui lui sont reliés dans les processus de décision stratégiques. Une telle instrumentation devient dès lors la clef de voûte de la pérennité possible de politiques de changement reposant sur une conception du facteur travail qui dépasse sa dimension de coût et, plus globalement, sur une vision enrichie des modes de calcul des coûts. C'est à cette condition qu'en effet l'« économique » et le « social » peuvent se voir réconciliés dans l'entreprise.

Mais l'observation de l'évolution connue par ces démarches depuis le début des années 1990 renvoie à une réalité nettement moins accomplie. En effet, leur mise en œuvre devient marginale et, par exemple, la démarche de productivité globale est aujourd'hui abandonnée [15]. Les organisations développées au cours de la décennie 1980 rencontrent de nouvelles contraintes : la polyvalence des agents a été fortement développée, les encadrants sont devenus des « responsables hiérarchiques » en charge de leurs équipes et aujourd'hui, il semble que de nouvelles marges de manœuvre en matière d'implication soient difficiles à trouver. Les formes de participation financière comme l'intéressement et la participation ne concernent, par définition, que les salariés qui restent dans un mécanisme où, d'ailleurs, plus les effectifs sont réduits, plus les montants d'intéressement et de participation ont des chances de s'accroître (le gâteau grossit les parts à couper sont moins importantes). Les limites de l'organisation se font d'autant plus ressentir que les multiples restructurations connues par les entreprises ont profondément déstabilisé les organisations, sans que celles-ci et que les individus qui la composent aient encore pu retrouver leurs marques [16].

La fonction ressources humaines, quand l'entreprise est confrontée à des mouvements de réduction des effectifs, a pour mission d'accompagner les réorganisations, tout en maintenant autant que possible la « paix sociale ». Les directions des ressources humaines interviennent alors sur la manière de faire, soit l'accompagnement socio-organisationnel d'une logique économique qui apparaît incontournable. La crise des années 1990 introduit ainsi une situation paradoxale, où il y a une forme de « retour en arrière », dans la mesure où la domination de la pression économique semble mettre à mal les tentatives précédentes d'articulation entre l'économique et le social, ce qui tend à interroger la mission de la fonction ressources humaines, comparativement à la période précédente (peut-elle continuer à accompagner les hommes dans les transformations organisationnelles tout en accompagnant à la sortie des individus qui composent cette même entreprise ?). En même temps, la fonction ressources humaines acquiert une nouvelle source de légitimation interne, justement dans l'accompagnement des décisions de réduction des effectifs (élaboration de plans sociaux, animation des mobilités, accompagnement de reconversions, etc.) : les autres fonctions comme les services opérationnels lui sont redevables de s'atteler à cette tâche qui demande a minima une capacité d'expertise sociale et juridique. En interne, il s'agit à la fois d'accompagner en douceur les réductions d'effectifs et d'assurer autant que possible le reclassement des salariés licenciés et, au mieux, d'établir des relations de transparence et de partenariat avec les institutions représentatives du personnel (IRP), notamment lors du déroulement des plans sociaux. Vis-à-vis de son environnement, l'entreprise doit assurer le développement de *« réseaux de solidarité »* au sein des bassins d'implantation ou, par exemple, s'impliquer dans des programmes de formation et d'insertion proposés par les pouvoirs publics. Le directeur des ressources humaines de Cigogne expliquait ainsi le rôle des services « Relations sociales » des usines dans les plans : *« La réduction des effectifs s'inscrit dans l'exigence de rentabilité économique. Par contre, la façon dont la baisse est gérée et mise en œuvre relève du projet social. »* Pour un responsable des relations sociales d'usine, *« Cigogne a toujours eu une tradition de dialogue social et on a toujours été assez paternalistes avec les Cigogniens. Il s'agit maintenant de traiter ceux qui partent aussi bien qu'ils l'ont été en tant que salariés ».* Pour les DRH du groupe Assist, ils précisent qu'ils ont comme mission de *« ne pas faire de vagues ».* Cette injonction semble tenir au maintien d'une image externe — notamment vis-à-vis des pouvoirs publics — d'« entreprise citoyenne » : d'après les membres de la holding, *« on appartient au groupe Colisée, qui est une*

*organisation publique très riche, alors on ne peut pas
se permettre d'afficher trop de réductions d'effectifs »* ;
*« on a une image d'entreprise citoyenne et on ne peut
pas aller demander à l'État de financer nos recherches
d'économies d'emploi »* ; et ils ajoutent : *« d'ailleurs,
vous remarquerez que rien n'a jamais été repris dans
les journaux »*, ou encore, *« saviez-vous avant de venir
travailler pour nous que nous avions réduit nos effectifs ? »*

   Cette dimension de la fonction RH peut alors être
entendue et développée de deux façons, qui ne sont pas
toujours contradictoires. La DRH est vécue et se vit
comme « le fossoyeur » sur lequel tout le monde se
décharge pour mettre en œuvre la décision de réduction
des effectifs. Elle peut aussi faire un accompagnement
en anticipant la situation : dans ce cas, l'accent est mis
sur le développement des compétences et des individus :
par exemple, la DRH cherche à identifier les postes et
les métiers qui risquent d'être menacés à terme et ceux
qui, au contraire, vont être amenés à se développer. A
partir de ce constat, elle incite les personnes placées sur
des postes à risque à entrer dans une démarche de préparation à une reconversion ou à un « redéploiement »,
interne ou externe. En interne, il pourra s'agir d'orienter des techniciens ou des secrétaires sur des emplois
commerciaux. En externe, il pourra s'agir d'amener des
salariés à développer leur « employabilité », c'est-à-dire
leur valeur sur le marché du travail. De telles démarches
— souvent dénommées « gestion prévisionnelle des
emplois et des compétences » — visent à gérer les sureffectifs avec le moins d'« à-coups » possibles. Les relations syndicales sont de même plus encadrées et tour-
nées vers des enjeux de gestion de l'emploi : il s'agit
certes de consulter les organisations syndicales dans le
cadre de déroulement de plans sociaux mais aussi de

négocier des accords (contractualisation sociale). Et par rapport à la période précédente, les relations sociales au sens large se voient plus individualisées, puisqu'il s'agit plus qu'auparavant de gérer des contrats de travail tous « particuliers ».

La fonction ressources humaines est finalement prise dans l'urgence d'avoir à gérer conjointement l'accompagnement des décisions de réduction des effectifs (trouver des moyens pour atteindre des cibles d'effectifs en diminution, tout en maintenant autant que possible la « paix sociale »), l'accompagnement de la recherche de flexibilité interne (mettre en place des outils amenant à une amélioration des compétences et de l'adaptabilité pour ceux qui restent) et l'accompagnement de multiples formes flexibles d'emploi et de conditions de travail (gérer en parallèle des situations contractuelles très diversifiées). Or, ces différentes exigences s'avèrent parfois contradictoires : en effet, comment, par exemple, mener une politique de gestion prévisionnelle des emplois et des compétences (dont un des postulats est de chercher à anticiper sur les compétences requises par l'organisation, à moyen terme, et d'adapter en ce sens les ressources humaines disponibles), quand de telles prévisions et les actions qui vont avec peuvent se voir invalidées du jour au lendemain par une exigence de réduction des effectifs ? Ou encore, comment mobiliser les salariés sur des accords de flexibilité du temps de travail ou de développement des compétences, quand le spectre d'une réduction des effectifs pouvant concerner chacun demeure présent ? De fait et malgré l'incitation des pouvoirs publics en la matière [17], le contenu des accords de gestion prévisionnelle des emplois reste dans bien des cas procédural et instrumental [18], sans véritablement créer d'espace de débat interne sur les processus de gestion de l'emploi.

Mais justement, de tels processus de décision demeurent opaques et se laissent difficilement interroger. Le thème des réductions d'effectifs, quand il est débattu, est dissimulé par de nombreux voiles. Les propos tenus lors d'expressions publiques ou privées divergent. Il y a ainsi des mots qui se cachent dans la dissimulation, et d'autres qui se cachent dans l'apparence.

Quand les entreprises parlent des réductions d'effectifs opérées, elles utilisent un registre de vocabulaire anesthésié, jetant ainsi un voile pudique sur leurs pratiques en matière d'emploi. Par exemple, dans cette entreprise du service public où les licenciements sont par définition impossibles, mais où l'entreprise réduit ses effectifs de 3 % par an depuis près de dix années, on parle de *« changement de l'organisation »* et de *« recherche de compétitivité »*, voire de productivité, mais on déconnecte ce discours de sa dimension emploi. Un cadre dirigeant de l'entreprise explique ainsi : *« On nous a interdit de parler d'emploi, et a fortiori de réduction des effectifs. »* D'une façon générale, l'entreprise *« se recentre sur le cœur de son métier »*, elle *« allège ses structures »*, elle *« opère une refonte de ses processus »*, elle *« réduit ses niveaux hiérarchiques »*, elle *« accroît la souplesse de l'organisation »*, elle *« se déverticalise »*, et elle ne licencie que quand elle annonce un plan social. L.J.D. Wacquant note de même, dans le cas des États-Unis, que « dans l'Amérique d'aujourd'hui, notamment au sein des grandes compagnies, un salarié n'est point licencié, limogé ou mis à la porte, et encore moins viré : il est "séparé", "désélectionné" ou "désembauché", "transitionné" ou "réduit", "non alloué" ou "déprogrammé", "délogé" ou bien encore "non renouvelé". Quant à l'entreprise, elle se contente de procéder à un "recentrage du mix des qualifications", à une "correction du déséquilibre de main-d'œuvre" ou encore à une "élimination des redondances" [19] ».

Evoquer des processus de décision en matière de réduction des effectifs, en avançant l'idée de mécanismes de gestion, suggérée lors de conférences ou de séminaires de réflexion, suscite en public des réactions de dénégation, voire de déni véhémentes, tout en étant approuvée en privé. P. Chevalier et D. Dure, au cours d'un débat public qui a suivi l'exposé de leur étude sur les mécanismes de licenciement [20], ont été vivement interpellés par un dirigeant : « *Je ne peux souscrire à vos propos. Ils sont outranciers. C'est un billet d'humeur et rien d'autre... Depuis le début des années 90, on fait de la chasse à la productivité, on a une impression de précarité constante... Il y a des situations où ça s'impose. Pour tous les autres cas, les financiers ont tiré la sonnette d'alarme... Il y a une mobilisation générale et tout y passe. Mais, l'étude se fait au plus près du terrain, en tenant compte de la faisabilité sociale... Vous seriez surpris de voir le nombre de volontaires au départ...* » Ceci nous fait penser à un non qui dit oui tout en s'en défendant. Lors d'autres débats, des contradicteurs sont même passés du registre de la dénégation à celui du déni, quitte à se mettre en colère.

De même, les tentatives d'analyse a posteriori des décisions de réduction des effectifs ont provoqué de fortes résistances : les responsables que nous avons rencontrés refusaient « *d'être montrés du doigt tandis que tout le monde fait la même chose* ». Certains se sentaient menacés par la démarche, d'autres estimaient ne pas être des interlocuteurs pertinents (« *si vous voulez des informations sur la gestion, allez voir les financiers* »), ou d'autres encore présageaient d'emblée que la démarche aboutirait à une impasse («*pour pouvoir aller explorer dans les sites de production, il faudrait d'abord un accord explicite entre le président du groupe et le patron local et ça, vous ne l'aurez jamais*»). Il s'avérait ainsi qu'un regard extérieur ne pouvait se pencher sur les pratiques de gestion en matière d'emploi qu'à condition d'être fortement soutenu par le plus haut niveau de décision de l'organisation. Néanmoins, le voile opaque apposé sur l'expression critique se lève quand on s'exprime en privé, et sous le sceau de l'anonymat. Nos interlocuteurs nous ont ainsi souvent affirmé : «*Je vous le dis, mais c'est pour vous, pour vos travaux.*» A la suite d'un exposé public, quelques cadres sont venus nous voir en privé, affirmant cette fois : «*Cela ressemble beaucoup à ce qui se passe chez nous.*» De même, monsieur ***, directeur général de *** a validé les analyses de P. Chevalier et D. Dure en leur adressant une réponse certes publiée, mais anonyme[21].

Aborder la question des réductions d'effectifs signifie être confronté à des modes de lecture contradictoires, laissant libre jeu à des interprétations parcellaires. S'opposent la lecture interne à l'entreprise pour la détermination du sureffectif qui se justifie par des rationalités froides soumises à des contraintes économiques incontournables et les données sociétales qui renvoient immédiatement à l'approche passionnelle du chômage dans le cité. Or, comme le souligne P. Lagadec en faisant référence aux travaux de Janis sur la notion de «groupthink» et en l'appliquant au processus de déclenchement de l'attaque de Pearl Harbor[22] : «Plus le temps passe et plus il devient difficile de lever le voile : ce qui, au début, n'est qu'une mise en garde contre une erreur d'interprétation devient bientôt une mise en cause de toute une politique. La critique devient donc parfaitement intolérable[23].»

Les mots qu'on prononce ne disent pas ce qui se réalise, tout en cherchant à donner un sens aux processus de réduction des effectifs. Cette occultation empêche la critique de s'exprimer et la discussion de s'installer.

DEUXIÈME PARTIE

LES ENGRENAGES DE LA DÉCISION DE RÉDUCTION DES EFFECTIFS[1]

Dans cette opacité et pour éclairer ce qui fonde la décision en matière de réduction des effectifs, je me suis centrée sur l'entreprise pour explorer les processus de réduction des effectifs réellement à l'œuvre [1]. J'ai tenté, comme nous y invite P. d'Iribarne [2], un « retour au réel », consistant à « bâtir une science des phénomènes que l'on rencontre réellement dans la nature, non une science de phénomènes qui pourraient simplement se produire », condition pour comprendre les « univers de sens » dans lesquels les acteurs construisent leurs stratégies.

J'ai ainsi cherché à aborder la question des réductions d'effectifs par des lectures intra- et interentreprises, en envisageant les lieux de la prise de décision, les critères de détermination du sureffectif et les modes de gestion du sureffectif. Il s'agissait de prendre comme point de départ les interrogations suivantes : quel schéma décisionnel amène à de telles actions [3] ; sur quelle instrumentation de gestion repose cette décision [4] ; dans quels lieux et sur quels critères [5] s'opère la décision ? Puis, comment, à un moment donné, une instance de décision en vient à énoncer : *« nous sommes en sureffectif »*, *« ce sureffectif s'élève à x % de l'effectif »* et, par voie de conséquence, *« nous devons prendre des mesures correctives »*. Le postulat initial étant d'analyser une « situation de gestion », il s'agissait en outre de replacer la décision dans son contexte et de la considérer comme faisant partie d'un réseau complexe de problèmes, plus ou moins reliés les uns aux autres. Partir de l'observation de pratiques pour interroger et mettre en perspective des mécanismes.

Dès 1993, en s'interrogeant sur « la gestion des coups d'accordéon » dans les entreprises, P. Chevalier et D. Dure[6] avaient mis en exergue d'insidieuses procédures de gestion inscrivant la décision de licenciement dans des mécanismes structurants.

Dans le processus de décision en matière de réduction des effectifs, on observe un découplage entre une sphère stratégique, située aux plus hauts niveaux de l'entreprise (le comité de direction de l'entreprise, la holding du groupe), qui donne l'impulsion de la décision, et une sphère de gestion constituée d'acteurs décentralisés (des directeurs de sites, des responsables de la gestion des ressources humaines) qui, elle, devra assurer la mise en œuvre des décisions. Dans cette séparation en deux temps du processus de décision, nous avons observé que les critères sur lesquels la sphère de décision fonde sa décision font de l'emploi un maillon faible dans le cadre de la rationalisation des coûts. Ces filtres, fortement structurants en matière de décision d'emploi, rencontrent néanmoins de nombreuses critiques. Pour autant, l'instrumentation de la décision est maintenue en l'état et les mêmes indicateurs produisent les mêmes réactions, laissant penser à une décision réflexe, à une machine de gestion. Cette décision devient d'autant plus automatique que dans sa mise en œuvre elle rencontre peu d'obstacles : d'un côté, les entreprises sont aujourd'hui rodées et de l'autre leurs interlocuteurs sociaux (l'État, l'administration du travail, les représentants syndicaux) ne viennent pas vraiment interroger les fondements de la décision pour se concentrer sur l'accompagnement d'une décision visiblement entérinée dès qu'elle est énoncée.

CHAPITRE 4

Les filtres de la décision
de réduction des effectifs

L'impulsion de la décision de réduction d'effectifs est fortement centralisée : c'est une décision dont l'amorce se situe au niveau de la sphère stratégique (un comité de direction de groupe, par exemple). Face à une injonction d'amélioration ou de restauration de la rentabilité exprimée par l'actionnaire quelle que soit sa forme juridique, l'entreprise décline un plan de rationalisation des coûts, dans lequel on retrouve une recherche d'économie sur la masse salariale. Cette logique financière de la détermination du sureffectif, où « l'employeur chiffre l'économie nécessaire au rétablissement de ses comptes et en déduit le nombre de personnes qui doivent partir[1] », est souvent accompagnée d'un raisonnement en termes de positionnement stratégique sur un marché. Par exemple, il s'agira de se recentrer sur le cœur du métier, d'abandonner des activités qui ne sont plus considérées comme stratégiques ou qui sont estimées comme structurellement déficitaires. Ce n'est qu'après la détermination d'une cible d'effectifs, exprimée en pourcentage (− 3 %, − 5 %, − 20 %...) et à atteindre en un temps donné (1 à 3 ans), que les « lieux socio-techniques[2] » seront chargés de mettre en œuvre les modalités d'adaptation à cette contrainte. Entre alors en jeu une réflexion socio-organisationnelle, qui peut inclure plusieurs dimensions : faire le moins de vagues possibles, remodeler les contours des ressources humaines, ou encore alléger les structures.

La décision de réduction des effectifs s'opère en deux temps : en premier lieu, une sphère stratégique, située aux plus hauts niveaux de l'entreprise, donne l'impulsion de la décision, puis une sphère de gestion constituée d'acteurs décentralisés devra assurer la mise en œuvre des décisions. La direction générale (ou le groupe) fixe des objectifs, affecte éventuellement des moyens et laisse une forte marge de manœuvre aux unités quant à la manière d'opérer (choix des modalités d'accompagnement ou encore de sélection des postes et des personnes en sureffectif). Et on s'en donne les moyens matériels et financiers. Ce découplage entre les niveaux de la prise de décision s'accompagne d'un découplage fonctionnel. Le raisonnement financier est construit par les directions financières et de la stratégie, qui définissent ce qu'il faut faire (réduire les effectifs de y %, abandonner une activité, fusionner des activités). Par contre, c'est à la DRH que l'on confiera la charge d'élaborer des modalités générales d'accompagnement en lui demandant comment on peut — socialement et juridiquement — faire. Parallèlement, la logique financière semble s'imposer, dans l'impulsion de la décision de réduction des effectifs.

L'énoncé du « *ce qu'il faut faire* » et du « *comment il faut faire* » prend des formes variées : dans le premier cas (« *ce qu'il faut faire* »), il pourra s'agir d'« *accroître la productivité* » ou de « *recenter l'activité sur le cœur du métier»* ; dans le second cas («*comment il faut faire»*), on pourra élaborer un plan social, bloquer les embauches, externaliser des activités ou modifier les contours juridiques de structures. Toutes ces modalités renvoient néanmoins à la même injonction, qui peut s'énoncer de la façon suivante : rationaliser les coûts en vue d'une restauration (ou d'une amélioration) de la rentabilité. Les responsables opérationnels n'interviennent pas dans cette impulsion de la décision : par exemple, souligne un responsable d'usine : «*Moi, je gère en aval. Je cherche des explications aux départs et à l'occasion de chaque départ, on définit au coup par coup les tâches.*» La charge de l'intendance de la décision de réduction des effectifs incombe ainsi aux DRH et aux responsables opérationnels, directement en charge de la gestion du personnel. Si ces opérationnels sont considérés comme responsables de la gestion du personnel, cette autonomie reste subordonnée aux injonctions de type : «*Faites-moi du ménage là-dedans.*» La répartition des rôles concernant les décisions d'emploi reflète le schéma présenté plus haut d'un découplage entre sphère de décision et sphère de gestion : «*en haut, un décideur met une croix devant une structure, un service, une activité mais c'est un autre qui gère les effets de cette décision. Ceux du haut n'ont pas de visibilité sur ce que leur décision implique*», commente un responsable opérationnel. Dans ce cadre, la gestion des effectifs relève de l'accompagnement de décisions prises en un autre lieu.

La contrainte de rentabilité est alors fortement ressentie au niveau opérationnel. D'après des acteurs décentralisés, «*c'est une préoccupation de tous les instants et le sujet de discussion n° 1 avec le groupe. On fonctionne dans une austérité très sévère*» ; «*Le groupe nous dit en permanence : "faites des bénéfices", "remontez-nous des frais de gestion"*». Ils expliquent alors comment la pression de la rentabilité se répercute partout et conduit à une maîtrise de la masse salariale et à des suppressions de postes : « *on fait un plan social pour rétablir la rentabilité de l'entreprise* », « *dès qu'on pense financier, on pense rationalisations négatives du facteur RH* » ou encore, « *quand vous supprimez des équipes, c'est qu'elles ne sont plus rentables* ». La contrainte de rentabilité semble ainsi se répercuter sous la forme de décisions de rationalisation de l'emploi, de recherche de rentabilité du facteur travail.

Pour comprendre sur quels critères de gestion la sphère de décision en vient à établir un diagnostic de sureffectif, il est nécessaire de considérer les critères de mesure retenus pour évaluer la place du facteur travail dans la constitution du résultat de l'entreprise.

La direction d'un groupe a plusieurs moyens de fixer des objectifs aux entités qui la composent et d'en contrôler l'activité et les résultats. Dans le budget, les ratios clefs dont on suit l'évolution par rapport aux prévisions annuelles y sont en règle générale le chiffre d'affaires (CA), le résultat net, le résultat exceptionnel et le ratio masse salariale/CA [3]. De tels ratios incluent une part financiarisée majeure et l'emploi y est intégré dans la même optique, puisqu'il s'agit du poids de la masse salariale dans le chiffre d'affaires. Ainsi, pour un responsable de la stratégie, « *en fait, la variable emploi n'est traduite que sous la forme de coûts dans le bilan* » ; « *l'emploi y est en blanc, en creux, on n'y met que l'évolution de la masse salariale* ». Dans une telle vision du pilotage et suivant les contraintes de rentabilité qui pèsent sur elle, la direction du groupe va alors être amenée à faire des choix et à exprimer des injonctions auprès de ses entités, en fonction de cet éclairage. En effet, à partir de tels agrégats, les unités de contrôle disposent d'une représentation synthétique et homogène de la situation économique et du fonctionnement de l'ensemble des entités, qui conditionne l'évaluation qu'elles portent sur la performance d'une entité. Or, dans cette représentation, l'emploi est avant tout une charge. Par exemple, d'après des directeurs industriels, *« il me semble qu'on ne se préoccupe des RH que pour ajuster les charges aux recettes » ; « La seule réflexion aujourd'hui que l'on ait, c'est d'affecter les charges salariales entre les grandes fonctions » ; « On examine, dans l'ordre : le chiffre d'affaires, la marge, la trésorerie quand la marge est moins bonne et le carnet de commandes quand le trend d'activités baisse. On regarde les effectifs quand la marge va mal et que ça dure depuis assez longtemps pour que la trésorerie trinque »*.

De tels ratios de mesure du résultat, mobilisés par la sphère de décision, ne semblent pas différencier les spécificités propres à une entreprise, à une usine ou à un service. Ce type de raisonnement suppose que les ratios retenus permettent de comparer les performances des sous-ensembles de l'entreprise. Cette comparaison fonde des décisions d'ajustement : le ratio de productivité donne lieu à des comparaisons internes ; le poids des effectifs ou de la masse salariale dans l'activité (en volume ou en valeur) constitue un étalon de mesure qui permet d'établir des mises en parallèle qui font émerger une notion de « retard » relatif et viennent justifier une injonction de rattrapage. Le DRH d'une entreprise d'un groupe multi-activités affirmait ainsi : *« nous avons le moins bon rapport masse salariale sur chiffre d'affaires du groupe, ce qui est inacceptable »*, ce qui justifiait la mise en œuvre d'un plan social.

Les dimensions qualitatives de la gestion des entreprises, et en particulier des ressources humaines, ne sont pas omises dans ces outils, mais elles n'y sont pas intégrées avec le même poids. La définition d'un contrat de gestion peut comporter des axes qualitatifs, tels que « *développer la motivation et l'implication des salariés* », « *développer les mobilités de bassin d'emploi* » ou « *développer la polyvalence des salariés* », par exemple. Mais ce qui n'est pas quantifié ne se voit pas évalué formellement. Or, comme l'expliquent J.G. March et H.A. Simon[4], un objectif auquel n'est pas accolé une évaluation chiffrée devient un objectif secondaire : « Le but de "promotion du bien-être général" fait souvent partie de la définition de la situation dans les politiques gouvernementales. C'est un but non opérationnel parce qu'il ne fournit pas l'étalon de mesure qui permettra de comparer des politiques mises en œuvre, il ne peut qu'être lié à des activités spécifiques par l'intermédiaire de buts secondaires. » En l'occurrence, les dimensions qualitatives de l'emploi apparaissent relever plus d'adaptations locales — donc du registre de l'intendance — et restent de l'ordre d'une forte sensibilité — donc d'un registre secondaire.

On assiste alors à une situation où, dans les filtres utilisés pour fonder les décisions, l'emploi est fortement surveillé sous son angle financier, et où, en même temps, il n'est saisi qu'en creux. D'un côté, le facteur travail, dans sa dimension de coût, accède au statut de variable quantifiée et suivie. D'un autre côté, ce même facteur, dans ses dimensions hors coût, n'est pas précisément évalué. Or, ce qui n'est pas observé de façon formalisée, précise et régulière ne vient pas alimenter un processus de décision et se voit relégué en annexe des décisions stratégiques. Dès lors, l'emploi est considéré en premier lieu comme un coût (donc un poids, une charge) bien avant d'être intégré comme une source de valeur ajoutée (donc un atout pour la compétitivité globale de l'entreprise). Et ce sont des perceptions qui viennent fortement structurer les décisions en matière de gestion des effectifs.

L'objectif premier de rentabilité et en même temps celui d'amélioration du ratio « masse salariale sur chiffre d'affaires » se voit inscrit en tant que tel dans les contrats de gestion liant les structures décentralisées à la tête de l'entreprise. Et quand les niveaux centraux de la décision exigent de leurs structures qu'elles diminuent ce ratio, elles développent en même temps plusieurs modes de contrôle, leur permettant de s'assurer de la conformité des résultats aux objectifs poursuivis. On va retrouver alors les mêmes ratios dans les outils de contractualisation de la relation entre la direction et ses unités mais, cette fois-ci, sous la forme de résultats à obtenir.

La sphère de décision pourra par exemple exiger de ses entités qu'elles mettent les emplois en adéquation avec le niveau de production, qu'elles rattrapent les niveaux de productivité des principaux concurrents de l'entreprise ou qu'elles gèrent au plus près les effectifs de structure. Un directeur industriel nous a par exemple raconté les négociations qui ont lieu autour de la réduction des frais de structure, en amont de l'élaboration du budget : « *Depuis deux ans, le groupe veut que l'entreprise réduise ses frais de structure. Le discours est le suivant : "Vous restez une des entreprises du groupe qui fonctionne avec le plus de frais fixes, vous devez faire de gros efforts." Le budget "coûts de structure", c'est un des moyens de pression du groupe : ils ont fixé la barre pour l'année prochaine à − 3 % et si dans le budget, vous êtes au-dessus, vous repartez pour un tour ; votre budget n'est pas validé.* »

Pour contrôler de façon continue l'obtention des résultats, la sphère stratégique met en place des tableaux de bord de report des données (ces tableaux de bord sont constitués de ratios offrant une vision synthétique de l'activité) où elle peut suivre tous les mois ou tous les trimestres l'évolution des principales donnes économiques (le volume de production, le rendement, la qualité, les principaux coûts, le niveau des effectifs, etc.) de chaque entité (une usine, un centre de résultats, une agence, etc.). Elle suit notamment si les objectifs définis dans le budget sont atteints ou en voie d'être atteints. En cas d'écarts par rapport aux prévisions, elle peut exiger qu'une entité prenne des mesures d'urgence permettant de rectifier l'écart avant la prochaine échéance de contrôle. Dans le cas d'écarts négatifs, il s'agit donc pour les unités contrôlées de rétablir la situation au plus vite : « *Si ça ne va pas, ils doivent mettre en place un plan d'action pour rectifier le tir, si possible avant la réunion suivante.* » P. Chevalier et D. Dure [5] ont à ce titre remarqué qu'il existait une surprenante proximité temporelle entre les rythmes de l'élaboration budgétaire et les annonces de réductions d'effectifs. Ces dernières ont généralement lieu en janvier et juin-juillet, soit aux deux temps forts du déroulement du budget (son élaboration puis sa révision). Ce qui peut être traduit comme des pics d'adaptation immédiate : pour s'assurer d'avoir respecté le budget avant sa révision ou son atterrissage, ou pour montrer qu'elle va respecter ses engagements budgétaires, l'unité contrôlée prend immédiatement des mesures d'adaptation des coûts, en intervenant sur la réduction des frais de personnel.

Ce sont généralement les contrôleurs de gestion qui suivent l'évolution des écarts entre le « réel » et le « standard » du budget, par centre d'analyse des coûts (un service, une usine, un atelier, par exemple) et par agrégat de coûts d'exploitation (les matières premières, les frais de personnel, les achats et charges externes).

Les centres d'analyse correspondent à un découpage vertical de la répartition des charges qui correspond au découpage par services. En cohérence avec ce découpage, les objectifs globaux sont déclinés de la même façon au niveau de chaque centre d'analyse : *« pour toutes les usines, il y a les mêmes ratios, et on y établit de la même façon les standards »*, explique un directeur du contrôle de gestion. Les différents centres d'analyse des coûts sont ainsi considérés comme indépendants et additifs, ce qui présuppose que la combinaison des efforts locaux permet d'atteindre l'optimum global, tel qu'il est défini a priori. En effet, ces objectifs déclinés à l'identique reposent sur l'élaboration de standards, qui correspondent à un fonctionnement jugé a priori satisfaisant. On pourrait alors se demander si des injonctions de type *« il faut réduire de x % les effectifs dans chaque service* [6] *»* ne constituent pas un sous-produit de ce type de raisonnement : puisqu'il faut globalement réduire les frais de personnel de x %, demandons à chaque centre de coûts d'en faire autant.

Simultanément, les ratios — identiques pour tous — donnent lieu à des comparaisons entre entités : munie de tous les tableaux de bord, la direction peut déterminer lesquelles de ses entités sont plus ou moins performantes. Ces comparaisons déterminent alors des choix d'allocation de volumes de production (ou de prestations) et donc de ressources. Dans le cadre d'une recherche de rationalisation des coûts, la direction industrielle affecte par exemple les volumes de production en fonction des résultats obtenus par chaque entité : ainsi, l'usine qui maîtrise plus que les autres ses coûts a plus de chances de se voir confier des volumes de production. Il s'instaure de ce fait une forme de concurrence interne entre les entités : d'après des responsables d'une usine, *« chaque usine essaye d'avoir le plus de volumes possible et la direction industrielle entretient une forte compétition entre les usines. Si on est trop décalés en termes de coûts, soit par rapport aux autres, soit par rapport aux objectifs, on perd des volumes».* Et une entreprise qui perd des volumes risque d'emblée de perdre des emplois, voire à terme d'être évaluée comme obsolète. A l'inverse, le fait de répondre au plus près aux objectifs déterminés permet aux usines de se voir attribuer davantage de moyens et de marges de manœuvre. Ce mécanisme de comparaisons peut, de la même façon, amener à des décisions de fermeture de sites ou d'abandon d'activité.

Ces instruments de pilotage constituent des intermédiaires de l'échange entre sphère de décision et niveaux opérationnels. Mais il arrive aussi que la direction d'un groupe intervienne directement, notamment quand les objectifs prédéterminés ne sont pas atteints : par exemple, *« la branche intervient directement au niveau de l'entreprise, d'une usine ou d'une direction dès qu'elle estime que les standards ne sont pas respectés ou que les écarts sont trop importants».* Ce type d'ingérence directe du groupe dans les procédures de fixation et de contrôle des objectifs peut s'opérer par le biais de l'envoi d'auditeurs, qui seront mandatés pour établir un diagnostic. Et bien souvent, ces auditeurs se voient attribuer une mission avec des objectifs prédéterminés, qui peut être libellée de la façon suivante : *«Il doit y avoir des sureffectifs, allez voir ; faites-moi de la productivité emploi dans cette entreprise et pour cela, traitez directement avec moi.»* A ce moment, le groupe peut aussi fixer a priori l'ampleur que doit prendre la réduction des effectifs. Par exemple, dans le cas d'une entreprise de l'industrie lourde, le directeur explique : *«On avait 20 % en tête et on a tout fait pour que, au bilan, cela corresponde. La DRH a réalisé un travail en com-*

mandos. Elle retenait les secteurs où le gras était visible et affirmait à leurs responsables, à la terreur : "Vous pouvez me faire cela avec deux fois moins de personnes." Sur la base de ces exemples, on justifiait la réduction générale des effectifs.» Puis, « *les deux autres plans ont été faits dans la foulée du précédent* ».

Qu'advient-il finalement des plans stratégiques censés apporter une vision à moyen terme de l'entreprise ? En amont du budget, on trouve généralement des plans à moyen terme qui énoncent des objectifs généraux, plus qualitatifs. Dans les entreprises que nous avons étudiées, il semblerait que la substance des plans stratégiques ait été progressivement dénaturée, justement dans ses objectifs plus qualitatifs. Dès la formulation des objectifs généraux, des éléments quantitatifs mesurés par des ratios (parts de marché, ratios de productivité, résultat net/chiffre d'affaires) ont été par exemple intégrés. Certes, des objectifs ont besoin d'être quantifiés pour être précisément suivis. Mais à nouveau, un tel mécanisme se solde par une attention accrue portée aux dimensions chiffrées, au détriment d'axes plus qualitatifs. Peut-être est-ce lié à l'accroissement du sentiment d'incertitude : établir des objectifs quantitatifs donne peut-être le sentiment d'avoir encadré un avenir incertain.

Mais l'analyse du système de planification, dans sa phase d'élaboration, révèle au-delà une tendance à la reproduction, d'un plan à l'autre [7], des mêmes natures de critères pris en compte, de diagnostics établis et d'objectifs déterminés. Les processus de planification suivent le même cheminement d'un plan à l'autre : ils présentent la même analyse des faits (stagnation du marché, concurrence accrue, restructuration des concurrents) ; ils s'articulent autour des mêmes axes (par exemple, restructuration et productivité) ; et ils avancent dans leur argumentation les mêmes ratios d'analyse (par exemple, rentabilité, indicateurs de positionnement sur les marchés, ratio de productivité). Un directeur industriel explique ainsi qu'il a le sentiment que *« le cycle de la planification est enfermant : à partir du moment où on est dans une courbe, on en sort difficilement »*. D'une façon générale, nous avons vu que toute amélioration de la performance est recherchée dans le cadre de catégories prédéterminées (rentabilité, productivité) et c'est à partir de ces dernières que les cibles d'emploi sont établies. Le système de planification a de même été analysé par de nombreux auteurs comme un facteur de rigidité [8]. Au début des années 1980, H. Mintzberg avait pointé la logique des dysfonctionnements concernant les bureaucraties mécanistes, face à l'instabilité de l'environnement [9] : dès que l'environnement devient changeant, il devient impossible de faire coïncider le fonctionnement théorique édicté par les règles et les comportements adaptés aux évolutions du contexte. Plus récemment, H. Mintzberg [10] s'est penché sur les processus de planification stratégique. Il a alors mis en exergue comment les plans se construisent selon des catégories existantes et tout changement ne peut avoir lieu qu'au sein de ces mêmes catégories. Dans ces conditions, la planification tend à privilégier ce qui peut être connu et argumenté. Ceci est particulièrement le cas des charges de personnel (elles sont précisément connues) et, symétriquement, des décisions de réduction des effectifs (on peut en argumenter l'apport en matière de rationalisation des coûts). Ceci est par contre beaucoup moins le cas d'un éventuel apport de plus-value du personnel (sa définition dépend de multiples facteurs) et, symétriquement, des décisions d'embauche (on en argumente plus difficilement l'apport en termes de performance).

Une fois la cible fixée par un plan ou un budget, on

ne revient pas en arrière. Le plan et le budget fixent une cible d'effectifs. C'est toujours un axe déterminé par la sphère de décision qui est présenté comme incontournable et qui se traduit sous la forme d'objectifs à suivre pour les responsables opérationnels, objectif sur lequel ils sont contrôlés au risque d'avoir à rectifier rapidement le tir. Au demeurant, tous les constats d'instabilité des marchés établis par les décideurs ne paraissent pas abroger la pertinence des projections qui constituent les fondements des plans ; ils ne semblent pas remettre en cause ni le processus de planification, ni les cibles définies dans les plans [11]. H. Mintzberg va plus loin, en affirmant que la planification stratégique perçoit l'environnement comme turbulent, justement parce qu'elle véhicule une obsession du contrôle : selon lui, les prévisions justes sont dues à l'excellence de la planification, tandis que des prévisions se révélant erronées sont attribuées à l'instabilité de l'environnement. Et finalement, tout oriente vers une maîtrise des coûts, avec un primat accordé à la maîtrise des coûts salariaux.

CHAPITRE 5

L'emploi, maillon faible
de la rationalisation des coûts

Si la réduction des effectifs est considérée comme un levier d'accroissement de la rentabilité, cela signifie alors que la décision de réduction des effectifs est évaluée comme particulièrement rentable. Le directeur général d'une grande entreprise nous a d'ailleurs interpellé de la façon suivante : « *Connaissez-vous un investissement qui ait un "pay-back" aussi rapide ?* » Il estimait à un an le « retour sur investissement » des réductions d'effectifs. Et pour le DRH de cette même entreprise, « *la partie emploi n'est regardée qu'en termes de coûts salariaux. Un coût salarial plat. On dit : son départ coûte tant et donc, l'économie est de tant* ». A partir des annonces publiques de nombreuses entreprises ayant des profils très variés (secteur, taille, lieu d'implantation), P. Chevalier et D. Dure [1] ont constaté que les économies attendues pour chaque suppression d'emploi s'élevaient à quelques variations près à 200 000 francs. L'existence d'un tel « diviseur miracle » a été fortement contestée. Néanmoins, il est troublant de retrouver à peu de choses près ce montant à chaque fois que l'on demande à un directeur des ressources

humaines : « *Quelle économie attendez-vous de la suppression d'un poste ?* » A titre d'illustration, l'argumentaire d'un plan social d'une filiale d'un groupe de l'électronique affirme : « *En estimant le coût complet moyen
annuel d'un salarié à 200 kF, nous pouvons déterminer
une économie annuelle de personnel [97 personnes
concernées] de l'ordre de 19,4 MF [on y ajoute les économies liées à l'abandon de locaux]... Et le coût estimé
de la réorganisation est de l'ordre de 20 MF (coûts de
restructuration, inclus les charges inhérentes à l'application du plan social).* » Autrement dit, le coût de la
décision de réduction d'un emploi serait amortissable
dans l'année, le raisonnement effectué étant : le salaire
annuel chargé moyen est de x kF, le coût moyen d'un
départ s'élève à peu près au même montant, l'entreprise
aura donc économisé dans un an l'équivalent d'un
salaire, charges incluses. Finalement, seul le gain direct
sur la masse salariale est pris en compte.

Les ratios de productivité se réfèrent à deux modes de
mesure du facteur travail : les effectifs et le coût du travail. C'est en étudiant les conventions de calcul des
effectifs et des coûts du travail que l'on peut comprendre
certains choix en matière de gestion des effectifs : augmenter le recours à la sous-traitance et à l'intérim tandis que l'on réduit les effectifs, par exemple. En effet,
les outils d'évaluation des coûts considèrent le facteur
travail à la fois comme facteur premier de coût, comme
une charge venant augmenter le seuil de rentabilité, et
de ce fait comme un coût dont il s'agit de faire porter la
charge sur l'emploi externe.

Trois niveaux se superposent dans la mesure de la
performance : la productivité, la rentabilité et la compétitivité. Et chacun de ces niveaux intègre une évaluation

du facteur travail, qui vient structurer le calcul des sureffectifs.

Les difficultés économiques d'une entreprise ou d'un
pays sont souvent attribuées à un déficit de productivité.
P. Lorino[2] raconte par exemple comment, lors des chocs
pétroliers des années 1970, la crise a été analysée
comme une crise de la productivité et cette chute de la
productivité expliquée par l'insuffisance de l'investissement, puis par un manque de performance productive
(on investit moins bien). Par la suite, la crise a été inter-
prétée comme une crise de la productivité du travail. Il
apparaît une forme de consensus dans l'analyse économique quant à la fonction centrale de l'accroissement de
la productivité dans la performance économique :
l'adage de Schmitt («les investissements d'aujourd'hui
sont les emplois de demain») semble valoir règle d'or.
C'est d'ailleurs sur cette double dimension de coût et de
rapport de facteurs à une production que reposent les
ratios macro-économiques de mesure de la performance
d'un pays. Ainsi, en matière de compétitivité, le principal facteur retenu dans les études macro-économiques
est la «compétitivité-prix» ou la «compétitivité-coût».
La mesure de la «compétitivité-coût» intègre les coûts
salariaux et donc ne rend compte de la situation de l'économie qu'au regard du premier facteur de production :
le travail et son coût. La mesure de la «compétitivité-
prix» intègre, en plus des coûts salariaux, les autres
coûts de production et la marge dégagée par les entreprises[3]. Mais dans les deux cas, les dimensions «hors
prix» ou «hors coûts» de la compétitivité ne sont pas
prises en compte. Dans les entreprises, on retrouve le
même envahissement du concept de productivité assimilé à la compétitivité. Inversement, les difficultés économiques sont imputées à un retard de productivité qu'il
s'agit de combler. L'objectif de recherche de producti-

vité est ainsi présent dans l'ensemble des argumentaires économiques de plans de réduction des effectifs. Néanmoins, le leitmotiv de la productivité prend des significations variées ; les acteurs d'entreprise lui attribuent des propriétés multiples. Elle est alternativement présentée comme un facteur clé de compétitivité (*« notre entreprise ne sera pas compétitive si elle ne s'oblige pas à un certain trend de productivité »*), comme une condition de la recherche de flexibilité du système productif (*« la productivité nous permet d'être plus réactifs »*), comme une hygiène de vie (*« on doit faire 3 % de productivité par an ad vitam eternam pour rester dans la course »*), voire comme un enjeu de survie (*« si on ne fait pas de productivité, on est morts »*).

La productivité est une mesure qui permet d'évaluer ce qu'une organisation produit avec les moyens dont elle se dote. Quand une entreprise affirme vouloir « réaliser x % de productivité par an », cet objectif se résume soit à une recherche de productivité des opérations de travail (raccourcir le temps nécessaire pour accomplir les opérations humaines de travail au sein du procès de production[4]), soit à une recherche de productivité emploi (diminuer les frais de personnel pour assurer un niveau de chiffre d'affaires). La productivité emploi reste inscrite dans le spectre de la rentabilité : elle participe d'une logique de réduction des coûts, en l'occurrence du travail. Autrement dit, on pourrait estimer que, les volumes ou le chiffre d'affaires étant incertains, c'est le dénominateur du ratio de productivité qui devient l'objet de toutes les attentions. Car la recherche de productivité semble bien plus porter sur une rationalisation des coûts (on diminue le dénominateur) que sur une tentative de développement du numérateur. Elle s'inscrit bien plus dans une logique de maîtrise des coûts que dans une logique de développement.

Quel que soit le niveau d'analyse retenu (macro ou micro), productivité, compétitivité (ou un niveau de concurrence des marchandises) et rentabilité (ou un niveau de concurrence des capitaux) semblent intimement liées. Ces trois critères peuvent être considérés comme les attributs respectifs de trois natures d'évaluation représentées au sein de l'entreprise : l'industriel [5], le commercial et le financier. Quand une injonction de rentabilité se voit traduite sous la forme d'une recherche de productivité emploi, le raisonnement postule alors qu'il existe une relation stable entre la réduction des effectifs, la réduction de la masse salariale (ou du coût du travail) et l'amélioration de la rentabilité. J.H. Jacot explique ainsi comment les niveaux sont télescopés : «Le calcul dominant d'inspiration néoclassique [...] ramène la compétitivité et la rentabilité à la seule productivité du travail [6].»

Une telle évaluation de la productivité est intégrée dans le mode de calcul d'un sureffectif : par exemple, explique un directeur industriel, *«on voit les marchés possibles, les produits possibles et, en face, on regarde toutes les ressources disponibles. On applique des ratios de productivité moyens et on a alors le niveau de personnel de siège et le niveau de personnel opérationnel nécessaire, en fonction du taux de marge contributive. Et si l'effectif en cours est supérieur, c'est qu'on est en sureffectif».* De même, dans une entreprise de l'agro-alimentaire, l'argumentaire du plan social stipulait : *«nous devons améliorer notre productivité de x % en trois ans»* et il annonçait un sureffectif de n personnes. En fait, en multipliant l'objectif de productivité par l'effectif total, on retrouvait le niveau annoncé du sureffectif. D'après un des directeurs de l'entreprise, *«aujourd'hui, l'objectif de 3 % de productivité annuelle correspond à une maîtrise des effectifs»,* directement traduite par l'identification d'un sureffectif. La diminution des emplois est immédiatement corrélée avec une amélioration de la productivité et, ce faisant, tout phénomène de réalisation d'économies sur la masse salariale se voit interprété comme un gain de productivité.

Le ratio de productivité emploi (ou main-d'œuvre) intervient de plus dans le processus de détermination de la répartition du sureffectif, entre les effectifs directement rattachés à la production (ou à la prestation de services) et les effectifs dits de structure. La détermination du sureffectif de main-d'œuvre indirecte repose en effet sur un ratio MOI (main-d'œuvre indirecte) /MOD (main-d'œuvre directe) : par imputation de la main-d'œuvre indirecte à la main-d'œuvre directe, les décisions d'amélioration de la productivité se sont vues traduites sous la forme d'une diminution de la seconde puis de la première. Et par suite, les réductions d'effectifs ont concerné en premier lieu les effectifs de main-d'œuvre directe, puis ceux de main-d'œuvre indirecte (services fonctionnels des usines et population du siège[7]).

Le système comptable est un autre instrument de gestion venant alimenter les décideurs en informations. En l'occurrence, le système comptable mobilisé s'inscrit en cohérence avec le système productif déterminé par Taylor et repose sur une série de préceptes[8] : la richesse procède essentiellement du travail direct et la valeur ajoutée est assimilée à ce facteur dominant (c'est le royaume de la quantification unidimensionnelle) ; le système productif est un système centralisé et hiérarchisé ; il est caractérisé par sa divisibilité et le coût total est assimilé à la somme des coûts partiels (principe cartésien de fragmentation) ; le temps est un temps de répétition et de stabilité ; enfin, l'information est considérée comme parfaite. Le taylorisme est étroitement relié à une analyse économique plus large, selon laquelle le progrès, c'est la productivité ; la productivité, c'est la productivité du travail direct ; la productivité du travail direct, c'est le rendement. Le rendement, c'est la productivité du travail direct, facteur de production dominant à l'époque ; c'est donc la performance du système industriel. Dans une telle perspective, la maîtrise des coûts représente l'image fidèle de la performance ; le perfectionnement du système de gestion passe par une amélioration de l'exhaustivité de l'analyse, et la performance par l'optimisation de chacun des facteurs de production, pris un à un.

Dans la droite ligne de l'héritage taylorien de l'analyse des coûts, le calcul du coût de revient complet se fonde essentiellement sur l'analyse des coûts directs qui, après imputation, détermine l'affectation des charges indirectes. Le premier facteur utilisé y demeure la main-d'œuvre directe, considérée comme facteur de production dominant[9]. Et les entreprises que nous avons étudiées parlent d'« *improductifs* » quand elles désignent les postes qui ne sont pas en contact direct avec le produit (ou la prestation). De même, tout le temps consacré par des opérationnels à d'autres activités que la production, telle la formation, est enregistré comme un temps « *improductif* ». Dès lors, comme il s'agit de diminuer tous les coûts qui ne sont pas en lien direct avec la production ou la prestation facturée, le regard sera particulièrement porté sur les coûts de main-d'œuvre indirecte. Une telle perspective vient fonder les décisions de réduction des effectifs de structure, ou d'allégement des sièges sociaux. Recentrer les emplois sur le noyau dur de l'activité, c'est aussi recentrer les coûts de l'emploi sur des postes dont on peut directement établir qu'ils sont productifs. A l'inverse, la valeur ajoutée d'un emploi du tertiaire de l'entreprise (par exemple, un expert ou une secrétaire) étant plus complexe et aléatoire à établir, on pourra aisément considérer que l'entreprise peut fonctionner sans qu'il soit occupé, du moins à court terme.

D'autre part, les conventions de calcul retenues par la comptabilité analytique impliquent de distinguer les charges fixes (des charges à supporter quel que soit le niveau de l'activité) et les charges variables (des charges qui fluctuent avec l'activité). Les effectifs internes y sont généralement considérés comme une charge fixe, donc indépendante des volumes de production ou de chiffre d'affaires. A titre de « charge fixe », ils entrent dans le calcul du seuil de rentabilité, c'est-à-dire dans le calcul du seuil de production à partir duquel l'entreprise couvre ses charges et donc peut dégager une rentabilité. L'emploi est alors considéré comme un poids qui vient augmenter le niveau du seuil de rentabilité et donc le « point mort ». Or, pour accroître les perspectives de rentabilité, il s'agit de diminuer le point mort. L'emploi est finalement considéré comme un poids dont il s'agit d'abaisser le point mort. Ce diagnostic semble partagé par l'ensemble des responsables opérationnels que nous avons rencontrés et motive des décisions de suppression [10] ou d'externalisation d'emploi, les rémunérations de travailleurs extérieurs (enregistrées dans le poste « charges externes ») étant prises en compte comme des charges variables. Ainsi, comme le résument L. Mallet et F. Teyssier, « la problématique du sureffectif est alors complètement transformée : on ne cherche plus à relier effectif et niveau de production, mais à diminuer des coûts fixes [11] ». L'emploi est non seulement une charge fixe, mais de plus un investissement que l'on ne peut pas amortir ; c'est une dépense immédiate pour un résultat à venir, généralement non chiffrable.

C'est alors en considérant l'emploi comme une

charge fixe dont il s'agit de se séparer avant qu'il ne soit trop tard que les entreprises ont peu à peu calé leurs effectifs permanents sur le niveau bas de l'équation emploi-production, tout en assurant les hausses de commandes par le recours à des formes flexibles d'emploi, quittes à se retrouver en situation de sous-effectif interne. L'externalisation des emplois permet ainsi de déplacer des charges fixes en charges variables, sans nécessairement diminuer le coût du travail complet mobilisé pour une production. Elles ont par là même diminué le niveau du seuil de rentabilité de l'emploi, et ce à un coût considéré comme acceptable. Ainsi, même si le coût de recours à la sous-traitance ou à l'intérim peut s'avérer plus onéreux que celui d'emplois internes, ce ne sont pour autant pas des coûts considérés comme équivalents : la sous-traitance ou l'intérim, c'est du variable ; l'emploi en CDI, c'est du fixe, donc du rigide.

Au-delà des contraintes légales de calcul des effectifs [12], l'employeur établit des tableaux d'effectifs pour son usage de gestion, dont les critères de détermination interviennent dans l'établissement des ratios de productivité. Dans ce cadre, c'est généralement la somme des CDI et des CDD qui définit les contours de la notion d'effectif : elle intègre l'effectif correspondant au personnel interne de l'entreprise et exclut l'ensemble des travailleurs externes.

Ce choix correspond aux critères retenus dans la comptabilité quant à l'affectation de frais au sein des différents postes de charge. D'un côté, le poste « charges de personnel » comprend l'ensemble des rémunérations brutes versées au personnel (la masse salariale), les charges de Sécurité sociale et de prévoyance ainsi que les autres charges sociales, telles que les versements aux comités d'entreprise et aux œuvres sociales. D'un autre côté, les « autres charges externes » sont scindées en

deux comptes : services extérieurs (sous-traitance générale, locations, travaux d'entretien…) et autres services
extérieurs (personnel extérieur à l'entreprise, rémunérations d'intermédiaires, honoraires, publicité…). Les
effectifs retenus dans les tableaux de suivi et dans le calcul de la productivité correspondent de la sorte au
nombre de personnes affectées comptablement au poste
« frais de personnel ». C'est cet effectif-là qui est le référent du ratio de productivité. On pourrait ainsi dire que
c'est un ratio qui ne tient pas compte de l'ensemble de
la force de travail mobilisée en vue d'une production,
mais de l'ensemble de la force de travail inscrite dans
une relation contractualisée de subordination salariale
avec l'entreprise. De façon concomitante, il ne tient pas
compte de l'ensemble des coûts de main-d'œuvre nécessaires à la production, mais des coûts de la main-
d'œuvre intégrée dans l'entreprise (et dans le poste
« frais de personnel »).

L'incitation à l'externalisation des emplois (recours à
l'intérim, à la sous-traitance, au travail indépendant, là
où avant l'entreprise employait des salariés en interne)
s'exprime alors de façon indirecte par ces modes de calcul. En effet, dans l'hypothèse d'une substitution de
sous-traitance aux emplois internes, toute augmentation
de l'activité va se traduire directement par une amélioration du ratio de productivité emploi, tel qu'il est
mesuré.

Finalement, il semble surtout, comme le résume un
directeur général, quel « *le x % de productivité correspond à ce qui est maîtrisable, c'est-à-dire les effectifs* ».
En effet, nos interlocuteurs nous ont expliqué en substance que les marges de manœuvre sur les achats de
matière sont faibles (on peut jouer à la marge, en négo-
ciant des diminutions de prix auprès des fournisseurs),
que les coûts d'amortissement concernent des investis-

sements déjà décidés et engagés, et que donc restent les coûts de main-d'œuvre pour les ajustements à court terme. Au même titre que P. Chevalier et D. Dure [13], nous pourrions alors nous demander si les instances de décision ne se fixent pas d'autant plus la variable emploi que c'est la seule qui leur apparaît maîtrisable de façon sûre. Autrement dit, face à un avenir dont la prévisibilité est sujette à caution ou face à des contraintes financières irréductibles, les responsables d'entreprises semblent estimer qu'il devient préférable de fixer a priori un des facteurs (le niveau d'emploi), puis de s'adapter au mieux aux oscillations des autres, moins maîtrisables.

Les outils d'évaluation des coûts considèrent le facteur travail à la fois comme facteur premier de coût, comme une charge venant grever le point mort, et de ce fait comme un coût dont on a intérêt à faire porter la charge sur l'emploi externe. Les ratios de productivité et les conventions de calcul des coûts tendent à accorder une place prépondérante au coût du travail. Finalement, les modes de représentation et d'évaluation du facteur travail tels qu'ils sont mobilisés agissent comme une loupe grossissante sur les frais de personnel : ils font de la maîtrise permanente des effectifs un gage de performance, telle qu'elle est évaluée. Ils tendent à focaliser l'attention du décideur sur ce coût-là, notamment dans le cadre de mesures de rationalisation des coûts. Quand l'injonction première est la restauration ou l'amélioration de la rentabilité et que la mesure de l'emploi se focalise sur sa dimension de coût, il devient le maillon faible, celui sur lequel se porte l'effort de maîtrise des coûts. Dès lors, le facteur emploi peut être considéré non seulement comme maîtrisable, comme relativement plus maîtrisable que d'autres, compte tenu des difficultés de prévision des autres facteurs, mais aussi comme maîtrisable compte tenu des critères et des temporalités de calculs de rentabilité exigés par la sphère de décision, dont nous avons vu qu'elle était de plus en plus inscrite dans une logique financière de court terme.

Or, il faut bien rationaliser : nous l'avons vu, la contrainte de rationalisation des coûts demeure primordiale. Et pourtant, il faut bien dénombrer : le décideur doit pouvoir se forger une opinion et trancher. Dans ce cadre, la décision de réduction des effectifs peut être considérée comme « satisfaisante [14] » compte tenu du regard que l'on porte sur les contraintes et de leurs modes de traduction à l'interne. Dans le même temps, c'est une décision qui prend sens par rapport au respect des procédures de décision.

Mais cette mécanique de gestion est incomplète à plusieurs titres. Le facteur travail est considéré sous son angle de coût, plutôt que de gain ou de valeur ajoutée. En témoignent certains de nos interlocuteurs : « *on sait mesurer le coût du travail, mais non son gain* », « *on ne prend en compte l'emploi que dans le cadre de rationalisations négatives, et c'est comme cela depuis dix ans* », ou encore, « *on ne sait mesurer que la masse salariale ou des effectifs* ». D'une façon générale, la question de l'évaluation du facteur travail comme charge plutôt que comme source de valeur ajoutée ou comme potentiel de développement est sous-jacente à ces modes de calcul. Cet ancrage du travail dans une dimension de coût surprend d'autant que de nombreux travaux ont insisté sur l'évolution des critères qualitatifs (ou hors prix et hors coût) des normes de concurrence et du système productif [15].

Les observations proposées sur les liaisons entre recherche de rentabilité, mesure de la productivité et détermination d'un sureffectif appellent plusieurs remarques. Le raisonnement postule en effet qu'il existe une relation stable entre la réduction des effectifs, la réduction de la masse salariale et l'amélioration de la rentabilité. Ces modes d'évaluation du facteur travail s'intègrent dans une perspective de « compétitivité prix » et atténue de ce fait le poids des dimensions « hors prix » dans l'évaluation de la compétitivité. Ainsi, en exigeant de la productivité qu'elle s'inscrive dans le cadre des méthodes de calcul de la rentabilité, on s'aventure à lui voir perdre ses atouts « hors prix [16] », qui certes coûtent mais génèrent de la valeur ajoutée. Si par exemple, le ratio de productivité en vigueur est le ratio « nombre de journées de prestation facturées par personne », la mesure dominante de la productivité reflète alors plus la production de valeur par personne que l'efficacité du travail dans la production de volumes. Or, comme l'ont souligné les travaux de la commission « Compétitivité française » du XIe Plan, le véritable enjeu, c'est la maîtrise globale de tous les facteurs, ce qui n'exclut pas la maîtrise des coûts, mais en constitue un facteur de compétitivité parmi d'autres.

La recherche de productivité telle qu'elle est déterminée participe d'une logique de réduction des coûts et particulièrement des frais de personnel, et non d'une logique d'occupation des ressources disponibles et notamment de la main-d'œuvre employée. Elle marque un glissement d'un concept de productivité du travail vers une recherche accrue de productivité emploi [17]. Ces ratios de productivité emploi ne différencient pas les différentes facettes du travail, considérant uniquement les effectifs et leur coût global et non, par exemple, les niveaux de qualification ou l'organisation du travail. Seules sont intégrées les données « passives » du travail — le coût —, au détriment de ses dimensions

« actives [18] » — les compétences. Les responsables opérationnels en relèvent d'ailleurs les limites. Des responsables de services d'une usine relèvent ainsi le caractère incomplet du seul ratio de productivité emploi : « *il n'intègre pas l'apport des transformations organisationnelles hors restructuration des emplois* », « *avec ce ratio, on a une vision partielle ; on raisonne par agrégats séparés et on ne valorise pas le décloisonnement* ». Dans un groupe de prestations de services, les responsables de branche soulignent la complexité des activités de l'entreprise, irréductible à un ratio : « *on fait du sur-mesure* », « *on offre à 80 % des prestations uniques, non reproductibles* ». Ou encore, « *la productivité, c'est le facturable par personne ; cela ne mesure pas l'efficacité. Par exemple, on ne se demande pas si on signe des contrats à perte ; on dit qu'on n'est pas assez productifs* » ; « *quand la matière grise est un élément déterminant de l'activité, c'est encore plus étonnant qu'on ne le prenne pas en compte* », « *quand on signe des contrats, il y a autre chose que de la viande pure. Il y a des compétences* ». Ce type d'observations mènent J. Gadrey et alii [19] à conclure : « Si tout phénomène de réduction des coûts ou de réalisation d'économie est interprété, comme on le constate souvent, comme un gain de productivité, autant supprimer ce dernier concept du vocabulaire : il perd en tout cas tout ce qui fait son intérêt propre comme concept d'un rapport entre des quantités d'outputs et d'inputs. » Tels qu'ils sont mobilisés, les ratios de productivité peuvent néanmoins être considérés à la fois comme des « abrégés du vrai » (ils résument à un ratio la performance du travail) et comme des « abrégés du bien [20] » (ils énoncent de façon rapide ce qui doit être). Ils peuvent in fine être envisagés comme une traduction locale (aux niveaux opérationnels) de la recherche d'économies énoncée par les sphères de décision.

Enfin, tous les efforts étant focalisés sur la ressource travail — utiliser l'ouvrier au maximum de son rendement —, l'utilisation des autres ressources apparaît relativement peu efficiente [21]. De la même façon, on pourrait penser qu'une bonne façon d'accroître la productivité passe par une augmentation des volumes de production, à volume de ressources constant ou en faible augmentation ; on entrerait ainsi dans une démarche de recherche de productivité par le développement. Mais il semble que l'attention soit surtout portée sur la diminution du dénominateur (le nombre d'emplois internes), presque au détriment de l'augmentation du numérateur (la production en valeur ou en volume). Peut-être parce qu'une stratégie de développement est aujourd'hui moins certaine et permet peu d'apporter la preuve a priori d'une amélioration à venir de la rentabilité. Par contre, la réduction des coûts et, en particulier, du coût du travail permet d'afficher immédiatement une telle amélioration, de façon certaine.

Le recours répété aux mesures de recherche de productivité emploi suscite néanmoins des inquiétudes chez les responsables opérationnels et les responsables des ressources humaines : « *On commence à sentir les effets des dégraissages. C'est très profond à l'usine, on est très limite, on n'arrête pas de dégraisser sans réflexion* » ; « *Il n'y a pas de limite dans la rationalisation industrielle. Comme on était toujours capables d'expliquer qu'il y avait du gras, on a continué. Mais maintenant, on atteint le muscle* ». Les responsables opérationnels soulignent des dysfonctionnements organisationnels liés aux délais d'adaptation de l'organisation au nouveau niveau d'effectifs, qui se traduisent par exemple par l'émergence de problèmes dans la gestion des plannings ou dans la réalisation d'opérations de pré-vention (« *on ne devrait pas avoir tant de problèmes de fonctionnement à régler ; on a perdu beaucoup de temps à adapter tout en permanence et on n'a plus le temps d'analyser les améliorations organisationnelles pos-sibles* », explique un chef de service de production[22]). Le directeur d'une des usines de Cigogne estime qu'avec la succession rapprochée des plans sociaux, « *on a réduit les effectifs tellement rapidement qu'on a généré des dysfonctionnements* ». Les chefs de service d'usine affir-ment par exemple ne plus arriver à sortir de l'urgence : « *Les dossiers qui ne sont pas directement liés à la pro-duction traînent en longueur, les études sont de moins en moins faites. Alors, il n'y a pas d'évolution, de chan-gement : on n'a plus les moyens, en temps et en hommes, d'étudier les modifications organisationnelles à faire.* » De leur côté, les délégués syndicaux notent aussi un pro-blème de délai d'adaptation : « *il n'y a pas eu assez d'an-ticipations sur la nouvelle organisation du travail ; si vous supprimez une personne, il faut un délai pour s'ajuster au nouvel emploi* » et « *les réductions d'effec-tifs ont posé un problème dans l'organisation du travail de chacun* ». Tous décrivent alors des situations où « *on n'arrête pas de jongler* » : d'après les chefs de service, « *les conséquences sur les conditions de travail se sen-tent surtout sur les temps de travail : le travail du samedi est assuré par des heures supplémentaires. Les emplois du temps sont fixés le mardi pour la semaine d'après et ça peut changer à tout moment* ». Ou encore, dans cette usine de matériel électrique : « *en fabrication, il ne peut plus y avoir ni CDI ni CDD, alors les coups durs ne sont pas compensés* » ; « *dès qu'il y a des personnes en for-mation ou des personnes absentes, on doit faire appel à d'autres en les appelant chez elles et il arrive que des ouvriers fassent deux équipes dans la même journée* ».

En outre, les pyramides des âges se destructurent, les coûts de recours à la sous-traitance augmentent, les budgets formation gonflent sous l'impact des opérations de reconversion vers l'extérieur, le volume des heures supplémentaires et le recours à l'intérim s'accroissent. Et à force de recourir à la sous-traitance, les opérationnels ont peur de perdre la maîtrise technique du système : *« Avec le recours à la sous-traitance, on a perdu la maîtrise de certains métiers qui sont des points névralgiques. »* En effet, il existe un risque, avec le recours à la sous-traitance, de perdre la maîtrise de tâches ou d'installations : par exemple, *« la sous-traitance est dangereuse : il y a une nouvelle machine dont la maintenance est sous-traitée et personne ne la connaît »*. De même, à force de recourir à l'intérim, les chefs de service craignent pour la transmission des savoir-faire et la professionalisation de la main-d'œuvre mobilisée : *« D'un côté, on a proportionnellement de moins en moins de personnes qui maîtrisent le métier et, d'un autre côté, on ne peut pas vraiment investir du temps dans la formation sur le terrain des intérimaires car on ne sait jamais combien de temps ils vont rester. »*

Enfin, les choix opérés en matière de sélection des salariés en sureffectif sont eux-mêmes porteurs de déséquilibres entre la structure des emplois, les ressources humaines et l'organisation elle-même. Ces choix perturbent l'organisation. Par exemple, dans une logique de recherche de productivité focalisée sur une recherche de réduction de la masse salariale, il s'avère plus rentable, à poste égal, de faire partir les personnes qui coûtent le plus cher à l'entreprise (par exemple, les plus âgés). Ainsi pour un DRH, *« on se sépare souvent des personnes les plus chères par rapport au poste qu'elles occupent »*. Mais, ajoute-t-il, *« ce sont aussi souvent les meilleures »*. Dans le même ordre d'idées, le recours au volontariat pour gérer les sureffectifs, s'il permet de maintenir la paix sociale, comporte des risques pour la structure des compétences : *« Avec les incitations financières proposées, les forces vives de l'usine sont parties d'un seul coup. On a perdu beaucoup de compétences, de savoir-faire. On a dû aller les chercher comme sous-traitants. Notamment deux d'entre eux avaient des compétences stratégiques, vitales pour le fonctionnement de l'usine. Au total, on a dû embaucher trois jeunes pour reconstruire nos compétences »*, explique un directeur d'usine. Ce phénomène peut être partiellement contenu par le système du « double volontariat » (le départ volontaire d'une personne est soumis au droit de veto de son supérieur hiérarchique direct, soit du DRH). Néanmoins, il est fréquent d'assister a posteriori à des démissions de la part de personnes pour lesquelles l'entreprise a refusé l'accès aux mesures du plan social. Ou du moins, nous précise un chef de service, *« quand quelqu'un s'est mis sur la liste, c'est dur de le garder : on se dit qu'il n'est plus motivé »*.

Les pratiques de blocage des embauches et de recours aux cessations anticipées d'activité sont, elles, porteuses de risques de sclérose de l'organisation. E. Godelier a noté, au cours d'une analyse de la CGPS[23], que le recours massif aux préretraites, accompagné d'un arrêt quasi complet des recrutements, a creusé des trous démographiques dans la population salariée et abouti à faire vieillir la population globale des entreprises[24]. On trouve en effet dans les entreprises ayant privilégié l'âge comme critère de sélection des salariés en sureffectif, des pyramides en forme de « montgolfière » avec un recentrage sur la tranche d'âge des 35-50 ans. Ce double freinage démographique comporte des risques sur le maintien et le renouvellement des compétences ; il introduit de plus de nouvelles natures de contraintes en termes de gestion prévisionnelle des ressources humaines, qui sont autant de handicaps pour l'avenir : la gestion des carrières devient encombrée et les promotions bloquées. Des directeurs des ressources humaines du groupe Assist soulignent ainsi des *« risques de sclérose »* : *« Le turnover déjà faible continue de baisser, cela crée une situation de sclérose qui ne nous laisse que de faibles marges de manœuvre. »* Et pour un directeur d'usine de l'agro-alimentaire : *« La pyramide des âges de l'usine n'est pas belle du tout. Il n'y a plus eu de brassage depuis des années. On a besoin de renouveau. On commence à sentir que l'on en souffre. Or, compte tenu des objectifs du plan, on ne pourra toujours pas remplacer les 20 personnes partant en préretraite par des jeunes ; d'un autre côté, on a aussi des personnes fatiguées, des "bras cassés" et dont on dit que l'on en n'a plus besoin. Il faut que l'on se pose la question de la gestion des inaptitudes, de la redéfinition de l'organisation en fonction de nos ressources. »*

Malgré toutes ces observations, partagées aux niveaux opérationnels de l'entreprise, la notion de rentabilité des mesures de réduction des effectifs reste toujours prégnante. L'étude des raisonnements tenus concernant de tels calculs de rentabilité atteste alors que les coûts induits de la décision de réduction des effectifs sont cachés par le système d'informations comptables, dans la mesure où celui-ci les omet, ou ne les agrège pas aux mêmes niveaux d'analyse. Dans le premier cas, ces coûts ne sont tout simplement pas pris en compte. Dans le second cas, ils sont pris en compte de façon éparse, disséminée et ne se voient pas attribués à la décision de réduction des effectifs. En fait, la rentabilité de la décision de réduction des effectifs dépend du regard qui est porté sur elle. Les responsables en charge de l'intendance de la décision sont confrontés aux effets induits qu'elle produit, quand bien même les gèrent-ils au mieux. A l'inverse, la sphère de décision n'a pas de vision de cette intendance. A défaut d'intégrer ces effets induits dans ses évaluations, la sphère de décision est confortée dans la représentation d'une équation d'égalité entre la réduction des effectifs, la réduction des coûts et la recherche de performance.

C. Riveline évoque dans son cours d'évaluation des coûts qu'« un chef d'entreprise disait un jour : "Je suis étonné de constater que les nombreux tiers ou quarts d'employés dont l'économie m'était annoncée à chaque réorganisation n'ont jamais conduit à l'économie d'un employé entier." Cette remarque n'est qu'une boutade et il est tout aussi déraisonnable de considérer les dépenses de salaires comme fatales, que de prévoir une économie exactement proportionnelle aux heures dégagées. Seule une étude réaliste des conséquences matérielles et humaines des décisions permet de répondre [25] ». Or, une telle étude n'a en l'occurrence pas cours. Les responsables que nous avons rencontrés affirment *« ne pas revenir »* sur cette décision ; ils ont tous souligné l'absence de telles évaluations, mettant parfois en cause leur pertinence. Des directeurs des ressources humaines nous ont ainsi répondu : *« Je ne sais pas dire quelles études ont été faites au préalable, ni quel bilan a posteriori on peut faire »* ; *« On ne mesure jamais les coûts des restructurations. Par contre, c'est très difficile de mesurer les coûts indirects »* ; *« On n'a pas fait de bilan a posteriori ou autre... c'est déjà une réponse à votre question »* ; *« On ne prend en compte que l'aspect coûts directs et on cherche à gommer les coûts induits ; de toute façon, je ne vois pas à quoi cela servirait de revenir sur de telles décisions »*. De façon analogue, un directeur du contrôle de gestion a réagi de la façon suivante quand nous lui avons proposé d'établir un bilan du recours accru à la sous-traitance : «*Les coûts de sous-traitance, il y en a un peu partout et on ne s'est jamais amusés à les reprendre. Personne ne nous l'a jamais demandé, et cela prendrait trop de temps. Je ne vois pas comment vous pourrez tout reconstituer, la chasse aux coûts cachés n'a pas encore été faite : on ne peut pas s'en donner les moyens ; on n'en a pas le temps.*»

Parmi les «données oubliées», les responsables de la gestion des ressources humaines mentionnent fréquemment le coût de fonctionnement de leurs services : «*Le reclassement bien fait nécessite un travail de fou, c'est très chronophage, cela suppose des montages très compliqués.*» Et ce temps de travail consacré à la gestion des sureffectifs n'est pas pris en compte dans ces calculs de rentabilité : «*Si on intégrait l'équivalent de notre salaire de tout ce temps, cela ferait peur.*» De façon habituelle, les coûts liés à des reclassements apparaissent dans la comptabilité générale normalisée par la société ou au niveau d'un groupe : par exemple, le financement des antennes emploi est assuré par le groupe. Le groupe se charge du financement des cabinets d'outplacement pour les cadres de haut niveau, ainsi que celui des coûts liés aux mobilités internes. Mais ce sont des coûts qui ne sont pas pris en compte au niveau d'un établissement, voire d'une entreprise, soit le niveau auquel la décision est mise en œuvre [26]. Ainsi les calculs de rentabilité établis à ce niveau-là ne prennent en compte qu'une partie du coût des mesures d'accompagnement des réductions d'effectifs.

Si la notion de rentabilité de la décision de réduction des effectifs peut être discutée, la décision elle-même permet d'afficher des résultats à court terme, comme l'atteste le mécanisme comptable de provisions pour restructurations. Compte tenu des critères de rentabilité du travail retenus (le coût direct du salarié), la décision de réduction d'effectif apparaît rentable immédiatement (dans l'année), tandis que celle de son maintien demeure aléatoire, puisque difficilement chiffrable. Le directeur industriel de Cigogne souligne ainsi : « *En agissant sur la main-d'œuvre, on a un ROI* [retour sur investissement] *quasi immédiat et on voit rapidement les effets sur la baisse des coûts. Maintenant, il faut que l'on apprenne à gérer des limites : il ne faut pas prendre le risque de détériorer le système, de dégrader l'équilibre global. Le problème, c'est que cette détérioration est subjective, n'est pas mesurable, contrairement au ROI baisse des effectifs.* » Par contre, les coûts d'accompagnement des réductions d'effectifs peuvent être intégrés dans le montant des provisions réalisées par l'entreprise pour préparer un plan de restructuration. Ce sont alors des charges qui sont portées par l'exercice comptable précédant l'année de la mise en œuvre dudit plan. De telles conventions comptables peuvent amener l'entreprise à annoncer à l'année n − 1 un résultat grevé par les provisions pour restructuration puis à afficher l'année suivante un résultat dans lequel ces charges ne sont pas prises en compte et dont l'effet sur la réduction de la masse salariale a éventuellement déjà pu être enregistré. Le plan de restructuration peut alors paraître particulièrement rentable. Ce « *jeu purement comptable* » est néanmoins fortement structurant de la décision elle-même. Un DGRH explique ainsi : « *Quand les branches enregistrent des provisions pour restructuration, cela diminue d'autant le résultat et donc la part distribuée au groupe. Donc, on leur demande de les justifier. Et une fois que ces provisions sont acquises, il faut bien les dépenser.* » Ce qui est provisionné doit être dépensé ; ou encore, l'action de réduction des effectifs doit suivre la décision de provisionnement pour restructuration.

Faut-il alors changer les outils de gestion ? Plusieurs tentatives ont été ou sont expérimentées dans ce sens : la productivité globale[27], la gestion par les processus[28] ou par les activités[29], notamment. Toutes ces méthodes partent d'un constat d'obsolescence des outils de gestion et proposent des méthodologies d'enrichissement du mode de calcul des coûts. Pour autant, leur mise en œuvre reste secondaire face au poids des ratios financiers, eux primordiaux.

La mise en place à la fin des années 1980 d'un indicateur de productivité globale (IPG) dans plusieurs groupes français relève d'une volonté de ne pas centrer la mesure de la productivité sur la seule productivité main-d'œuvre, en intégrant l'ensemble des facteurs de production (les matières premières, les emballages, les coûts de structure et les amortissements du capital) dans la mesure de la productivité. Cette évaluation postule donc que c'est en réduisant l'ensemble des coûts pour une même quantité de produit que l'on assurera une productivité de l'ensemble des facteurs. Quand ces entreprises ont appliqué des ratios de productivité globale à leurs systèmes de production, elles ont alors découvert une forte productivité main-d'œuvre (l'essentiel de l'effort avait bien été mis sur cette productivité), une productivité de l'investissement négative et, au total, une productivité globale faible. Ces constats auraient pu inciter d'autant plus à un abandon au moins partiel du ratio de productivité main-d'œuvre et à une recherche accrue de productivité sur les autres facteurs. Mais finalement, et à quelques exceptions près, l'IPG a été abandonné au cours de la première moitié des années 1990.

A l'analyse[30], ce ratio de productivité globale était considéré par les opérationnels comme trop complexe pour être mobilisé dans l'action. Ces derniers le taxaient de « *construction d'intellectuels* » et soulignaient : « *Il reste plus facile de raisonner en tonnes et en effectifs.* » En outre, l'IPG entrait en concurrence avec d'autres indicateurs utilisés par les entreprises, tel le prix de revient global, fortement mobilisé par les directions générales. Enfin, il est peu à peu devenu contradictoire ou du moins accessoire face aux injonctions d'accroissement de la rentabilité exprimées par ces entreprises. En affirmant dès la fin des années 1980 et de façon accrue l'exigence de rentabilité, ces entreprises ont fait de la productivité globale un enjeu secondaire, ne l'ont plus appuyé avec la même primauté. En effet, la recherche de rentabilité exige des résultats immédiats ; a contrario, la recherche de productivité globale passe par la mise en œuvre d'actions complexes dont les résultats seront enregistrés progressivement. En outre, en cas d'augmentation du ratio de productivité globale, il sera très difficile d'en discerner l'origine puisque ce sera l'effet d'une amélioration du système dans son ensemble ; a contrario, le lien de cause à effet entre la rationalisation des coûts de main-d'œuvre et l'amélioration de la productivité main-d'œuvre pourra être établi immédiatement.

Dès lors, dans un contexte de forte pression sur les coûts, et en particulier sur les coûts de main-d'œuvre, l'amélioration de la productivité globale demeure de l'ordre de la préconisation. Or, nous l'avons déjà souligné, un objectif auquel n'est pas accolée une évaluation chiffrée et contrôlée devient un objectif secondaire. Sa mise en œuvre devient alors subordonnée à des volontés locales. De ce fait, elle reste aléatoire et renvoie plus à un registre de la « sensibilité à ». De fait, si la productivité globale reste une préoccupation d'ordre général de ces groupes, elle s'est généralement peu à peu épuisée dans sa mise en œuvre.

Ces deux dimensions (la recherche d'économies à court terme d'un côté, et la recherche de performance globale à moyen ou long terme, d'un autre côté) ne s'inscrivent pas dans les mêmes temporalités, ne se rattachent pas aux mêmes critères d'évaluation du facteur travail et de la performance et ne sont pas perçues de façon homogène aux différents niveaux de la décision. Les adaptations qualitatives des ressources humaines (telles que améliorer la productivité par le développement des compétences des salariés, par une organisation du travail permettant d'accroître la valeur de la production ou de la prestation de services) par opposition aux ajustements quantitatifs de la main-d'œuvre (améliorer la productivité par diminution du nombre de personnes employées) exigent du temps, tandis que les mesures de réduction des effectifs permettent d'afficher des résultats immédiats, tels qu'ils sont mesurés. Les apports de telles transformations et, symétriquement, le manque à valoir de leur mise en œuvre restreinte, ne peuvent pas se réduire à des ratios simples : ils renvoient plus à une notion de valeur ajoutée intégrant des dimensions multiples.

Ainsi, l'Agence nationale pour l'amélioration des conditions de travail (ANACT), qui fut dès la fin des années 1970 un des acteurs moteurs de l'élaboration de nouveaux outils de gestion et de mesure du facteur travail, concluait en 1996 : « Les nouveaux critères de gestion à vocation globalisante tels que l'IPG, ou encore les critères locaux d'inspiration socio-technique mettant en lumière des sources de non-performance n'ont pas connu le succès que leurs promoteurs attendaient : il eût fallu que les acteurs de leur mise en œuvre y aient intérêt [31]. » Ces observations n'invalident pas la pertinence ni l'intérêt des démarches de recherche de renouveau des outils de gestion, mais renvoient à l'analyse proposée par M. Berry des instruments de gestion : ces derniers «simplifient le réel, structurent le comportement des agents, engendrent des logiques locales souvent rebelles aux efforts de réforme, régulent les rapports de force, conditionnent la cohérence d'une organisation [...] c'est ainsi que tous les instruments mis en œuvre sont les éléments d'une technologie qui serait invisible et ainsi d'autant plus redoutable [32]».

CHAPITRE 6

Une mise en œuvre qui rencontre peu de freins

Nous avons souligné l'existence d'une dichotomie entre les niveaux et les rôles des acteurs parties prenantes de la décision : la sphère stratégique donne l'impulsion de la décision, tandis que la sphère de gestion en assure la mise en œuvre. Il apparaît que l'articulation entre l'«économique» — au sein de laquelle les dimensions financières semblent primer — et le «social» s'opère en deux temps : en premier lieu, il faut réduire les effectifs pour améliorer ou restaurer les comptes ; en second lieu, il faut prendre des mesures pour atteindre cette cible d'effectifs, tout en maintenant autant que possible la paix sociale. De façon schématique, on a d'un côté une impulsion de la décision de réduction des effectifs, qui obéit à une logique financière et comptable et, d'un autre côté, une phase de mise en œuvre de la décision qui, à ce moment-là, va prendre en compte les dimensions humaines et organisationnelles de l'entreprise. Nous allons examiner le deuxième temps du processus de décision, soit la gestion des sureffectifs. Dans ce domaine, des facteurs socio-organisationnels président au choix des modalités de la gestion des sureffectifs et interviennent dans la détermination des contours du sureffectif. Dans les configurations que nous avons étudiées, la traduction d'une cible d'effectifs (viser moins x % en y années) en des lieux (où va-t-on procéder aux réductions d'effectifs ?, qui cela va-t-il concerner ?) et des modalités de résorption (comment va-t-on procéder ?) du sureffectif inclut plusieurs dimensions : faire le moins de vagues possibles, remodeler les contours des ressources humaines, ou encore réduire les niveaux hiérarchiques.

Le processus de réduction des effectifs se répète peut-être d'autant plus que les responsables ont peu à peu acquis un savoir-faire en matière de gestion des sureffectifs. Ainsi, la mise en œuvre de la décision de réduction des effectifs est vécue comme contraignante, et en même temps elle ne semble rencontrer que peu d'obstacles.

A partir de l'objectif de réduction des effectifs à atteindre, la direction des ressources humaines demande aux chefs de services d'identifier a priori les personnes en sureffectif, en leur fixant un objectif en pourcentage. D'après un directeur des ressources humaines, cela correspond à deux types de préoccupations : « *Où va-t-on trouver ces "n" postes ?* », d'un côté « *on a "p" préretraites ici et "m" transactions individuelles possibles là, donc on peut réduire les effectifs de y % sans problème* », d'un autre côté. « *On fixe toujours un objectif supérieur à ce que l'on veut obtenir, car on sait que les chefs de service vont chercher à le réduire autant que possible. On leur donne une marge de 10 %* », ajoute le directeur des ressources humaines. Des réunions très confidentielles entre chefs de service ct membres de la direction des ressources humaines ont alors lieu pour consolider le tout, qui peuvent consister en de longues tractations, où c'est souvent la faisabilité sociale qui va être privilégiée, les chefs de service cherchant à déstabiliser au minimum leurs équipes et la direction des ressources humaines à *« assurer la paix sociale »*.

Compte tenu de la répétition des mesures de réduction des effectifs, cette nature de raisonnement semble rentrer dans le cadre de décisions courantes du service des ressources humaines et des opérationnels. Au niveau de la direction, le directeur des ressources humaines d'une entreprise de l'automobile affirme mettre directement en sureffectif les salariés pouvant être concernés par les mesures d'âge : *« Quand on établit les pyramides des âges, on les projette sur les années à venir et on identifie ainsi les personnes qu'on va pouvoir faire partir.»* D'après le responsable d'un service d'usine, *« comme tout le monde part à 56,3 ans, quand il y a un départ, on doit trouver une solution. Les personnes partent dans de bonnes conditions et cela nous ouvre des opportunités pour améliorer notre productivité ; on s'organise pour ne pas avoir à les remplacer »*. L'existence de telles mesures d'accompagnement intervient dans la détermination du sureffectif [1].

Dans la mesure où ces pratiques aboutissent davantage à l'identification de départs possibles de salariés qu'à l'identification de postes en surnombre, il faut ensuite réaliser des mobilités internes pour retrouver une adéquation postes-personnes. Le responsable ressources humaines d'une usine explique : *« On met les personnes en sureffectif et après on voit les mouvements de personnes qu'il faut faire pour assurer l'organisation interne.»* Ainsi, la logique sociale de la détermination du sureffectif consiste à placer en sureffectif les personnes dont on estime que le départ pourra se faire en douceur. Dans de tels processus, les cadres en charge de la gestion des ressources humaines expliquent qu'une fois la cible déterminée, ils arrivent à identifier et à justifier l'existence de postes en sureffectif : « *on trouve toujours des poches de sureffectif* », « *quand on nous donne un objectif d'effectif, on sait toujours faire* », ou encore, « *on a toujours été capables d'expliquer qu'il y avait du gras* ». Ils affirment avoir acquis une compétence en la matière, en parallèle à la succession des plans de réduction des effectifs : « *Cela fait 7-8 ans qu'on fait de la rationalisation industrielle et on est devenus des pros.* » L'assertion « *on sait toujours faire* » renvoie à la logique socio-organisationnelle : compte tenu des contraintes qui sont fixées aux lieux socio-techniques et qui leur apparaissent incontournables (« *on s'est engagés* »), les responsables des lieux socio-techniques ont développé ce que nous appellerons des « compétences d'adaptation », pour répondre au mieux aux injonctions de la sphère de décision, tout en essayant de maintenir l'équilibre socio-organisationnel des unités décentralisées. Par exemple, les responsables ressources humaines des entités opérationnelles se sont rodés à élaborer des démarches de reconversion des salariés partants ou de mobilité interne ; les responsables de la hiérarchie ont dû apprendre à s'organiser dans leurs services avec un nombre réduit de personnes.

Et quand « *on ne sait pas faire* », on fait appel à un cabinet d'audit qui trouvera des poches de sureffectif. Le DGRH d'un groupe de l'agro-alimentaire nous a ainsi expliqué comment il a opéré quand un plan social a concerné pour la première fois ses propres équipes : « *Le dernier plan social du groupe visait à réduire les effectifs de structure de 10 %, dont ceux de la DGRH. Là, je ne savais pas faire, je ne savais pas comment déterminer qui était en sureffectif. Alors, j'ai fait appel à un cabinet d'audit. Ils sont arrivés avec leurs grilles, ils ont étudié qui faisait quoi et ils ont sorti un organi-*

gramme allégé d'un peu plus de 10 %. » Un autre DRH d'une entreprise de loisirs a tenu des propos similaires : « *Il n'y a particulièrement pas de limite en ce qui concerne les effectifs de structure. Les cabinets extérieurs peuvent toujours trouver du gras.* » De même, les responsables de la gestion des ressources humaines ont développé une pluralité de mesures d'accompagnement et, en même temps, un savoir-faire dans la gestion de ces mesures. A nouveau, quand la mission apparaît trop rude, des cabinets conseil sont mobilisés. Par exemple, le DRH d'une entreprise de l'électronique nous a présenté l'antenne emploi de la façon suivante : « *C'est un cabinet qui pilote l'antenne emploi. Ils sont habitués à reclasser des personnes licenciées et je ne vois pas qui pourrait faire cela chez nous. Ce serait trop dur.* » Ou encore, des experts externes sont appelés pour former les responsables opérationnels aux entretiens d'annonce préalable au licenciement : « *On a mis en place une formation de deux jours pour les préparer aux entretiens préalables. On leur a aussi donné un jeu de transparents avec un guide pour expliquer à leurs équipes le pourquoi du comment du plan social. Dans ce guide, on a répertorié toutes les questions qui pourraient survenir, avec les réponses à dire. Comme cela, ils se sentent moins démunis.* »

Les éléments étudiés nous permettent de comprendre que la décision de réduction des effectifs est fortement encadrée par des procédures gestionnaires, comptables, sociales et juridiques et, de ce fait, elle est perçue à la fois comme bloquante et irréversible par les acteurs décentralisés. C'est en même temps une décision qui semble ne pas rencontrer de limites dans les grandes entreprises, dans la mesure où elle parvient à se répéter sans ébranler l'équilibre socio-organisationnel des entités concernées par les réductions d'effectifs, du moins à première vue et à court terme.

Bien au contraire, cette décision constitue une occasion de remodelage des contours de la main-d'œuvre. D'un côté les transformations organisationnelles (liées à un changement de technologie, à une réorganisation du procès de production ou de conception) révèlent des sureffectifs : par exemple, l'introduction d'un nouvel outil informatique permet de réaliser les mêmes tâches avec moins de personnes. D'un autre côté, la réduction même des effectifs oblige à repenser l'organisation du travail et ses critères d'efficacité : par exemple, si un chef de service doit réduire de 5 % son effectif, il va être contraint de réorganiser l'affectation des tâches, le contenu des postes et la coordination d'ensemble. En outre, les choix de sélection des salariés partants et réciproquement des salariés restants amènent à modifier les contours de la main-d'œuvre employée. La sélection qui s'opère à l'occasion de la mise en œuvre de mesures de réduction des effectifs vise bien souvent à améliorer la performance de l'organisation, tout en respectant les règles juridiques de sélection des salariés licenciés[2].

Ainsi, la réduction des effectifs constitue une occasion d'accroître la flexibilité de l'organisation, en retenant aussi des salariés eux-mêmes flexibles. Face à la nécessité de faire des choix lors de la mise en œuvre des mesures de réduction des effectifs et compte tenu d'une recherche accrue de flexibilité interne, les réductions d'effectifs constituent une occasion de sélectionner les individus ou les structures pour lesquels l'entreprise estime qu'ils sont en mesure de rentrer dans la course de la flexibilité interne. Pour les salariés comme pour les entités opérationnelles, il est fait référence à une capacité d'adaptation à des évolutions qui ne sont pas toujours déterminées a priori. On trouvera alors, pour les salariés, les critères d'âge et de qualification et, pour les usines, des critères de modernisation de l'appareil productif. De façon parallèle, l'entreprise investit de façon prioritaire sur les salariés et les entités qu'elle identifie comme pouvant rester dans cette course.

Le recours aux réductions d'effectifs est non seulement une occasion d'allégements, mais aussi de permutations. Pour une entreprise de BTP qui est le fruit d'une fusion de plusieurs entreprises, cette opération a permis « *d'identifier des doublons* » et de supprimer des postes. Pour son nouveau directeur, « *il fallait absolument qu'on diminue la masse salariale pour assurer la pérennité du nouveau pool et pour en argumenter l'existence. Alors, on a profité du regroupement pour supprimer des postes. Mais, comme on avait beaucoup de travail, on a repris quelques ingénieurs, plus jeunes et moins chers* ». De son côté, une entreprise de services aux collectivités locales a étoffé sa force de commercialisation en embauchant en CDD de jeunes diplômés (bac + 2 à bac + 4), ce que le directeur des ressources humaines explique ainsi : « *Il nous fallait du sang neuf, compétent et dynamique.* » Ces deux cas font état de phénomènes de « permutation de la main-d'œuvre [3] », où le recours aux réductions d'effectifs constitue une occasion de substituer un profil de salariés à un autre. Par exemple, on cherchera à employer des individus plus jeunes, plus diplômés et moins onéreux là où hier on a licencié des salariés plus âgés et plus chers. De même, on recourra à l'intérim là où hier on employait sur un poste équivalent des salariés en CDI. Ces permutations sont liées à des enjeux multiples : diminuer le coût du travail par salarié, accroître la flexibilité contractuelle de l'emploi, ou encore disposer d'une main-d'œuvre dont l'entreprise estime qu'elle sera plus à même de répondre aux nouvelles compétences exigées par la transformation des emplois.

Une telle occasion de remodelage vient alors renforcer la dynamique de détermination du sureffectif : la répétition des mesures de réduction des effectifs impose aux responsables d'unités ou de services de repenser en permanence leur organisation, ce qui leur donne l'occasion d'identifier à nouveau des poches de sureffectif ; face aux nouvelles contraintes socio-organisationnelles induites par la réduction des effectifs, l'entreprise adapte à nouveau son personnel et son organisation.

Dans toute cette mécanique, l'employeur n'est pas le seul intervenant : les institutions représentatives du personnel doivent — quand elles existent — être consultées ; l'État peut orienter des choix en attribuant des subventions ; le législateur introduit ou modifie des règles juridiques ; et l'administration du travail en contrôle l'application dans les entreprises. Les modes d'intervention de ces acteurs permettent de définir les contours de la régulation sociale des réductions d'effectifs. Du côté du législateur, il porte une attention accrue sur l'encadrement du licenciement économique collectif, c'est-à-dire le plan social. De façon cohérente, les inspecteurs du travail orientent leur intervention sur le contrôle de conformité aux procédures liées à l'élaboration d'un plan social. Toute l'attention est portée sur le plan social, c'est-à-dire sur une modalité bien particulière de réduction des effectifs. Et les instances représentatives du personnel sont elles-mêmes prises dans le seul accompagnement social de la décision de licenciement.

En ce qui concerne la réglementation du licenciement économique, « les textes comme la jurisprudence ont depuis quelques années, inversé l'ordre des priorités : la réalité et la consistance du plan social sont devenues, plus que le motif économique lui-même, la pierre de touche du licenciement[4]». Autrement dit, c'est aujourd'hui moins la définition de la cause économique du licenciement (soit l'amont de la décision de licenciement) que les conditions de licenciement des salariés (soit l'aval de la décision de licenciement) qui sont encadrées par le droit du travail. De façon concomitante, les acteurs en charge de l'application de la règle de droit se sont concentrés sur les modalités d'accompagnement des licenciements économiques collectifs.

Au cours de la première moitié des années 1970, le cadre juridique des licenciements pour motif économique se précise[5]. C'est la loi du 3 janvier 1975 qui consolide la notion de licenciement collectif pour motif économique : elle clarifie la situation en retenant les critères de «suppression d'emploi» et du «motif non inhérent à la personne du salarié[6]», et soumet ce type de licenciement à l'autorisation administrative[7]. L'article L. 321-1 du Code du travail offre la définition suivante du licenciement pour motif économique : constitue un licenciement pour motif économique le licenciement effectué par un employeur pour un ou plusieurs motifs non inhérents à la personne du salarié résultant d'une suppression ou d'une transformation substantielle du contrat de travail, consécutives notamment à des difficultés économiques ou à des mutations technologiques[8]. Depuis le début des années 1980, un droit à la reconversion se consolide, inspiré de l'expérience de la reconversion de la sidérurgie des années 1970. L'exigence des mesures d'accompagnement liées à des plans de restructuration est exprimée en premier lieu dans l'accord interprofessionnel sur la sécurité de l'emploi du 10 février 1969[9] ; elle est reprise dans la loi du 3 janvier 1975 ; elle est développée dans les textes de 1986[10]. La notion même de plan social, soit un ensemble de mesures qui

doivent accompagner une opération de licenciement collectif pour motif économique, n'apparaît dans la loi
qu'en 1989 (loi du 2 août 1989[11]), qui en précise les
objectifs. Toutes les entreprises de plus de 50 salariés
licenciant pour motif économique au moins 10 personnes doivent alors mettre en place un plan social. Le
plan social se précise enfin avec la loi du 27 janvier 1993
(amendement Aubry), qui lui donne non seulement un
objectif (il doit viser au reclassement des salariés licenciés pour motif économique), mais un contenu (elle propose une énumération indicative de mesures de reclassement, telles les actions de reclassement interne et
externe, les mesures d'aménagement du temps de travail
ou de création d'activités nouvelles). La jurisprudence
issue des lois de 1989 et de 1993 fait apparaître avec
l'obligation d'un « plan visant au reclassement », des
garanties individuelles de reclassement, mais aussi collectives : un plan suppose une cohérence globale et
négociée avec les institutions représentatives du personnel (IRP). En amont du licenciement, l'entreprise doit
assurer l'adaptation des salariés à l'évolution de leur
emploi[12]. Le cas échéant, l'employeur doit les reclasser,
sachant qu'il a une obligation de recherche préalable de
possibilités de reclassement au sein du groupe d'appartenance, avant d'entamer une procédure de licenciement[13]. La loi de janvier 1993 introduit ainsi une obligation de moyens en matière de reclassement, et cette
loi fait du plan social un acte collectif servant de cadre
à des mesures individuelles. L'évolution du cadre juridique en matière de licenciement pour motif économique dessine aujourd'hui une définition de la responsabilité sociale du chef d'entreprise, liée à ses décisions
de gestion. C'est bien cette responsabilité sociale des
conséquences de ses décisions qui est visée, l'employeur

étant fondamentalement considéré comme seul juge de ses décisions.

Cette évolution des règles juridiques a été assortie d'une évolution de la nature des aides de l'État dans l'accompagnement des plans de restructuration et des salariés concernés par les mesures de réduction des effectifs. Du début des années 1970 au milieu des années 1980, l'État a répondu à la montée alors récente du chômage en finançant le retrait de catégories de population du marché du travail : les incitations financières au retour au pays et le système des préretraites visaient à réduire le niveau de l'offre de travail par rapport à celui de la demande, afin de rétablir un équilibre sur le marché du travail, à un niveau inférieur. Le choix porte alors particulièrement sur les populations les plus âgées [14], ce qui rencontre d'ailleurs les pratiques de sélection des salariés en sureffectif opérées par les entreprises [15]. A partir du milieu des années 1980, le coût financier des dispositifs de préretraites conduit à leur réinterrogation. Entre 1986 et 1989, des dispositifs visant à accompagner le reclassement des salariés licenciés sont créés (convention et congé conversion, en 1986 ; les cellules de reclassement, en 1989). A partir du début des années 1990, certains de ces dispositifs sont adaptés pour stimuler des démarches visant au reclassement interne des salariés (aide au passage à temps partiel, aides à la mobilité), pour maîtriser le recours aux mesures d'âge et encourager l'embauche externe (les préretraites progressives). L'État est donc passé, entre le début des années 1970 et aujourd'hui, d'une logique de retrait du marché du travail de catégories de population à une logique d'accompagnement dans le reclassement (interne et externe) des populations touchées par les réductions d'effectifs.

En parallèle, l'évolution depuis vingt années (1975-1995) des modes d'intervention de l'administration du travail sur les licenciements économiques collectifs[16], est celle d'un passage progressif du contrôle de la réalité de la cause économique du licenciement (autorisation administrative de licenciement, créée en 1975 et supprimée en 1986) à un contrôle focalisé sur la régularité de la procédure de consultation et sur l'amélioration du plan social. Dans le même temps, la nature de l'intervention de l'inspection du travail est passée d'un pouvoir de sanction à un double pouvoir d'alerte et d'influence, l'orientant plus vers une fonction de négociation que de répression. Depuis 1986, année de la suppression de l'autorisation administrative de licenciement, l'inspection du travail ne dispose plus que d'un levier d'intervention concernant les licenciements économiques : le constat de carence, qui lui confère un pouvoir d'alerte et un pouvoir d'influence. Avec l'amendement Aubry, l'inspection du travail peut en effet porter un constat de carence notamment si l'entreprise n'a pas épuisé toutes les possibilités de reclassement en interne ou si elle n'a pas consulté à temps les IRP. L'administration du travail s'efforce surtout de négocier les modalités du plan social : avec comme instrument principal l'octroi des mesures du Fonds national de l'emploi (FNE), et particulièrement des préretraites, les inspecteurs du travail peuvent orienter des engagements de l'employeur en matière de reclassement des salariés menacés. Cette articulation avec les mesures financées par le FNE dote à nouveau l'inspection du travail d'un pouvoir d'influence vis-à-vis des employeurs : les conventions FNE servent d'objets de négociation entre l'employeur et l'administration. On assiste par exemple à des négociations entre l'administration du travail et les directions, du type : « *Je vous accorde les FNE, mais vous prenez des jeunes en apprentissage.* »

Ce type de négociations sur les modalités des restructurations correspond à une pratique développée par la Délégation à l'emploi depuis le début des années 1980 : celle des contreparties [17]. En préalable à la signature des conventions FNE — et particulièrement dans le cas des préretraites —, l'administration du travail négocie des «contreparties emploi», qui interviennent notamment dans la négociation des taux de participation de l'entreprise. Ces contreparties emploi aux conventions FNE peuvent être mises en œuvre dans l'entreprise (participer à la formation des jeunes par des embauches sous contrat de qualification, ouvrir le centre de formation interne à des demandeurs d'emploi, par exemple) ou dans son bassin d'emploi (lors de la fermeture d'un site, aider à la création de nouveaux emplois, prêter des cadres à d'autres entreprises). En fait, l'administration du travail, véritable relais de la mise en œuvre des politiques publiques de l'emploi, suit leurs logiques, qui se sont orientées depuis le milieu des années 1980 vers un «traitement social» de l'emploi. Dès lors, ce qui prédomine, c'est la prévention de l'exclusion et la protection contre le licenciement des catégories fragilisées. Cette «logique sociale» de l'intervention publique en matière d'emploi a peu à peu effacé l'intervention de l'administration en matière de contrôle de la validité économique du licenciement, qui s'est orientée sur la qualité des plans sociaux (protection des catégories les plus vulnérables, implication dans le reclassement, diversification des mesures d'accompagnement). Néanmoins, ses marges d'intervention demeurent restreintes et le recours au constat de carence reste limité [18]. En 1993, seulement dix procès-verbaux de carence ont été dressés par mois (119 pour l'année). En 1995, les procès-verbaux de carence sont entrés dans le cadre de la loi d'amnistie. A fortiori, les modes d'intervention sur des processus de réduction des effectifs, hors procédure de plan social (petits plans de moins de dix personnes, transactions individuelles, par exemple), sont fortement restreints : sauf plainte, l'inspecteur du travail n'est pas informé.

De même, la pratique des contreparties et le pouvoir d'influence correspondant n'est actionnable que dans le cas d'entreprises faisant appel aux aides publiques, ce qui exclut à nouveau de son champ d'intervention l'ensemble des entreprises pratiquant des réduction d'effectifs hors procédure de plan social (des « petits paquets » de licenciements économiques concernant à chaque fois moins de 10 personnes, par exemple). Ce sont peut-être ces différents constats qui ont amené un PDG à s'exprimer de la façon suivante sur l'intervention administrative en matière de réduction des effectifs : « *Rien n'est plus confortable que d'aller chercher la confirmation de sa décision de supprimer des emplois auprès d'une autorité administrative. On va au "souk social", on propose 100 licenciements et on revient avec 80.* »

Qu'en est-il alors des modes d'intervention et d'action des syndicats ? En dehors de la négociation annuelle obligatoire d'entreprise [19], l'employeur est tenu de consulter les IRP lors de toute procédure de plan social : d'après la loi du 27 janvier 1993, la procédure de licenciement est nulle et de nul effet tant qu'un plan social n'est pas présenté par l'employeur aux représentants du personnel qui doivent être réunis, informés et consultés [20]. En outre, les membres du comité d'entreprise disposent d'un droit de recours aux experts, rémunérés par l'entreprise : en cas de consultation pour licenciement économique par exemple, à un expert-comptable (analyse des comptes de l'entreprise) et dans les entreprises de plus de 300 salariés, dans le cas d'un projet d'introduction de nouvelles technologies ayant par exemple des conséquences sur l'emploi, à un expert dit « en technologie [21] ». En tant qu'«expert technique» auprès d'un comité d'entreprise, j'ai assisté au déroulement de la procédure et des débats concernant le plan social d'une entreprise du secteur de l'hôtellerie. L'argumentaire économique de ce plan social reposait essentiellement sur deux arguments : une activité inférieure aux prévisions d'occupation des chambres et un niveau de productivité inférieur aux principaux concurrents. Ces constats venaient justifier une suppression de 10 % des effectifs. A l'analyse des comptes de cette entreprise, il apparaissait que son résultat négatif s'expliquait bien plus par un déséquilibre financier lié à un surendettement qu'à un déficit d'activité. Et compte tenu de la qualité de service proposé, le niveau d'emploi semblait pouvoir correspondre au niveau d'activité. Finalement, la cause de ce licenciement économique collectif semblait bien plus financière qu'économique. Mais, entre cette expertise et son utilisation lors du comité d'entreprise, plusieurs problèmes sont apparus, que l'on retrouve dans bien des cas : la formation économique et juridique des élus n'est pas toujours suffisante pour qu'ils puissent s'en emparer ; ils ne disposent pas toujours des informations nécessaires à l'établissement d'un contre-diagnostic ; enfin, les argumentaires économiques des directions sont construits de telle façon qu'ils sont bien souvent très difficiles à désamorcer. Par exemple, l'argument de l'insuffisance de productivité comparée supposerait, pour être nuancé, de pouvoir interroger la façon dont cette productivité est évaluée dans l'entreprise et chez les concurrents. Finalement, on reste bien dans une fonction «consultative» du comité d'entreprise et les débats qui s'y déroulent permettent au mieux de construire un plan social qui garantisse le meilleur reclassement possible des salariés : ils n'amènent que peu de débat de fond sur la pertinence économique et stratégique du licenciement économique collectif. Ainsi, d'après une enquête menée pour le ministère du Travail sur la mise en œuvre des plans sociaux, « même si les obligations légales de consultation et d'information du comité d'entreprise sont respectées, la discussion économique de la décision de licenciement, entre la direction de l'entreprise et les représentants des salariés, se concentre sur le contenu des plans sociaux et n'aborde guère les fondements économiques de la décision de licenciement[22] ». A titre d'exemple, la CFTC définit de la façon suivante la fonction du comité d'entreprise lors du déroulement d'un plan social[23] : « *la consultation du comité d'entreprise est l'occasion d'introduire des garanties supplémentaires et d'inclure des mesures d'accompagnement non prévues au départ. Elle permet donc l'adoption d'un plan social convenable* » et elle décline des axes d'action des délégués syndicaux lors du déroulement d'un plan social : « *se montrer exigeant sur la clarté des plans sociaux* », « *éviter les départs volontaires "secs"* », « *faciliter le reclassement interne ou externe dans les meilleures conditions possibles* », « *s'impliquer dans l'antenne emploi* », et « *protéger les salariés les plus âgés* ».

Les débats se concentrent essentiellement sur les modalités des réductions d'effectifs. Ce phénomène est accentué par la logique indemnitaire des plans sociaux, qui peut créer une appétence au départ de la part des salariés. Ceci est notamment le cas des préretraites. Nombre de représentants syndicaux que nous avons rencontrés nous ont dit la même chose : « *Que voulez-vous, on sait bien que ce système a un coût important pour la société, mais les salariés en demandent tous. Alors après, comment voulez-vous que l'on négocie une baisse du niveau des licenciements quand ils veulent tous partir ?* » Dès lors, les IRP sont écartelées entre la volonté de lutter contre la décision de réduction des effectifs et la pression qu'ils subissent de la part des salariés pour partir dans les meilleures conditions possibles. La mise en œuvre de préretraites, quel qu'en soit le mode de financement, rencontre de fait une forme de consensus dans les entreprises[24] : les salariés concernés expriment une forte appétence au départ anticipé et l'antériorité de plusieurs années de mesures de cessation anticipée d'activité a fait accéder ces dernières au statut de droit acquis. C'est le débat de l'intérêt général contre l'intérêt des mandants. L'exemple de Cigogne en atteste. D'un côté, les représentants syndicaux affirment : *« il y a eu tellement d'argent mis sur la table, qu'on ne pouvait se battre que sur des cas à la marge »*. D'un autre côté, l'inspecteur du travail explique : *« En février, l'administration n'avait toujours pas été informée. Je pourrais intervenir si le plan était contesté. Mais personne ne viendra me voir, car ils veulent tous partir en préretraite. »* Néanmoins, les deux parties s'accordent pour considérer les mesures de cessation anticipée d'activité comme un moindre mal : pour un représentant syndical, *« c'est quand même mieux que des licenciements secs »* ; pour l'inspecteur du travail, *« c'est à eux* [la direction] *de prendre leurs responsabilités, et s'ils n'en font plus porter le coût sur la collectivité, ça devient leur histoire »*. Ainsi, le recours massif et systématique aux préretraites, vécu comme une mesure moins douloureuse que d'autres, fait état d'un consensus social élargi[25], impliquant l'État (les préretraites diminuent le nombre potentiel de demandeurs d'emploi, d'autant que les personnes concernées sont généralement exemptées de recherche d'emploi donc retirées de la mesure du taux de chômage), les employeurs (le recours aux préretraites permet de réduire les effectifs « en douceur », à un coût pour partie supporté par l'État), et parfois aussi des salariés (la préretraite permet à certains de se retirer d'un métier parfois fatigant et elle est considérée comme moins injuste que d'autres mesures).

Entre l'absence de données significatives sur les pratiques de gestion de l'emploi et de la main-d'œuvre, le développement de la logique sociale de l'intervention des pouvoirs publics, la fragilisation de l'intervention syndicale, le débat sur les réductions d'effectifs et sur la flexibilité reste cantonné au seul terrain de la procédure, celui des modalités d'accompagnement. Bien qu'il représente une faible proportion des pratiques de réduction des effectifs, le plan social concentre toute l'attention des acteurs de la régulation sociale. A l'inverse, les processus de réduction des effectifs hors mise en œuvre d'un plan social échappent à toute saisie, qu'elle soit statistique, administrative, juridique ou sociale. Dès lors, la multiplicité des moyens d'action offerts par le droit ne sont que partiellement et inégalement actionnés : comme l'observent F. Piotet et R. Sainsaulieu au sujet de la négociation sociale, «nous sommes aujourd'hui dans une situation tout à fait paradoxale où des moyens d'action surabondants sont laissés en jachère, faute d'utilisateurs […] Aussi, sauf exception, la modernisation est-elle imposée à défaut de savoir être négociée. Ainsi, sauf exception, la gestion de l'emploi se réduit-elle à un aménagement des licenciements [26]». La régulation sociale se concentre sur l'aval de la décision (l'employeur est en effet seul juge dans sa gestion de l'emploi) et elle ne fournit pas d'obligation, d'incitation ou de stimulation à l'interrogation de la décision de réduction des effectifs. Toutes les occasions qui pourraient donner lieu à un débat sur l'amont de cette décision dérivent en grande partie sur des négociations financières. C'est donc une décision qui ne rencontre pas de freins dans la régulation sociale.

En conclusion, les processus de réduction des effectifs empruntent nombre de caractéristiques à la notion de «machine de gestion» développée par J. Girin[27] : ils se répètent à l'identique quelles que soient les évolutions de contexte ; une fois enclenchés, ils apparaissent irréversibles ; les obstacles à leur mise en œuvre sont déjoués ; les effets qu'ils provoquent sur l'équilibre général du système sont occultés ; les démarches qui permettraient de les remettre en cause restent à l'état d'expériences isolées. Finalement, ils prennent leur autonomie et inscrivent la décision de réduction des effectifs dans une dynamique répétitive, sorte de décision réflexe évoquant une machine de gestion, où les instruments jouent le rôle de stimuli provoquant toujours les mêmes réactions, sans que les fondements du stimulus soient remis en question. La décision de réduction des effectifs est standardisée, dans les critères qui la fondent comme dans ses modes de mise en œuvre. Or, dans l'incertitude, le décideur va privilégier des solutions de court terme (elles ne l'engagent pas trop loin) et rodées (il sait qu'il saura faire sans prendre trop de risques). La décision de réduction des effectifs est peut-être devenue réflexe, dans les grandes entreprises, justement car elle permet de répondre, rapidement et selon un déroulement peu ou prou maîtrisé, à des contraintes financières qui paraissent incontournables. Dès lors, tout ce qui viendrait invalider la pertinence de la décision (par exemple, le constat chiffré de dysfonctionnements organisationnels) est mis de côté, car ce sont des coûts qui pèsent peu par rapport à l'avantage de disposer d'une solution instantanée, même si sa mise en œuvre peut être lourde.

TROISIÈME PARTIE

AVERSION POUR LE RISQUE ET AVERSION POUR L'EMPLOI

Comment expliquer que personne ne semble avoir intérêt à — ou ne semble pouvoir — changer les outils de gestion en vigueur ; changer les logiques de réduction des effectifs à l'œuvre ? Ou encore, comment comprendre ce qui peut amener le président d'une grande entreprise française à affirmer que *« la réduction des effectifs représente un univers balisé, lancer de nouveaux services relève davantage de l'inconnu, les risques sont plus grands »*. De fait, les décisions de réduction des effectifs se répètent dans le temps : les plans se succèdent, de nouvelles activités sont externalisées et les embauches restent bloquées. Ces pratiques de gestion se fondent d'un plan à l'autre sur les mêmes argumentaires, les mêmes critères et les mêmes diagnostics. Ce serait un raccourci rapide que d'en conclure au caractère radicalement infini des processus de réduction des effectifs dans les entreprises étudiées. Néanmoins, les discours des instances dirigeantes affichent une détermination forte dans la poursuite du mouvement de diminution tendancielle ou de maîtrise a priori des effectifs internes ; d'un autre côté, les acteurs décentralisés expriment un sentiment d'inéluctabilité face à la répétition des mesures de réduction des effectifs, quelles que soient les évolutions économiques enregistrées.

Cette préférence pour le repli sur un noyau dur d'activités rentables et par conséquent sur les seuls emplois qui y participent renvoie aux critères de jugement qui pèsent sur les décideurs. En effet, le décideur peut être considéré comme un agent économique qui établit logiquement ses choix de manière à optimiser les jugements dont il se sent l'objet[1]. La pression de tels critères de jugement sur les agents économiques[2] s'exerce au travers de modes de contrôle directs et indirects ou encore au travers d'instruments de jugement[3]. Non seulement l'agent se sent jugé mais, de plus, il l'est au travers des instruments de jugement. Non seulement il détermine son action en fonction du poids des critères de jugement, mais, de plus, il exerce lui-même une capacité de jugement sur d'autres agents[4]. Analyser la façon dont les critères de jugement pèsent sur les décideurs permet alors de mettre l'accent sur l'existence de rationalités locales, les agents agissant localement en fonction des critères de jugement qui pèsent sur eux. Cela permet notamment de mettre en lumière comment des décisions peuvent être logiques à un moment donné, dans un contexte donné, pour un décideur donné inscrit dans un système de jugement donné, même si elles apparaissent irrationnelles si l'on considère ses conséquences d'ensemble. On peut alors mieux comprendre comment des décisions de réduction des effectifs se répètent même si elles menacent à terme l'équilibre socio-économique de l'entreprise et de la cité.

L'observation montre que non seulement les entreprises réduisent les effectifs, mais de plus rechignent à embaucher quand l'activité repart. Elles préfèrent alors recourir à des formes flexibles d'emploi (intérim, sous-traitance, travail indépendant). Elles préfèrent par là même recourir à des contrats commerciaux (recours au marché) plutôt que d'investir à nouveau dans la relation salariale (recours à l'organisation). Dans sa théorie formelle de la relation d'emploi, H.A. Simon[5] s'est

demandé à quelles conditions il devient économiquement rationnel de préférer la relation d'emploi à la relation marchande (achat-vente [6]). H.A. Simon intègre dans
sa réflexion la notion d'incertitude (incertitude quant
aux satisfactions futures des deux parties) et il en vient
à montrer que dans une perspective de long terme, il
devient économiquement rationnel pour l'employeur de
préférer la relation d'emploi [7]. Dans un article plus
récent, H.A. Simon [8] est revenu sur les notions d'organisation et de marché, en se demandant pourquoi les
firmes existent ; il pose le problème du choix entre la
firme ou le marché, en l'identifiant à un choix entre
contrat de vente et contrat salarial. Il part d'une critique
des théories néo-institutionnalistes, en soulignant que
ces dernières omettent de prendre en compte des mécanismes organisationnels clés tels que l'autorité, l'identification ou la coordination. A l'inverse, il insiste sur ces
trois mécanismes propres à l'organisation, par opposition au marché : il souligne notamment que la fonction
de l'autorité au sein des organisations est de coordonner
les comportements à partir de standards, qui permettent
aux acteurs d'élaborer des anticipations stables sur l'environnement [9]. Autrement dit, au-delà d'un certain seuil
d'incertitude, H.A. Simon considère que la plus grande
flexibilité décisionnelle est assurée non par le marché,
mais par la relation salariale.

Or, dans les configurations étudiées ici, la dichotomie
entre marché et organisation apparaît ténue, et les processus de décision en matière d'emploi dénotent un rejet
de l'investissement dans la relation salariale, au profit
d'une organisation productive activant le marché, tout
en maintenant des liens contractuels. En d'autres termes,
comme le relève H. Mahé de Boislandelle, « la frontière
entreprise/marché est devenue extrêmement mouvante
au point que les coûts de transaction réputés élevés sont

perçus le plus souvent comme moins importants que les coûts de régulation internes ou de coordination à la base même de l'organisation [10]».

Enfin, les agents économiques sont inscrits dans des relations de dépendance réciproque, qui peuvent être inégales. N. Elias, sociologue étudiant des individus interdépendants, a ainsi montré que dans la société de cour [11], le Roi-Soleil dispose certes de plus de marges de manœuvre et de sources d'exercice du pouvoir que les autres membres de la cour, mais il demeure néanmoins pris dans un réseau d'interdépendances qui le contraignent aussi. De même, les décideurs, qu'ils soient dirigeants ou cadres d'entreprises, se trouvent plongés dans des relations de dépendance qui les contraignent et déterminent leur action. A ce titre, trois natures de relations sont tout à fait caractéristiques : la relation financière (entre actionnaires et dirigeants, entre prêteurs et emprunteurs), la relation hiérarchique (en l'occurrence, entre les états-majors et les cadres décentralisés) et la relation technique (entre donneurs d'ordres et sous-traitants). Dans la relation salariale, on parle de relation de subordination : le contrat de travail qui lie les agents entre eux peut être défini comme « la convention par laquelle une personne s'engage à mettre son activité à la disposition d'une autre, sous la subordination de laquelle elle se place, moyennant une rémunération [12] » et cette relation est envisagée par le droit du travail comme fondamentalement asymétrique. De façon identique, nous verrons que les relations mettant en jeu l'attribution de ressources financières (sphère financière/dirigeants) ou de ressources commerciales (donneurs d'ordres/sous-traitants) peuvent aussi être considérées comme des relations de subordination.

Dans cette perspective, la « machine de gestion » apparaît si contraignante qu'elle pèse directement sur les décideurs : elle répond à des évaluations externes et internes aux organisations, qui les valident, voire tendent à les reproduire à l'identique au sein des structures de décision et dans la chaîne de la sous-traitance. En se répercutant en cascade, la pression des contraintes relayée par des instruments de jugement s'accroît, et se traduit localement par des formes d'aversion pour l'emploi qui peuvent être interprétées comme des formes d'aversion pour le risque.

CHAPITRE 7

Les décideurs en danger face à l'emploi

Face à une contrainte marchande accrue, la réduction des effectifs est devenue à la fois un moyen de réponse privilégié et un critère de jugement. Cette double dimension de critère de choix et de critère de contrôle de la réduction des effectifs intervient dans la relation financière, et se voit traduite dans la relation hiérarchique. Les différentes pratiques de contrôle («corporate governance», décentralisation des responsabilités et direction par objectifs) et d'incitation (politiques de rémunération, procédures d'évaluation et de gestion des carrières des cadres supérieurs), ainsi que la tension récente sur le marché de l'emploi des cadres, sont autant de facteurs qui accroissent le poids des critères de jugement qui pèse sur les décideurs. De ce fait, la recherche de conformité aux résultats exigés se propage. Les règles de coordination internes qui relayent les contraintes de l'arbitrage concurrentiel tendent ainsi à répercuter la contrainte marchande, aux différents niveaux de la prise de décision. Quant aux modes de coordination entre donneurs d'ordres et fournisseurs de premier rang, de nature théoriquement purement marchande, ils n'entament pas l'exercice de relations de pouvoir, ni l'expression de normes organisationnelles. Les outils de la gestion de cette relation entre entreprises juridiquement indépendantes introduisent eux aussi des formes de contrôle et d'incitation.

Les agents économiques sont, dans tous ces cas, placés dans une double relation de dépendance et d'incertitude, où les contraintes de marché comme celles de l'organisation peuvent être simultanément activées. Nous nous pencherons sur l'instrumentation de ces relations pour comprendre vers quels types de comportements elle peut diriger. De fait, cette instrumentation va amener chacun à privilégier des comportements de conformité aux injonctions telles qu'elles s'énoncent. Or justement, les impératifs d'allégement des effectifs, de contrôle de la masse salariale et de formes flexibles d'organisation sont présents en tous instants de ces relations, jusqu'à venir menacer les agents économiques eux-mêmes.

La pression des actionnaires sur les dirigeants d'entreprise est forte, jusqu'à parfois prendre la forme d'une incitation indirecte à la réduction ou à la maîtrise des effectifs [1]. Compte tenu de la versatilité des marchés des capitaux et de la difficulté d'attrait de ces derniers vers la sphère de production, les entreprises semblent contraintes d'émettre des signaux attractifs envers la sphère financière. Or, le partenaire-actionnaire raisonne à court terme : ce sont les résultats à venir qui lui importent ; ceux engrangés n'ont déjà plus de valeur.

Dans ce cadre, l'annonce d'une décision de réduction des effectifs apparaît constituer à la fois une indication d'accroissement de la rentabilité financière à court terme, un signal de saine gestion et, enfin, elle décourage les éventuels acquéreurs de lancer une OPA. La Bourse réagit généralement favorablement à l'annonce de provisions pour restructuration[2] : ce sont des dépenses enregistrées dans le passé qui gagent d'une amélioration de la rentabilité dans un futur proche. Une telle annonce reflète une prédisposition à payer un dividende spécial aux actionnaires. En effet, quand une entreprise provisionne à l'année n le montant du coût d'un plan de réduction des effectifs, elle assure les marchés financiers que son résultat net sera doublement amélioré l'année suivante : la masse salariale aura été réduite et les provisions n'apparaîtront plus dans la constitution du résultat (sauf si l'opération est reconduite). Or, à nouveau, ce qui compte dans le choix des investisseurs, c'est la prévision d'une rentabilité financière à venir : le passé n'a que peu d'importance[3]. Ce mode d'anticipations positives de la sphère financière à l'annonce d'un plan de restructuration est alors véhiculé par les analystes financiers et trouve un écho dans la presse financière, qui diffusent l'information. Le déroulement temporel d'une grande entreprise est alors émaillé de rendez-vous à ne pas manquer, fortement rapprochés, au cours desquels il faut envoyer des messages positifs à la sphère financière : c'est le « quaterly report » aux États-Unis (résultat affiché tous les trimestres), c'est l'annonce des résultats annuels, revus en milieu d'année, en France. Et il arrive que, justement, le moment de l'annonce de plans de réduction des effectifs corresponde strictement au moment de l'annonce des résultats aux actionnaires. Si ces résultats sont négatifs ou inférieurs au taux de rentabilité attendu par les actionnaires, l'annonce simultanée d'un plan de réduction des effectifs pourra aider à maintenir la confiance des marchés financiers. Car, par cet acte, la direction de l'entreprise atteste qu'elle est soucieuse des résultats distribués aux actionnaires et qu'elle prend des mesures pour les satisfaire dans les meilleurs délais.

L'annonce d'un plan de restructuration peut faciliter une négociation entre l'entreprise et ses interlocuteurs bancaires, comme gage de saine gestion. Dans le cas de Palaissa, entreprise du secteur de l'hôtellerie, lors de l'annonce du plan social, l'entreprise affiche une perte nette considérable (90 % du chiffre d'affaires). Le résultat est grevé par une dotation aux provisions exceptionnelles liées à la restructuration (10 % de la perte affichée). La perte nette hors incidence du changement de méthode comptable et provisions exceptionnelles pour restructuration représente alors 38 % du chiffre d'affaires, ce qui se rapproche très fortement des résultats prévus pour cette année-là. Autrement dit, les « effets d'écriture comptable » amènent à afficher un résultat singulièrement négatif. Il se trouve de plus que le montage financier de l'ensemble des installations s'est fait par crédit-bail : des sociétés de financement ont acquis les installations et les louent indirectement dans le cadre de contrats de crédit-bail à la société Palaissa SA. L'examen des comptes consolidés montre que le poste « loyers de crédit-bail » s'élève à 35 % du chiffre d'affaires et à 77 % de la perte nette corrigée des « effets comptables ». Dans ce poste sont comptabilisés les loyers de crédit-bail facturés par les sociétés de financement des installations. L'enjeu principal de Palaissa est donc, en premier lieu, de renégocier avec les sociétés de financement les taux de crédit-bail. Or, l'annonce du plan social intervient directement dans ce contexte. Il peut être regardé comme un plan social « corbeille de la mariée » en vue de cette négociation avec les organismes de crédit, hypothèse reprise par le directeur de Palaissa de la façon suivante : *« Il faut bien qu'on leur montre que l'on fait des efforts. »*

A l'inverse, une évaluation de sureffectif par la sphère financière peut constituer pour l'entreprise un risque de devenir la cible d'une OPA. J.P. Fitoussi souligne ainsi que si une entreprise pouvait se permettre vis-à-vis de ses créanciers de ne pas accroître son niveau de rentabilité, elle deviendrait la proie facile d'autres entreprises ou de raiders qui, en la rachetant et en la soumettant à un plan de restructuration, réaliseraient rapidement une importante plus-value[4]. H. Dumez expose de même le mécanisme suivant, lié à la pression des marchés financiers : «La réputation de la firme à long terme devient moins importante à tenir. [...] Dès lors, une prise de contrôle qui permet de remettre en cause brutalement l'inertie des contrats améliore la rentabilité des entreprises. Surtout, la masse salariale étant énorme et les dividendes distribués faibles, une petite réduction de la masse salariale (5 % par exemple) entraîne une forte hausse de la valeur de l'entreprise (environ 35 %)[5].» C'est notamment de cette façon que l'on peut analyser la succession des plans sociaux dans une entreprise qui est classée comme «vache à lait» selon les catégories de la matrice du Boston Consulting Group : à ce titre, elle nécessite relativement peu d'investissements pour dégager une forte rentabilité. Elle constitue donc une cible privilégiée de raiders. Si de plus elle venait à être perçue par ces derniers comme ayant une masse salariale surabondante et de ce fait facilement compressible, elle accroîtrait le risque d'exposition à une OPA. En effet, elle pourrait être rachetée, dégraissée, puis revendue avec une forte plus-value financière.

Ainsi, la sphère financière attend de la part des dirigeants d'entreprise des messages et des actes apportant d'emblée la preuve d'une «augmentation de valeur» à venir et elle y répond favorablement quand ils sont produits. Parmi ces actes symboliques, une annonce de réduction des effectifs a l'avantage de constituer une valeur sûre d'amélioration à court terme, compte tenu des critères de calcul retenus, au sein desquels on ne retient pas, par exemple, les effets induits de telles mesures.

Mais avant que de tels signaux tangibles soient émis, l'actionnaire peut toujours suspecter le dirigeant d'y résister. De même, il peut toujours le soupçonner de lui produire des informations qui seraient tellement mises en scène qu'elles en deviendraient partielles. A ce sujet, la théorie de l'agence[6] postule qu'un conflit d'intérêts peut survenir entre les actionnaires («principal») et les gestionnaires («agent») de l'entreprise, dans la mesure où leurs objectifs ne coïncident pas. Pour les actionnaires, il s'agit d'accroître la valeur de l'action. Les membres de l'équipe de direction, eux, sont considérés comme étant a priori motivés par des intérêts personnels : accroître leur rémunération et leurs avantages. L'agent est donc considéré comme pouvant poursuivre des buts opposés à ceux du principal[7]. Ce type de rapport est non seulement imposé par le risque de divergence des objectifs, mais aussi par celui d'asymétrie d'information : en effet, seule la direction de l'entreprise dispose de l'ensemble des données économiques sur celle-ci et l'actionnaire peut en effet toujours soupçonner la direction de l'entreprise de lui fournir des données tronquées. Dans ce jeu de création de filtres, personne n'est dupe et le principal peut toujours éprouver une défiance quant à la complétude des informations fournies par l'agent. Dans ces deux doutes majeurs (intérêts divergents et asymétrie d'information), l'actionnaire — qui ne dirige pas directement — va développer des outils de pilotage à distance pour s'assurer autant que possible de la réalisation à venir de ses exigences. De même, il va être amené à énoncer des impératifs vérifiables de façon simple et indubitable. Et la réduction des effectifs semble répondre à cette double exigence d'assurance a priori sur le résultat de l'investissement (la rentabilité à venir sera dans tous les cas meilleure que si on n'avait pas réduit les effectifs) et sur la maîtrise de l'information (le niveau des effectifs est un chiffre certain et la mise en œuvre de la décision peut être facilement contrôlée).

Deux mécanismes permettent aux actionnaires de contrôler le dirigeant : les systèmes dits « de compensation » et la menace de « débarquement ». Les contrats de compensation des dirigeants incluent plusieurs mécanismes de calcul de rémunération flexible : les plans de stock-options fondés sur les montants futurs de l'action, les plans de performance fondés sur le critère de rentabilité économique de la firme et, éventuellement, des primes liées à des objectifs particuliers. Le système des stock-options permet aux actionnaires de récompenser les dirigeants (ou d'autres salariés) en leur attribuant des options de souscription d'actions[8]. Ces dernières donnent la possibilité à leur détenteur d'acheter une ou plusieurs actions de la société à un prix fixé d'avance (le prix d'exercice). Dès que la valeur de l'action augmente, le détenteur peut lever son option[9], c'est-à-dire exercer son droit à acheter une ou plusieurs actions au prix fixé antérieurement. Il peut revendre ses actions et réaliser une plus-value immédiate. Les entreprises françaises ne sont pas tenues en la matière à la contrainte de transparence et il devient de ce fait impossible d'en fournir une évaluation précise. Néanmoins, d'après les quelques évaluations existantes, il apparaît que la pratique des stock-options s'est fortement diffusée au cours des années 1980, et qu'elle concerne des montants très élevés. Le directeur d'un groupe d'utilisateurs de stock-options précise qu'en 1984, quatorze sociétés pratiquaient les stock-options. En 1995, neuf sociétés cotées sur dix y ont recours[10]. Et la majorité des plans d'options sur actions effectivement mis en place ne concernent que les cadres dirigeants de la société, les salariés ou mandataires sociaux et, éventuellement, les cadres supérieurs, souligne le rapport du cabinet d'audit Arthur Andersen, remis par J. Arthuis au Sénat au printemps 1995 [11]. A l'échelle individuelle des bénéficiaires, ce rapport évalue en moyenne à 50 % ou 75 % du salaire annuel le montant des attributions de stock-options destinées aux cadres supérieurs. Une proportion qui peut atteindre jusqu'à deux ou trois ans de salaires pour leurs dirigeants. La presse anglo-saxonne s'est fait l'écho de telles pratiques. A titre d'exemple, *Business Week* [12] annonçait au printemps 1996 que R. Allen d'ATT avait fait monter la valeur de l'action ATT de 29 % en annonçant 40 000 licenciements et recevait 11 millions de dollars d'options d'achat d'actions, en plus d'un salaire fixe annuel de 5,85 millions de dollars et d'un bonus dont le montant n'était pas révélé.

Toute pratique d'incitation joue de la carotte et du bâton, de la récompense et de la sanction. Dans son versant coercitif, il est du pouvoir des actionnaires d'exiger du dirigeant qu'il démissionne. S.M. Puffer et J.B. Weintrop [13] estiment que les actionnaires développent des anticipations sur les résultats de l'entreprise, qui sont alors utilisées pour juger la performance des PDG. Leurs travaux montrent que le turnover des PDG américains intervient particulièrement quand le résultat annuel par action ne correspond pas aux attentes des actionnaires [14]. La poursuite de l'activité du dirigeant dans une entreprise est ainsi directement liée à la façon dont il rémunérera ses actionnaires et ce non seulement en valeur absolue, mais aussi par rapport aux anticipations qu'ils portent. Il ne s'agit donc pas uniquement d'obtenir de bons résultats, mais d'obtenir des résultats satisfaisants par rapport à une projection des actionnaires. Compte tenu de ces risques de « débarquement » des dirigeants, la pratique des « parachutes en or [15] » s'est développée dans les pays anglo-saxons. C'est la compensation financière qu'une société en quête d'un cadre dirigeant s'engage à lui verser en cas de révocation, notamment s'il accepte une mission comportant des risques.

Les dirigeants d'entreprise sont ainsi directement incités à mettre en œuvre des actions visant à accroître la rentabilité de l'action ; à diriger l'entreprise de façon à combler les attentes des actionnaires sur le court terme. Dans ce cadre et compte tenu des modes de calcul retenus de la rentabilité de la décision de réduction des effectifs, ainsi que des effets d'annonce liés à une telle décision, on peut considérer qu'ils sont directement incités à recourir aux réductions d'effectifs, ainsi traduites par les dirigeants comme élément à produire pour satisfaire des actionnaires potentiellement versatiles. Si une telle incitation existe, il n'est pas évident pour autant qu'elle intervienne directement dans les choix du décideur. On soulignera juste la coexistence de deux postures : des actionnaires au comportement d'achat incertain favorables aux dirigeants qui réduisent leurs effectifs, et des dirigeants aux « menottes dorées [16] » et aux parachutes incertains, en quête de financement pour mener la guerre concurrentielle.

Finalement, pour un PDG d'une grande entreprise française, *« les actionnaires ne peuvent appréhender le fonctionnement de l'entreprise dans toute sa complexité »,* d'autant qu'ils fondent leur jugement sur des comparaisons et des critères de jugement réducteurs. A contrario, la sphère financière ne porte que peu d'anticipations sur les dimensions socio-organisationnelles des entreprises : dans une enquête auprès d'analystes financiers, C.H. d'Arcimoles [17] a ainsi relevé que ces derniers estiment, à propos des informations sociales, « qu'elles sont difficiles à obtenir et souvent incomplètes (80 %) ; que leurs effets sur la rentabilité et le risque sont difficiles à apprécier (73 %) ; qu'elles sont difficiles à comprendre et à analyser (67 %) ». Pour tenter de rétablir cette asymétrie d'information, les entreprises développent des stratégies de communication à destination de leurs actionnaires afin d'éviter des réactions intempestives de leur part, l'enjeu étant de fidéliser autant que possible l'actionnariat, ce qui passe par le fait de lui inspirer confiance. Un PDG affirme ainsi : « *Le marché a horreur des surprises et il faut donc les éviter. Quand par exemple vous savez que vos résultats vont être moins bons, il faut distiller l'information plusieurs mois à l'avance [...] il faut leur donner une visibilité sur la stratégie et les méthodes de management afin de leur inspirer confiance.* » Ces stratégies de communication des entreprises n'effacent pas le poids des critères de jugement. Dès lors, « *les attentes et les comportements des actionnaires créent un champ de jugement qui peut avoir plus d'influence sur la stratégie de l'entreprise que les débats des assemblées générales ou des conseils d'administration* » et, « *ce qui compte le plus, c'est la façon dont les intérêts des actionnaires sont intégrés dans les objectifs de l'entreprise* ». Les critères de rentabilité pèsent ainsi fortement et directement sur les dirigeants d'entreprises et ils répercutent cette contrainte en interne. Des PDG expliquent ainsi comment l'instrument de jugement essentiel de l'entreprise par les marchés financiers est devenu le résultat par action. Et comment, face à cet impératif, ils ont dû décliner cette contrainte dans l'ensemble de l'organisation en faisant notamment de la rentabilité de l'action une variable clé.

Il faut alors répercuter cette contrainte dans les modes de fonctionnement de l'entreprise pour qu'elle soit prise en compte à tous les niveaux de la décision. Les entreprises ont, au cours des années 1980, fortement décentralisé les responsabilités, en créant des « centres de résultats ». Par ce processus d'éclatement des lieux de la décision et de décentralisation des pouvoirs, elles ont multiplié les lieux d'évaluation de l'encadrement. Or, c'est une évaluation qui s'opère selon des critères unifiés quelles que soient, par exemple, les différences d'activité. En faisant de l'entreprise une *« fédération de PME »*, les groupes ont érigé leurs cadres supérieurs en *« patrons autonomes »*, en *« capitaines responsables de leurs résultats »* : *« On multiplie les filiales pour créer des responsables... on dit alors qu'ils seront plus impliqués que de simples chefs de service. »* Tout en étant autonomes quant à la façon de gérer leurs « centres de résultats », ces responsables n'en restent pas moins liés par des objectifs, au sein desquels on retrouve, quelle que soit l'activité de ce « centre », les mêmes « ratios clés » (dont : le chiffre d'affaires, le résultat net et le poids de la masse salariale dans le chiffre d'affaires). Tout en étant autonomes en matière de gestion des ressources humaines, ces responsables n'en restent pas moins dépendants de décisions centralisées, telles que la réduction des effectifs.

Que les structures soient éclatées en unités distinctes ou non, les entreprises ont développé des pratiques de « direction par objectifs ». Les relations entre les unités de contrôle et les unités contrôlées donnent lieu à l'élaboration de contrats internes, où les unités contrôlées s'engagent à atteindre un certain nombre d'objectifs en un temps donné et les éventuels moyens fournis pour cela par le groupe y sont précisés. A partir de là, ces cadres sont considérés comme responsables de leurs entités : «*Quand on met en place des dirigeants, on considère que ce sont des gens compétents. La question de l'optimisation des ressources leur appartient. C'est à eux de faire des arbitrages dont ils seront responsables en dernier lieu.*» De même, pour le directeur des ressources humaines d'un groupe de l'électronique, «*on a développé de nouvelles formes de contrôle à leur égard : un pouvoir d'influence. Cela signifie qu'on doit leur laisser des marges de manœuvre et après, on est draconiens sur le respect des objectifs ; après, à eux de mettre en œuvre les moyens qu'ils veulent*». Les objectifs prédéterminés sont autant d'engagements qu'il s'agit de tenir, au risque d'avoir à justifier des écarts («*on ne peut pas s'arrêter car les objectifs du plan sont fixés et on s'est engagés vis-à-vis du groupe*»). Les responsables des unités décentralisés expriment par là même un faible degré d'acceptabilité de l'erreur, une fois une décision prise et énoncée sous forme d'objectif. Cela révèle chez ces cadres un sentiment d'inexistence de marges de manœuvre permettant de faire marche arrière, d'ajuster les objectifs à des évolutions imprévues. Un chef de service explique par exemple : «*On m'a clairement affirmé : il faut que vous arriviez à tant de personnes sur cette ligne. J'en ai mis une de plus et je me suis fait taper sur les doigts.*» Or, la rentabilité et le contrôle de la masse salariale se situent au premier chef des critères d'évaluation. Par le processus de décentralisation, ces critères deviennent un enjeu personnel et direct pour des cadres devenus des dirigeants décentralisés. Le poids de la rentabilité et des ratios d'effectifs est décliné à tous les niveaux de la structure.

S'ils sont affichés comme responsables, les cadres supérieurs n'en restent pas moins encadrés par des pratiques de contrôle et d'incitation, qui sont assez proches de celles utilisées par les actionnaires envers les dirigeants. Leur évaluation individuelle et de ce fait le déroulement de leur carrière, ainsi qu'une partie de leur rémunération, dépendent de l'adéquation de leurs résultats aux objectifs prédéterminés, quelle que soit la façon retenue d'y accéder. En outre, leurs résultats et leurs pratiques de management sont régulièrement l'objet d'audits mandatés par le siège.

S'il y a un sujet qui entre dans le registre de la plus haute confidentialité, c'est la rémunération des cadres dirigeants et des cadres supérieurs (*« il y a un très grand secret autour de cela, rien n'est écrit, ça se passe tout en haut »*). Nous pouvons juste supposer qu'il existe une indexation forte de la rémunération sur les résultats (*« il y a beaucoup de facteurs variables dans la rémunération des cadres dirigeants et même des grands fonctionnels »*), d'autant plus que les plans d'options d'actions sont aussi attribués à certains d'entre eux (*« on en offre surtout à ceux à qui on donne une mission risquée »*). Ces cadres supérieurs sont évalués en fonction de la conformité de leurs résultats par rapport aux objectifs fixés. Ainsi, souligne un directeur des ressources humaines, en parlant de son directeur, *« je ne sais pas combien il gagne ni comment est calculée sa rémunération ; ce que je sais, c'est que si un jour ça va mal, alors il évoluera mal »*. D'après un petit échantillon de vingt grandes entreprises, ces dernières estiment que la part variable de la rémunération des cadres supérieurs se situe dans une fourchette de 10 % à 30 %. Ces pratiques entrent dans le cadre d'un management par objectifs, qui corrèle les systèmes de calcul de la rémunération, l'évaluation annuelle des objectifs, la gestion des carrières des cadres et les critères de recrutement des jeunes diplômés.

Quant au volet coercitif, il y a toujours la menace d'être renvoyé, muté, « mis au placard »… *« la valse des cadres»* : c'est par cette expression que les cadres en viennent souvent à qualifier le rythme auquel ils changent de poste ou de mission. Par exemple, les responsables commerciaux d'une entreprise de produits de grande consommation racontent que la clause de mobilité, présente dans leur contrat de travail depuis longtemps, se voit aujourd'hui plus fréquemment activée : *« Maintenant, on nous fait bouger en permanence et, à chaque fois, on nous donne une nouvelle mission à remplir avec des échéances très courtes. Si ça marche, on nous bouge pour refaire la même chose autre part. »* La rotation des cadres est généralement coordonnée au niveau du groupe, qui centralise leur gestion. Il lui arrive d'envoyer certains cadres en mission dans certaines entreprises : *« C'est une stratégie où les cadres sont envoyés en mission, sur l'aboutissement de laquelle ils seront évalués. Plus ils vont vite, mieux c'est pour eux. »* Dans un autre groupe, les directeurs des ressources humaines évoquent des *« tours de chaises musicales »* : *« suivant les problèmes que rencontre une entreprise, la holding envoie untel ou untel »* ; *« quand la holding a décidé de fusionner les bureaux d'études, ils ont parachuté monsieur M., parce qu'il avait brillamment redressé une autre entreprise avant »* ; *« la holding organise les tours de chaises musicales en fonction des urgences du moment »*. Le phénomène de « valse des cadres » est aussi lié aux multiples changements d'organisation et aux superpositions de structures projets, qui placent les cadres dans des mouvements intenses de mobilité fonctionnelle.

Finalement, le déroulement de carrière des cadres supérieurs dépend directement de l'adéquation de leurs résultats aux missions confiées, dont l'impulsion semble fréquemment donnée par les niveaux centraux de décision. A nouveau, nos interlocuteurs évoquent au sein de ces objectifs celui de réduction ou de maîtrise des effectifs.

L'envoi par les sièges de cabinets d'audits dans les structures décentralisées constitue un autre moyen de contrôle des niveaux centraux de décision sur les responsables opérationnels. Ce type de mission intervient particulièrement quand il s'agit de rationaliser les coûts : par exemple, *« quand le groupe craint qu'un directeur ne soit pas assez costaud pour redresser la barre, il envoie des cabinets d'audit spécialisés dans la réorganisation pour redresser la barre »*, ou encore, *« quand on veut être sûrs qu'une des entreprises ou une des usines du groupe atteigne un cible d'effectifs, on envoie un cabinet pour faire un audit »*. Un directeur financier a alors tenu à préciser : *« Je voudrais juste ajouter une chose : allez voir le contenu des contrats entre la holding et ce cabinet ; il y est indiqué que le cabinet sera rémunéré en fonction du pourcentage de sureffectif identifié. »* L'évocation de tels contrats auprès de directeurs des ressources humaines n'a pas suscité de réponse claire : *« je ne sais pas vraiment ce qu'il y a dans ces contrats, ce n'est pas moi qui les ai signés, c'est le directeur financier »* ; *« effectivement, il y a souvent des clauses de ce type, mais je ne saurais pas vous dire ce qu'il en est précisément »*. Finalement, nous n'avons pas réussi à en obtenir. Par contre, quelques auditeurs de cabinets interviewés à ce sujet nous ont répondu : *« On ne peut pas dire cela comme ça, par contre, plus on trouve des poches de sureffectif, mieux c'est, ça c'est sûr. »* Ces cabinets d'audit étant mandatés pour identifier du sureffectif, ils pourront de fait toujours pointer des redondances.

Ainsi, au travers de l'examen des pratiques de gestion des cadres, il apparaît que le processus de décentralisation des responsabilités n'efface pas pour autant le poids des pratiques de contrôle a priori : celui-ci porte non seulement sur l'adéquation des résultats aux objectifs, mais tend de plus à encadrer l'action des responsables décentralisés dans un schéma prédéterminé. Et ce sont des résultats qui déterminent directement le déroulement de leur carrière.

Or, au même moment où de telles pratiques se diffusaient dans l'ensemble des entreprises, l'emploi des cadres a connu une crise sans précédent. Sous l'impact des processus d'allégement des structures et de diminution des niveaux hiérarchiques, ce sont les cadres fonctionnels comme les cadres opérationnels qui ont été touchés par les mesures de réduction des effectifs, tandis que ces dernières ne les avaient jusqu'alors que peu concernés.

Les catégories de populations frappées par les mesures de réduction d'effectifs évoluent à partir du début des années 1990 : si elles concernaient en premier lieu les ouvriers au cours des années 1980-86 (63 % des licenciements en 1986), ce sont les cadres qui sont les plus touchés par l'augmentation des licenciements en 1992 [18] (28 % de plus qu'en 1991, contre une croissance de 15 % pour les professions intermédiaires et de moins de 5 % pour les employés et ouvriers non qualifiés). En fait, les cadres ont été touchés plus tardivement que les autres par ce phénomène. Ensuite, de 1990 à 1994, le taux de chômage des cols blancs a été multiplié par trois. D'après une enquête menée par l'APEC en 1994 auprès d'un échantillon de 3000 cadres, si la mobilité externe des cadres s'est fortement ralentie — notamment à partir de 1993 (5 % en 1994, contre 10 % en 1992) —, elle est plus subie qu'auparavant (43 % ont été licenciés, contre 30 % en 1992 [19]).

Si tous les cadres n'ont pas été directement concernés par une période de chômage, cette réalité devient de plus en plus présente. Par exemple, en 1994, un cadre sur trois travaillait dans une entreprise ayant licencié (a fortiori, la proportion est plus élevée pour les cadres travaillant dans une entreprises ayant réduit ses effectifs). Cette proportion était de un sur cinq en 1992 et de un sur huit en 1991. Pour 60 % des cadres travaillant dans des entreprises qui ont licencié, ces mouvements ont aussi concerné des cadres. Ce chômage dont ils étaient jusqu'alors relativement protégés devient une éventualité qui se rapproche : le statut cadre, voire les diplômes obtenus, apparaissent de moins en moins protecteurs. L'enquête du Conseil national des ingénieurs et scientifiques de France (CNISF) sondant les ingénieurs sur leurs perceptions quant au maintien de leur propre emploi est à ce titre édifiante : en 1995, seulement 10 % des ingénieurs ne s'inquiètent pas pour leur emploi. Ils étaient 29 % en 1993 et 45 % en 1983. Ceux que nous avons rencontrés évoquent le sentiment d'être placés sur un siège éjectable, menace qui devient d'autant plus dangereuse qu'en cas de départ, le risque est grand de ne pouvoir retrouver rapidement les mêmes conditions d'emploi.

Ces pratiques d'incitation, de contrôle et d'influence des cadres, accentuées par une situation de l'emploi qui s'est fortement dégradée à partir de 1991, sont autant de facteurs d'accroissement de la subordination du cadre face à son employeur. A. Supiot va jusqu'à évoquer de nouvelles formes de «servitude des cadres[20]». La situation dégradée de l'emploi des cadres peut ainsi être considérée comme un facteur d'influence menant à des comportements de conformité aux exigences de la hiérarchie de l'organisation. Comme le soulignent J.G. March et H.A. Simon dans leur analyse des processus d'influence, «plus l'environnement extérieur offre de possibilités perçues d'alternatives à la participation, moins l'on donnera d'importance aux consé-

quences que l'on associe aux activités qui ne sont pas
conformes aux exigences de l'organisation [...] Il existe
une relation évidente entre la situation générale de l'emploi et la possibilité de choix. Plus le nombre de chômeurs est grand, plus faibles seront les possibilités perçues d'alternatives à la participation[21]». Dès lors, les
cadres en viennent à exécuter des politiques de réduction des effectifs, souvent contraires à ce qui faisait
auparavant leur identité (encadrer des équipes étoffées).

Pour conclure, la rentabilité se situe au premier chef
des critères d'évaluation des dirigeants et des cadres
décentralisés. Par les processus de décentralisation et
d'individualisation de la gestion des cadres, elle devient
un enjeu personnel et direct pour ces derniers. Le poids
des objectifs de réduction des coûts et de réduction des
effectifs est alors décliné à tous les niveaux de la structure et il s'accroît en « descendant », justement sous
l'impact de son incarnation individualisée. L'exposition
au risque des dirigeants d'états-majors et des dirigeants
décentralisés est à la mesure de l'importance des possibilités de gains et de pertes prévues dans la rémunération et du poids d'éventuelles sanctions négatives en cas
de jugement de défaillance par les sphères de décisions
et de contrôle. Les contraintes concurrentielles —
qu'elles soient sur le marché des produits ou sur celui
des capitaux — se répercutent à plusieurs niveaux de la
structure ; elles sont intériorisées par l'organisation et ce
processus tend à accroître le sentiment d'incertitude des
agents, tandis qu'ils dépendent directement de cette
même organisation. Ainsi, pour M. Villette[22], « pour les
cadres, la précarité prend des formes multiples : risque
de perte d'emploi à l'occasion d'un plan social ou, à titre
individuel, faute d'avoir pu atteindre les objectifs fixés ;
risque de mutation géographique, risque de mutation
d'un poste ou d'un service à un autre à l'occasion d'une

réorganisation ou en fin de "projets" ou de "chantiers"». Les contraintes marchandes se traduisent pour les agents économiques situés aux différents niveaux de la décision en des formes de subordination qui accroissent le poids de l'incertitude.

On retrouve dans la relation entre donneurs d'ordre et sous-traitants les mêmes mécanismes de reproduction des contraintes, en situation d'incertitude. Donneurs d'ordres et sous-traitants constituent des entités juridiques différentes, liées par des contrats commerciaux. Mais, si les sous-traitants veulent rester dans le marché de leurs donneurs d'ordres, ils doivent remplir nombre d'exigences, régulièrement contrôlées. Pour s'assurer d'obtenir des produits ou des services compétitifs, les donneurs d'ordres interviennent dans la définition même des conditions de production ou de prestations de services. Et l'on retrouve à nouveau l'expression d'objectifs en matière de productivité emploi, de conditions de travail.

Le contrôle des donneurs d'ordres sur les fournisseurs s'effectue non seulement sur le respect des objectifs assignés, mais aussi sur les moyens mis en œuvre. C'est notamment la fonction des audits, qui sont réalisés tous les ans : d'après un fournisseur du secteur de l'électronique, *« ils viennent trois jours par an et entre chaque audit, on doit leur envoyer des rapports »*. Les critères inclus dans les audits se sont renforcés dans le temps : comme le soulignent A. Gorgeu et R. Mathieu dans le cas de l'automobile, «la démarche de productivité des années 1990 implique, à l'image des politiques de qualité des années 1980, un interventionnisme accru des constructeurs chez leurs partenaires [...] Actuellement, s'ajoutent des exigences d'ordre organisationnel remettant en cause la gestion de l'entreprise partenaire[23]». Les entreprises sous-traitantes rencontrées ont confirmé ce constat : elles nous ont expliqué comment les audits intègrent aujourd'hui des évaluations concernant les capacités de management de l'équipe de direction, les budgets formation, la maîtrise des frais de personnel, les relations sociales, l'état des installations, les capacités d'innovation, etc. Par exemple, pour un sous-traitant de mécanique générale, « *on nous a reproché d'avoir un budget formation pas assez détaillé* ». Et il a souligné le caractère à ses yeux contradictoire des objectifs assignés et des mesures exigées : « *Ils nous ont dit qu'il fallait diminuer les effectifs... et en même temps, ils veulent qu'on participe plus à la conception et pour cela, il nous faut du monde aux études.* »

D'une façon générale, les fournisseurs de premier rang doivent assurer au donneur d'ordres un niveau minimum de productivité (« *on s'est engagés à faire au moins 3 % de productivité par an* ») et en la matière les marges de manœuvre des entreprises sous-traitantes sont limitées : « *Les négociations sur les matières premières sont très difficiles, on doit continuer à investir dans les équipements pour rester dans la course et il ne reste quasiment que la maîtrise des frais de personnel.* » Au-delà de l'exigence de productivité, il arrive que le donneur d'ordres fixe des objectifs plus précis en matière de gestion des effectifs. Il peut estimer, par exemple, que l'entreprise sous-traitante a un ratio main-d'œuvre indirecte/main-d'œuvre directe trop élevé : « *Ils nous ont dit que nos structures étaient trop lourdes et il faut qu'on les allège.* » A nouveau, la légèreté de l'organigramme constitue un critère d'évaluation des donneurs d'ordres : par exemple, l'existence d'un organigramme précisant l'ensemble des fonctions et des responsables est une obligation définie par les constructeurs automobiles dans leurs référentiels d'évaluation. Ces critères et modes de mesure de la productivité sont identiques à ceux que nous avons pu observer au sein de grandes entreprises donneuses d'ordres et, de même, ils interviennent sur les prises de décision en matière de limitation-réduction des effectifs. Cette proximité de processus laisse penser à un phénomène de reproduction des critères de gestion des entreprises donneuses d'ordres sur les fournisseurs de premier rang, qui tendent là aussi à conditionner l'amélioration de la performance à une recherche de productivité main-d'œuvre.

Cette contrainte qui pèse sur l'emploi interne est d'autant plus accrue pour les sous-traitants qu'elle peut être sanctionnée par le donneur d'ordres. En cas de non-respect des exigences, soit le fournisseur rectifie immédiatement l'erreur (*« s'il y a un défaut qualité, on doit être sur place sous 24 heures et tout revoir »*), soit la sanction ou la menace de sanction tombe : *« ils transfèrent y % du contrat sur un autre équipementier »* ou *« ils font pression en disant qu'ils ne nous donneront pas les nouveaux produits »*. Ainsi, comme l'explique M.L. Morin, « la sanction est celle de la concurrence à la fin des marchés [...] ces relations restent marquées par une forte asymétrie, bien que le donneur d'ordres n'exerce pas de contrôle direct de type hiérarchique. Il s'agit davantage d'un contrôle stratégique qui se manifeste par les objectifs auxquels les sous-traitants doivent répondre[24] ». On assiste en fait à un phénomène où ces entreprises indépendantes ont obtenu une autonomie grandissante par le biais du partenariat mais, en même temps, doivent répondre à un contrôle renforcé, où le niveau d'emploi est toujours surveillé.

L'ensemble de ces mécanismes laisse penser à une cascade de contraintes qui se reproduisent par rebondissements successifs. Tout comme la cascade de montagne lors de la fonte des neiges, on en voit bien la source puis l'évaporation et la réincarnation sous d'autres formes. L'emploi est considéré comme une charge fixe venant grever le résultat et augmenter le niveau du point mort, ce qui constitue un poids dont il s'agit de se délester compte tenu des contraintes du marché. Dans cette perspective, la réduction des effectifs apparaît comme un moyen privilégié de réponse à une situation de guerre concurrentielle ; c'est un critère de choix face à des contraintes.

Les règles de coordination qui relayent les contraintes de l'arbitrage concurrentiel dans des relations asymétriques, qu'elles soient financières, techniques ou hiérarchiques, tendent à reproduire la contrainte marchande aux différents niveaux de la prise de décision. L'instrumentation des relations financières, techniques ou hiérarchiques inscrit les unités contrôlées dans des obligations de résultats, au sein desquels la réduction des effectifs, comme réponse privilégiée face à une défaillance marchande, acquiert un statut de critère de jugement. En passant de critère de choix à critère de jugement, la réduction des effectifs devient pour les agents une condition d'adéquation aux exigences des unités de contrôle dont ils dépendent.

Les processus de reproduction des contraintes dans des cascades de subordination soulignent alors comment l'emploi considéré comme une charge devient perçu comme un risque qui se diffuse dans les différents maillons de ces chaînes. Nous rejoindrons le constat de W.W. Powell, selon lequel les firmes « are blurring » (estompent) les liens établis et s'engagent dans des formes de collaboration qui ne ressemblent ni au marché, ni à la hiérarchie[25]. Pour autant, il semble que ces formes de coordination sont ni stabilisées ni, pour l'heure, stabilisantes. La tourmente concurrentielle dans laquelle sont engagées les entreprises est reportée de maillon en maillon sur les individus, inscrits dans une double relation d'incertitude et de dépendance, qui peut amener à des comportements accrus de conformité aux règles édictées.

CHAPITRE 8

Choix hypothéqués
et hypothèque sur l'emploi

Nous avons observé plusieurs formes de défiance
réciproque dans les relations entre actionnaires et dirigeants, dirigeants et ligne hiérarchique, donneurs
d'ordre et sous-traitants[1] : la défiance porte non seulement sur le produit de la relation de travail, mais aussi
sur le produit des relations interfirmes. Cette défiance a
priori renvoie à une incertitude critique des unités de
contrôle sur l'adéquation des unités contrôlées aux produits attendus[2], et c'est une incertitude qui devient intolérable compte tenu du poids d'un aléa économique non
probabilisable. Devant cette incertitude critique, l'entrepreneur (qu'il soit investisseur, employeur ou donneur
d'ordre) dispose de deux leviers pour s'assurer a priori
de la conformité des résultats à ses attentes : d'une part,
l'entretien de la pression du contrôle — même si ce dernier prend des formes indirectes, plus ou moins incita-
tives — et, d'autre part, le report sur d'autres agents du
poids de la responsabilité de la gestion de la relation productive — que ce soit un report de relation salariale ou
de relation technique. Dans une relation de subordination (dépendance asymétrique), l'aléa économique qui

pèse sur les unités de contrôle se répercute sur l'ensemble des agents : les formes de coordination et l'instrumentation de la relation salariale, comme celles de la relation interentreprises, reproduisent d'un maillon sur l'autre le poids de l'incertitude marchande, sans en atténuer la violence.

Confrontés à des enjeux de survie individuelle, les agents vont non seulement rechercher un comportement de conformité aux résultats tels qu'ils sont formellement exigés, mais aussi aux résultats exigés tels qu'ils les redoutent. Compte tenu de telles anticipations, la charge de l'emploi, considérée comme charge fixe, est vécue par les agents décentralisés comme un risque qui accroît leur propre exposition au danger. Les agents développent des anticipations négatives sur l'avenir, qui se reproduisent dans les cascades de subordination et se traduisent par des mécanismes de préférence pour la flexibilité.

Dans l'ensemble des mécanismes décrits, les agents ont le sentiment de disposer de marges de manœuvres restreintes : les cadres et les fournisseurs de premier rang se sentent liés. Les processus de décentralisation des pouvoirs et de partenariat se fondent néanmoins sur un discours de l'autonomie et de la responsabilité partagée. Mais de facto, ils se traduisent par des formes diffuses de contrôle.

La notion d'«autonomie contrôlée» proposée par B. Appay[3] comme «concept paradoxal[4]» dont elle souligne qu'il se développe particulièrement dans les relations avec la sphère financière et dans la sous-traitance nous paraît résumer remarquablement la nature d'exercice du pouvoir à l'œuvre : « Il s'agit d'un pouvoir fondé sur des formes de contrôle indirect, mais extrêmement concentré, de type centre/réseau plutôt que pyramidal et qui agit sur le résultat des actions plutôt que sur les individus et leurs corps. Le pouvoir stratégique s'exerce en amont, à côté, en aval : il prépare, canalise et contrôle à la sortie [...] En d'autres termes, la logique d'accroissement du pouvoir pour les grandes entreprises ne passe plus nécessairement par des formes de contrôle direct, des processus d'ingestion, de fusion, et de domination immédiate, mais plus largement par deux autres formes de contrôle distancié, c'est-à-dire où il existe une différenciation et une distance matérielle et spatio-temporelle entre l'unité de contrôle et l'unité autonome et contrôlée : la première est la prise de participation à travers le système financier, la seconde est la sous-traitance [...] Cette subordination n'est pas nécessairement hiérarchique, dans le sens où l'entreprise sous contrôle peut se voir préserver une très forte autonomie d'action, mais ses actions et décisions sont placées sous contrôle, pour être encouragées, neutralisées, anéanties ou orientées.»

Ce mode d'intervention du pouvoir engendre des jeux d'acteurs qui s'expriment particulièrement par des jeux d'annonce et d'affichage entre les unités de contrôle et les unités contrôlées. Par le biais d'annonces de provisions pour restructuration, les firmes construisent des messages attirants à destination de la sphère financière. Ce processus de provisions pour restructuration est de même utilisé par les dirigeants décentralisés vis-à-vis de leurs tutelles. Il y a donc une traduction simultanée de codes partagés. Ces jeux comptables les obligent ensuite à passer à l'acte, c'est-à-dire réduire les effectifs. Dans le même ordre d'idée, les unités contrôlées cherchent à protéger du regard des unités de contrôle les éléments qui ne sont pas formellement exigés, en préparant les audits auxquels ils sont soumis : il s'agit d'afficher au mieux les résultats escomptés par l'unité de contrôle. Par exemple, les fournisseurs entrent dans un jeu d'annonces vis-à-vis du donneur d'ordres, afin de protéger quelque peu leurs marges d'autonomie : *« le calcul d'un coût*[5], *ça se travaille : on peut lui faire dire ce que l'on veut suivant le niveau auquel on se place et ce que l'on intègre »* ou encore, *« on leur [les donneurs d'ordres] donne régulièrement des informations pour éviter qu'ils viennent trop creuser ».* Les résistances rencontrées lors de cette recherche pourraient ainsi être analysées de la sorte : dévoiler à un tiers le détail des processus de réduction des effectifs opérés dans les unités reviendrait à prendre le risque de dévoiler des marges de manœuvres clandestines.

Il apparaît ainsi que ces modes de relation reposant dans leur définition sur une dimension de confiance (direction par objectifs, partenariats multiples) suscitent dans les faits des réactions de défiance. Les unités contrôlées tentent de parer à ce qu'elles vivent comme une forme d'ingérence dans leur sphère d'autonomie en créant des filtres de lecture. Inversement, l'unité de contrôle est incertaine du résultat de la relation et comme elle ne peut supporter un tel doute compte tenu de la pression des aléas économiques, elle accroît a priori le niveau de ses exigences. A titre d'exemple, un directeur des ressources humaines nous expliquait : *« On demande 5% de productivité, comme cela on est sûrs d'avoir 3%. »* Cette défiance est accrue par le caractère même de la décision de réduction des effectifs : les dirigeants d'entreprise, comme les cadres décentralisés, sont soupçonnés par leurs unités de contrôle de ne pas vouloir tailler dans les effectifs. Dès lors, il s'agit de mettre en place des mécanismes d'autant plus incitatifs, voire coercitifs, que les unités contrôlées sont soupçonnées d'y être fortement résistantes. R. Brenner utilise à ce titre la métaphore du jardinier : « Il est maintenant temps de tailler dans les arbres — c'est le downsinzing. Mais — et c'est un mais sérieux — les jardiniers ont un attachement sentimental envers les veilles branches qui ont ombragé leur jardin pendant si longtemps. Alors les jardiniers hésitent. Il est aussi vrai qu'une fois taillés, les arbres auront besoin de soins spéciaux pour réparer les blessures. C'est cher et les jardiniers hésitent encore plus. S'il n'y a de puissants incitatifs pour la taille et les soins spéciaux, on peut toujours attendre l'année prochaine[6].»

Dans les situations décrites précédemment, la notion d'urgence à agir est fréquemment revenue. Tout comme la logique des marchés financiers inscrit l'entrepreneur dans une préférence pour le présent et une défiance pour le futur, la répercussion des critères de jugement à court terme engendre une préférence pour l'action immédiate et radicale chez l'ensemble des agents économiques. Les agents éprouvent une urgence à produire les résultats escomptés. Pour les dirigeants, il s'agit d'annoncer à la sphère financière les résultats attendus de l'année. Pour les responsables décentralisés, il s'agit d'atteindre les objectifs prédéterminés dans l'année, voire dans le semestre, compte tenu des procédures de révision budgétaire[7]. De la même façon, les sous-traitants «partenaires» disposent d'une année entre deux audits pour satisfaire aux «recommandations» de l'audit précédent.

En outre, ces relations asymétriques ne peuvent plus s'inscrire dans la durée : les relations sont réversibles quel que soit l'engagement contractuel; les agents économiques ne disposent d'aucune garantie de non-abandon, que ce soit par un client, un investisseur, un employeur ou un donneur d'ordres. L'incertitude des agents ne porte donc pas uniquement sur le résultat de la relation, mais sur la relation elle-même : le cadre — au même titre que tout autre salarié — prend le risque de se trouver licencié ou muté ; le sous-traitant, celui d'être abandonné. Cette incertitude demeure à sens unique : compte tenu de la tension concurrentielle sur le marché des capitaux, sur le marché du travail et sur le marché des produits et services, les unités de contrôle (respectivement, les investisseurs financiers, les employeurs et les donneurs d'ordres) prennent moins le risque d'être abandonnées par les agents qui dépendent d'eux (les salariés peuvent moins prendre le risque de démissionner, les sous-traitants peuvent difficilement prendre le risque de ne pas assurer un contrat). Dans une relation de dépendance asymétrique, l'urgence relève quasiment d'enjeux de survie individuelle : les cadres prennent le risque de se retrouver sans emploi, et les sous-traitants sans activité. Cette perspective intolérable accroît la cristallisation sur les critères de jugement tels qu'ils sont perçus.

Le risque que l'agent économique soit menacé dépend de l'appréciation de l'unité de contrôle. Il renvoie donc à un exercice de jugement lié à des interprétations subjectives. Le risque de sanction existe, mais il demeure une incertitude sur le fait qu'une telle sanction soit activée ou non, ce qui constitue en soi une forme de pression. La notion d'urgence devient d'autant plus pressante que la sanction éventuelle en cas de défaillance est redoutée (perte de l'emploi, blocage dans la carrière et moindre rémunération pour les cadres ; perte de marchés pour les sous-traitants), mais son activation par les unités de contrôle demeure aléatoire, selon des probabilités difficilement estimables. Les agents ont non seulement le sentiment d'être confinés dans l'urgence, telle que la définissent D. Fixari et F. Pallez [8], mais de plus dans une urgence projetée, dont ils ne connaissent pas encore les donnes. Un climat général de risque semble ainsi se diffuser. Pour B. Appay, la puissance de tels enjeux constitue une condition de l'exercice du pouvoir stratégique : « Aussi paradoxal que cela puisse paraître, ce système est rendu possible au fur et à mesure que les marges de manœuvre se rétrécissent, quand la compétition n'est plus tant une question de compétition mais de survie, pour les entreprises aussi bien que pour les individus [...] La question de la survie est fondamentale d'un système de tensions extrêmes [9]. » Dès lors, les agents règlent leur comportement non seulement en fonction des critères sur lesquels ils se sentent jugés mais, de plus, en fonction des anticipations qu'ils ont des critères sur lesquels ils sentent qu'ils pourraient être jugés.

On assiste à un phénomène de reproduction d'anticipations négatives, dans des cascades de subordination. Ces anticipations portent particulièrement sur l'emploi sous forme de CDI, vécu par les cadres dirigeants décentralisés et par les fournisseurs partenaires comme un risque inconsidéré, compte tenu des anticipations qu'ils portent sur les critères de jugement à venir et sur le comportement des unités de contrôle. Compte tenu de la fragilité de leur propre situation, les agents vivent l'emploi des autres comme une source de rigidités ; puis comme une contrainte, dont il s'agit de se délester a priori.

Dans cette course où des paramètres numériques se situent au cœur des rapports de force en vigueur, les acteurs décentralisés auront tout intérêt à afficher les résultats attendus. Il s'agit même d'anticiper sur des injonctions à venir. C'est à ce titre que nous parlerons d'anticipations locales négatives sur l'emploi, où *« on traite les RH comme un mal nécessaire, comme un risque »,* par rapport aux contraintes qui pèsent directement sur les acteurs.

On observe des anticipations locales négatives quand les opérationnels autolimitent leurs effectifs, souvent pour éviter d'avoir à réitérer l'expérience de plans sociaux douloureux ou du moins de trop attirer l'attention sur eux. Il y a urgence à ne pas avoir à refaire dans les mêmes conditions qu'hier. L'emploi est vécu par les agents économiques décentralisés comme un risque face aux évaluations des unités de contrôle, et c'est un risque empreint de fortes dimensions personnelles. Il y a urgence à ne pas se retrouver en situation d'être évalué de façon négative par les sphères de contrôle. Dès lors, comme l'indique un directeur des ressources humaines : « *On anticipe l'emploi uniquement à la baisse. A l'inverse, on néglige les effets d'anticipation du type préparer une population à évoluer.* » Ou encore, d'après le directeur des ressources humaines d'un groupe, « *le "stop and go" ne fonctionne qu'à la baisse* ». En reprenant la proposition de P. Chevalier et D. Dure [10], nous en venons alors à nous demander si, face à un avenir dont la prévisibilité est sujette à caution, il n'est pas moins risqué aux yeux des responsables d'abaisser a priori, et de façon anticipée, le point mort de l'emploi. Ce phénomène d'anticipation négative permet peut-être d'expliquer la réflexion suivante du directeur des ressources humaines d'un groupe : « *Les opérationnels sont devenus plus royalistes que le roi.* » Ils sont devenus « *plus royalistes que le roi* » car ils fondent leur action sur une crainte a priori d'être sanctionnés ; il n'est même pas évident qu'ils soient effectivement jugés et a fortiori punis par le roi.

Quant aux PME sous-traitantes étudiées, elles s'affirment « *frileuses face à l'emploi* ». Les fournisseurs de premier rang subissent une pression sur l'emploi, liée à la reproduction des critères de productivité et de maîtrise des coûts du donneur d'ordres sur le sous-traitant, dont le contrôle s'opère par le biais des audits. Cette contrainte pèse d'autant plus sur les fournisseurs de premier rang qu'elle peut être sanctionnée par le donneur d'ordres. Compte tenu de la réversibilité de la relation donneur d'ordres et sous-traitants, la charge de l'emploi devient un risque pour le sous-traitant. Le phénomène d'anticipation sur l'évaluation du donneur d'ordres intervient en premier lieu sur les décisions d'emploi : *« On est obligés d'anticiper sur ses exigences en matière de compression des coûts au cas par exemple, où l'un d'entre eux nous ferait un coup à la Lopez. »* Ou encore, explique un autre : *« Quand notre donneur d'ordres principal met ses ouvriers en chômage technique, on sait que ça va aller mal pour nous, alors on commence à négocier avec la Direction départementale de l'emploi. »* C'est un comportement qui se diffuse dans l'ensemble du tissu de la sous-traitance. La stratégie pour les sous-traitants consiste à maintenir un niveau d'effectif réduit par rapport à l'équation emploi/activité antérieure : *« Aujourd'hui, on se borne à rester dans un effectif stable. »* Dans l'incertitude face à laquelle les donneurs d'ordres ne fournissent pas d'éléments rassurants sur le moyen terme (*« ils nous disent que le processus de sélection ne fait que commencer »*), les sous-traitants affirment être *« devenus frileux face à l'emploi »* ; *« notre inquiétude permanente est d'avoir trop de gens par rapport aux aléas de notre activité »*.

On trouve ici une expression forte de la réticence liée à l'engagement salarial « à durée indéterminée », qui est vécu comme un risque. Le respect des procédures comptables, sociales et juridiques liées à la mise en œuvre des mesures de réduction d'effectifs nécessite du temps (négociations multiples, et mise en place de procédures spécifiques). C'est un temps dont l'agent économique n'est pas sûr de disposer en cas de retournement brutal de la situation économique de l'entreprise ou des injonctions qui lui sont adressées. Le phénomène d'anticipation sur une dégradation du marché que nous avons souligné est accru par une anticipation des moyens nécessaires à la mise en œuvre de la décision de réduction des effectifs. A l'inverse, l'éventualité d'une adaptation à la hausse des emplois n'est pas perçue comme contraignante ; comme l'explique un directeur des ressources humaines d'Assist, « *on raisonne faisabilité : dans les appels d'offres ou dans le cas de développement d'activités, on prend en compte le facteur RH sous la forme de faisabilité : "Ai-je les x types compétents nécessaires ?", c'est tout. De toute façon, on se dit qu'on saura faire de ce côté-là* ».

Les dirigeants d'entreprises sous-traitantes que nous avons rencontrés dans la vallée de la Maurienne ne souhaitent pas établir de CDI car, « *avec le CDI, si on se trompe, on ne peut pas revenir en arrière* » et « *on ne veut pas revivre la période précédente et avoir à nous séparer de nos gens* ». De plus, les « plus grandes » entreprises (40-49 personnes) sont aujourd'hui en dessous de la barre des 50 salariés et ne veulent plus franchir ce niveau : « *On pourrait éventuellement être 57 ou 58 mais au-delà de 50, il y a trop d'obligations et ça ne vaut pas le coup.* » Pour ces PME, la « rigidité perçue » du CDI tient à plusieurs éléments : le coût des indemnités de licenciement est à leurs yeux rédhibitoire (« *on a failli déposer le bilan à cause des indemnités de licenciement ; il fallait payer justement à un moment où on n'avait plus rien* »), mais surtout ils expriment un rejet des procédures à mettre en œuvre (« *quand il faut rompre un CDI, c'est long et lourd à gérer* »), doublé d'une crainte de l'intervention administrative ou juridique (« *maintenant, pour faire un contrat, il faut être un expert du droit du travail, et encore, ça peut toujours mal se finir* »). Enfin, ils ne veulent pas avoir à répéter un jour des séparations qui ont été vécues douloureusement dans ces entreprises souvent d'origine familiale. De plus, à l'évocation d'une perspective d'embauche, les dirigeants des entreprises se sentent bloqués entre des contraintes de coûts de la main-d'œuvre qualifiée et des contraintes d'opérationnalité du nouvel entrant : *« Quand on prend quelqu'un, soit il a de l'expérience et on ne peut pas supporter son niveau de salaire, soit c'est un jeune et il faut attendre deux à trois ans pour qu'il s'adapte et ça, on ne peut pas non plus. »* Dans leur cas, la crainte de l'embauche est aussi liée à l'exigence de compétences nécessaires à la réalisation des produits qui s'exprime sous la forme de : *« On n'a pas le droit à l'erreur. »*

Il apparaît d'une façon générale que si la prévision de réduction d'effectifs se révélait inadéquate ou trop importante, il serait toujours temps de trouver une solution (recours à la sous-traitance, à des contrats de travail temporaires, voire embauche). Et d'autant plus facilement que la tension chronique sur le marché du travail et le développement des formes flexibles d'emploi rendent aisée la mobilisation de la main-d'œuvre en des temps brefs. A l'inverse, si une cible d'effectifs se révélait surdimensionnée (que ce soit par rapport à la situation de production, ou par rapport à des objectifs), il y aurait urgence à engager des mesures d'adaptation qui prennent du temps, exigent des moyens financiers et supposent des ruptures douloureuses. Il semble alors que la comparaison des risques liés à une contrainte d'augmentation des effectifs, par rapport aux risques liés à une injonction de diminution des effectifs, intervient en faveur d'une anticipation de la diminution. Comme si de toute façon, le décideur était plus à l'aise à trop réduire qu'à ne pas assez réduire. Qui peut fonctionner avec le moins d'effectifs pourra fonctionner avec le plus, l'inverse étant moins immédiat et de ce fait plus risqué.

Dans l'ensemble de ces configurations où l'environnement est incertain, et où les critères de jugement se durcissent, l'embauche en CDI est considérée comme une sujétion et, inversement, la réduction des effectifs comme une source de flexibilité. Autrement dit, face à une perception réversible de son environnement qu'il corrèle directement à la réversibilité de sa propre situation, l'agent perçoit a priori l'embauche comme un facteur d'irréversibilité.

Les théories de la valeur d'option ont introduit dans le calcul économique une prise en compte de la perception d'irréversibilité. Comme l'a expliqué O. Favereau en reprenant les travaux précurseurs de C. Henry, la valeur d'option existe, dans le cadre de la rationalité procédurale : elle constitue le prix que les agents économiques sont prêts à payer (c'est-à-dire qu'ils sont prêts à encourir des coûts supplémentaires ou à renoncer à des gains potentiels) pour différer leurs décisions les moins réversibles ; elle correspond au prix que les décideurs sont prêts à payer pour maintenir, voire agrandir leur domaine de possibilités. Lorsque la valeur d'option « est évaluée, sinon intuitivement, du moins par une sorte d'appréciation synthétique de la situation du décideur, elle mesure alors directement la préférence pour la liquidité [11], compte tenu du contexte de la décision [12] ».

En l'occurrence, nous l'avons vu, le prix à payer du report ou de la suppression du recours à l'emploi n'est pas précisément évalué. Ce prix n'est peut-être pas mesuré, car, de toute façon, c'est un coût de la décision qui ne compte pas au regard de l'apport de flexibilité qu'il amène. Dans ce cadre, la préférence pour la flexibilité [13] constitue une stratégie intentionnelle par laquelle l'agent tente d'élargir a priori la gamme des solutions disponibles et à contraindre au minimum les opportunités de ses choix futurs. Dès lors, comme le souligne O. Favereau, la recherche de flexibilité « n'est pas une solution, une sortie du problème, mais une donnée, une entrée, qui va alors servir à structurer l'ensemble des décisions possibles [14] ».

Les agents économiques se sentent menacés — dans leur emploi, dans la poursuite de leur activité. Ils développent des anticipations négatives sur leur propre avenir et cherchent alors de nouvelles marges de manœuvre pour ne pas prendre le risque de se retrouver dans l'impasse. Ils cherchent ainsi une plus grande flexibilité de leurs ressources — au premier chef desquelles l'emploi — pour endiguer a priori les risques de retournement de situation. Dès lors, l'aversion pour le risque se focalise sur une aversion pour l'emploi fixe, et c'est une aversion qui se propage.

QUATRIÈME PARTIE

MIMÉTISME ET DÉSARROI

Que devient alors l'action — individuelle et collective — lorsque les individus perçoivent leur environnement et leur propre situation comme incertains et dépendants du choix des autres ?

Des théoriciens de l'organisation ont, pour leur part, examiné les mécanismes de choix quand les membres d'une organisation doivent agir dans des conditions d'ambiguïté. Pour J.G. March et J.P. Olsen[1], les membres d'une organisation essaient de trouver un sens aux événements, de leur inventer des explications, malgré l'ambiguïté et l'incertitude. Dans une approche cognitiviste, K.E. Weick[2] s'interroge sur les processus d'élaboration du sens. Pour cet auteur, les contraintes ne sont pas considérées comme des données exogènes auxquelles l'organisation doit s'adapter, mais comme des informations soumises à l'interprétation des individus. Les contraintes sont endogonéisées par les acteurs. Ainsi, pour K.E. Weick, les organisations créent leur environnement par la façon dont elles agissent dans un monde dans la tourmente, et par la façon dont elles l'interprètent ; l'environnement est une production sociale des membres de l'organisation (notion d'« enactment »[3]). Dans cette perspective, il s'agira pour nous d'envisager de quelles façons les acteurs interprètent l'environnement et les contraintes ; comment ils les « endogénéisent ». Nous verrons ainsi comment des situations d'ambiguïté et d'incertitude affectent la perception des acteurs ; et nous essaierons d'envisager quels sont leurs modes d'action quand ils sont pris dans des tensions entre leurs perceptions et leurs actions. Cela nous amènera alors à poser la question des conditions d'apprentissage organisationnel [4] et individuel en matière de gestion des effectifs, dont nous verrons qu'elles apparaissent aujourd'hui fortement contraintes.

Pour l'économie des conventions [5], il s'agit — dans la lignée des travaux de J. M. Keynes et de K.E. Lewis — de considérer comment se construisent des conventions permettant de donner du sens au choix des acteurs et résolvant par là même un problème d'incertitude. Une convention existe parce que plusieurs agents doivent choisir au même moment en tenant compte du choix des autres. Ainsi, « on dira qu'une relation sociale constitue un mode efficace de gestion de l'incertitude si elle s'avère apte à endiguer les dynamiques de polarisation [6] ». Les dynamiques de polarisation et les mécanismes d'anticipation ont été analysés par J.M. Keynes dans le cas du fonctionnement des marchés financiers lors de la crise de 1929 [7] : il a décrit comment ces processus engendrent des phénomènes cumulatifs, des bulles spéculatives. Il a ainsi éclairé un processus de déclenchement et d'extension de la crise, à partir de l'analyse des défaillances du marché. A. Orléan a repris les travaux de J.M. Keynes et a analysé la manière dont fonctionnent les marchés financiers dans des situations caractérisées par un doute sur l'évaluation des valeurs fondamentales [8]. Son propos est d'étudier dans le cas des marchés financiers les processus de polarisation mimétique et les dynamiques de défiance généralisée [9]. Quand la défiance se polarise, la spécularité s'installe et, comme l'explique J.P. Dupuy, les acteurs sont pris au piège du dilemme du prisonnier : « Le bon sens veut que la coopération prévale, et on ne voit pas ce qui pourrait l'empêcher. Et pourtant, il suffit de mettre les joueurs en situation pour comprendre ceci : dès lors que la spécularité s'installe, elle prend la forme de la suspicion, et déstabilise irrémédiablement l'équilibre de coopération [10]. » Or, les conventions en vigueur n'endiguent pas les processus de polarisation sur l'allégement des emplois liés à l'incertitude du marché, sans que pour autant une convention qui permette de fonder l'accord semble pour l'heure s'y substituer.

Ces différents angles d'analyse interrogent les comportements et les perceptions individuelles en situation de crise, entendue non pas seulement comme un « changement en bien ou en mal, qui survient subitement dans le cours d'une maladie : crise de nerfs » (Littré), mais comme Edgar Morin la définit : « La crise signifie indécision : c'est le moment où en même temps qu'une perturbation, surgissent les incertitudes [...] Le développement, l'issue de la crise sont aléatoires non seulement parce qu'il y a progression du désordre, mais parce que toutes ces forces, ces processus, ces phénomènes extrêmement riches s'entre-influent et s'entre-détruisent dans le désordre [11]. » P. Lagadec [12] analyse les problèmes fondamentaux qui surgissent lors de ces crises. Il montre comment les processus de décision se voient affectés par l'événement. Ses études portent sur des phénomènes criconscrits (le modèle type en est la défaillance brutale) et sa réflexion privilégie les crises de nature non conflictuelle (non sur celles de type terrorisme, guerre, OPA, licenciements collectifs et autres fermetures de sites [13]). Avec la répétition des décisions de réduction des effectifs, l'événement (la quête infinie de flexibilité) est composé de multiples micro-événements (des plans sociaux, de l'externalisation des emplois, de la filialisation, etc). : se diffusant, il n'est pas toujours visible d'emblée, délimité ni dans le temps ni dans l'espace. Les événements appellent des enjeux de survie, mettent en jeu différentes organisations, qui se répercutent sur l'ensemble de la société, provoquant des effets d'onde. A leur propos, tout le monde dit : « *On ne s'y attendait pas.* » P. Lagadec identifie un triple choc pour les organisations : « le déferlement » (« la crise est d'abord l'avalanche brutale d'un nombre impressionnant de problèmes »), « le dérèglement » (« nous n'avons plus affaire ici à une situation d'urgence mais à une menace de désagrégation du système »), « la rupture » (« tous les repères tant internes qu'externes s'évanouissent », « l'évolution de la situation se joue bientôt sur un mode binaire », « les perceptions et les représentations s'opèrent sur le seul mode du tout ou rien [14] »). De plus, il propose une analyse du comportement du décideur en situation de crise que nous reprendrons à plusieurs reprises.

L'aléa économique a certes une origine exogène à l'organisation (la concurrence existe vraiment), mais la façon dont les entreprises l'ingèrent sans le digérer a pour conséquence de se répercuter sur l'ensemble des agents. Les processus d'intériorisation de la contrainte marchande dans les modes de coordination produisent des schémas d'action dont l'observation croisée verticale (d'un maillon des chaînes de subordination à l'autre) et horizontale (d'une structure à l'autre) révèle un mouvement de type rétroactif : la préférence pour la flexibilité devient l'objet des anticipations croisées. Les réductions des effectifs s'inscrivent dans des mécanismes de reproduction dans des cascades d'interrelations asymétriques (verticalité du processus mimétique) et dans une circularité informationnelle et normative (horizontalité du processus mimétique).

L'étude de modalités de la flexibilisation de l'emploi illustre le processus de fuite en avant des processus de décision qui s'alimente elle-même : l'entreprise peut toujours développer plus de flexibilité (l'extrême tension du marché du travail qui rend possible, à moindres coûts, le développement de pratiques de flexibilisation des emplois et des conditions de travail), et l'observation de cette faisabilité valide a priori la pertinence de la poursuite de la quête de flexibilité [15]. Si, dans les faits, la mobilisation de l'emploi devient fortement flexibilisée, cela n'entame pour autant pas la représentation selon laquelle l'emploi est source de rigidités, qu'il s'agit de juguler a priori. Si, dans les faits, le CDI devient fortement flexible, cela n'entame pas la représentation selon laquelle il constitue un facteur d'irréversibilité. Autrement dit, les évolutions engendrées par les pratiques elles-mêmes ne sont pas intégrées comme facteurs d'interrogation de la décision ; bien au contraire, elles sont assimilées au titre de facteur de validation. L'entreprise flexible (allégée, sélective et éclatée) devient alors plus anorexique qu'allégée et la réduction des effectifs acquiert un statut de valeur intrinsèque ; elle devient une fin en soi.

Dans ses travaux sur les institutions, l'anthropologue M. Douglas s'est intéressée aux relations entre les actions individuelles, les formes collectives de classification et les institutions sociales. Pour elle, si les individus construisent collectivement les institutions et les classifications qui leur sont associées, celles-ci leur donnent en retour des principes d'identification qui vont leur permettre de se penser et de penser le monde. La question que nous posons ici est de savoir comment les individus se pensent dans cette institution devenue opaque. M. Douglas [16] a étudié les institutions et les comportements collectifs quand la communauté est menacée, et elle distingue quatre types de comportement communautaire face au risque : « Nous distinguons quatre types de pollution sociale : 1° le danger qui rôde aux frontières extérieures et fait pression sur elle ; 2° le danger que l'on encourt en franchissant les divisions internes du système ; 3° le danger qui se situe en marge de ces lignes intérieures ; 4° le danger qui provient des contradictions internes, comme lorsque certains postulats fondamentaux sont niés par d'autres, de sorte qu'en certains points le système semble être en guerre avec lui-même. [...] Dans tous les cas que nous venons d'étudier, dans ces situations dangereuses qu'il faut éviter, ou à la suite desquelles il faut se purifier, les normes de conduite se contredisent [17]. » De même, l'entreprise aujourd'hui nous apparaît être « en guerre avec elle-même » : la situation de danger qu'elle éprouve révèle des conflits d'objectifs et des confrontations de logiques. L'analogie avec les travaux de M. Douglas sur la souillure paraît d'autant plus frappante que l'analyse de la décision de réduction des effectifs laisse entrevoir un dilemme entre une quête de pureté (l'entreprise allégée) et un risque de pollution sociale interne et externe à l'entreprise. Or, souligne M. Douglas, « le paradoxe de la quête de pureté est que c'est une tentative pour contraindre l'expérience à entrer dans les catégories logiques de la non-contradiction. Mais l'expérience ne s'y prête pas et ceux qui s'y essaient tombent dans la même contradiction. [...] Toutes les fois que nous imposons à notre existence un modèle rigoureux de pureté, elle devient inconfortable au plus haut point ; et si nous nous y tenons jusqu'au bout, nous débouchons sur des contradictions ou encore sur l'hypocrisie. Car ce qui est nié ne disparaît pas pour autant [18] ».

S'interrogeant sur les conditions du bon fonctionnement des entreprises et des réseaux, C. Riveline a mis à l'épreuve l'hypothèse que ce qui fonctionne, c'est la trilogie rites, mythes, tribus : « un rite nécessite une tribu pour l'observer et un mythe pour lui donner sens» et inversement, «si l'un des trois pôles vient à manquer, les deux autres s'effondrent bientôt[19]». Si le mythe[20] de l'entreprise allégée[21] devient un référent sur lequel les entreprises se fixent et qui renvoie à des rites de prise de décision (l'usage de ratios comparés[22]), il s'agit alors de s'interroger sur la façon dont les individus composant la tribu-entreprise se reconnaissent dans le mythe et accomplissent les rites d'accompagnement de la décision.

Il ne s'agit pas ici de chercher les raisons de cette situation de guerre, mais plutôt d'observer les individus, les institutions et les règles face à cette guerre ; sur quels jeux d'acteurs et sur quels modes de régulation sociale cette entreprise en guerre s'implante ; comment elle fonctionne, mobilise ses ressources, et s'inscrit dans son environnement.

A la fin de cette trajectoire, l'entreprise se contracte et diminue (les effectifs sont réduits, l'entreprise se replie sur son «cœur de métier») et cette réduction réveille des réactions de crispation (les individus se sentent menacés, et se replient eux aussi sur eux-mêmes). L'examen des expressions et des symptômes de cette crispation renvoie à trois phénomènes : des stratégies d'évitement (on ne regarde pas, on n'entend pas, on ne dit pas), un processus d'enfermement (on se sent coincé, on se barricade) et un phénomène de dérégulation (les règles n'ont plus de sens pour les individus). Autrement dit, la violence de la polarisation mimétique n'est pas jugulée par les règles existantes ; bien au contraire, des processus d'évitement et d'enfermement alimentent la crise. L'entreprise allégée, éclatée et sélective devient dure. Cette situation de guerre concurrentielle est déstabilisante pour l'ensemble de ses membres ; l'entreprise en quête infinie de flexibilité bouleverse les repères fondamentaux et inscrit l'ensemble des individus dans une logique de survie dont par définition, les finalités ont disparu. Les discours sont brouillés et le débat semble interdit ; les acteurs sont pris dans l'indécidable ; l'institution se morcelle et les individus sont renvoyés à des luttes de survie.

CHAPITRE 9

La réduction des effectifs
comme fin en soi

Pour J.M. Keynes, la seule conduite rationnelle en situation d'incertitude radicale, soit non probabilisable, consiste à imiter les autres : « Dès lors que s'introduit la multiplicité, et donc une relative indétermination, tous les problèmes de coordination que le jeu automatique du marché était censé régler se reposent à nouveaux frais. C'est l'imitation qui apparaît alors comme la seule façon rationnelle de gérer l'incertitude [1]. » Cette position est « hétérodoxe » : A. Orléan le souligne, la rationalité est plus généralement associée à l'autonomie des décisions ; dans tous les cas, rarement au fait de se laisser influencer par les autres [2]. D'après la définition qu'en propose A. Orléan, les phénomènes de polarisation mimétique apparaissent quand les agents règlent collectivement leurs anticipations sur l'observation de la même variable et que la défiance se polarise : on passe alors d'un phénomène d'anticipations à un processus d'anticipations mimétiques, qui devient cumulatif.

Les entreprises ont des profils, des métiers, des types d'activité et des structures très différents. Malgré ces différences, il y a de fortes similitudes non seulement dans les arguments mobilisés, mais aussi dans les procédures et les outils de gestion amenant au diagnostic de sureffectif. H. Dumez et A. Jeunemaître[3] ont montré, dans le cas du secteur cimentier, comment le parallélisme des instruments de gestion, la circularité des informations et le point de vue des experts conduisent chaque concurrent à traiter les mêmes situations de manière quasi automatique et à adopter des comportements mimétiques lors de choix risqués.

Le phénomène de réduction des effectifs peut aussi être regardé sous cet angle, à la nuance près qu'il ne s'agit pas de prendre une décision risquée (tel un investissement), mais de répondre à un sentiment de risque diffus par une décision de diminution d'emploi. On retrouve le poids des mêmes ratios de productivité main-d'œuvre ou de frais de personnel (masse salariale/chiffre d'affaires) dans l'ensemble des entreprises étudiées et ce sont des ratios qui donnent lieu à des comparaisons multiples. Une entreprise de loisirs, quasiment unique sur le créneau qu'elle occupe, justifie son plan social de la façon suivante : *« Les frais de personnel représentent x % du chiffre d'affaires, ce qui est trop élevé par apport à la moyenne pour des activités de service de ce type. »* De même, le directeur des ressources humaines d'une entreprise affirme : *« Nous avons le moins bon rapport masse salariale sur chiffre d'affaires du groupe, ce qui est inacceptable. »* Cette nature de comparaisons s'opère aussi bien par rapport à des concurrents qu'en interne, par rapport aux autres activités du groupe.

Ce mode de positionnement est souvent le fruit de la mise en œuvre de méthodes d'étalonnage (« benchmarking ») plus ou moins formalisées, où il s'agit de choisir des marques, des critères et d'en comparer les résultats avec ceux des concurrents considérés comme les meilleurs. La comparaison porte ici plus sur les méthodes utilisées pour atteindre un objectif que sur les stratégies elles-mêmes. Le poids des effectifs ou de la masse salariale constitue un des critères de référence, un étalon de mesure, donnant lieu à l'élaboration d'échelles de valeurs, sur lesquelles les entreprises se positionnent les unes par rapport aux autres.

Les cabinets conseils en organisation ou les cabinets d'audit interviennent dans l'élaboration de telles échelles de valeur. Ils sont des vecteurs de diffusion de règles de détermination du niveau d'effectif idéal, qu'ils contribuent à former et dont ils sont eux-mêmes prisonniers. Ils véhiculent un modèle pur et parfait de gestion des effectifs, par rapport auquel les entreprises se comparent les unes aux autres [4]. Ainsi, comme le soulignait en entretien un consultant en organisation : *« On a tous conseillé de réduire les effectifs de structure et les bureaux de la Défense se sont vidés. »* La circulation en boucle des connaissances est encore stimulée par les processus d'évaluation des analystes financiers. Les analystes financiers retiennent les informations sur lesquelles les entreprises s'évaluent et se comparent elles-mêmes de façon mimétique ; ils opèrent eux-mêmes des comparaisons pour fonder leurs choix et, finalement, les entreprises vont opter pour des décisions dont elles pensent qu'elles ont les meilleures chances d'être soutenues par les marchés financiers [5].

Ces mises en parallèle, activées par de nombreux intermédiaires, font alors émerger des notions d'« avance » ou de « retard » relatifs (*« nous devons rattraper le niveau de productivité de nos concurrents »*, affirme un argumentaire de plan social). Un phénomène de « first mover advantage [6] » intervient alors, qui tend à accélérer le processus d'imitation : « Plus nombreuses sont les entreprises à imiter la plus rapide à agir ["first mover"], plus forte est la pression en faveur de l'imitation s'exerçant sur celles qui n'ont pas encore pris de décision[7].» Dès lors, il s'agit de réduire les effectifs de façon anticipée, «*pour rester dans la course*». On observe par exemple des «*réductions d'effectifs à froid*», c'est-à-dire des réductions d'effectifs qui interviennent en dehors de situations de déclin, ou de pression affirmée des «unités de contrôle».

On assiste en fin de compte à une forme d'«influence informationnelle[8]», où les stratégies sont plus définies par rapport à des données produites par d'autres entreprises qu'en fonction d'éventuelles données produites par l'organisation. Cette observation renvoie au fameux concours de photos chez J.M. Keynes[9] : il raconte comment dans les concours organisés par les journaux, où les participants ont à choisir les plus jolis visages parmi une centaine de photographies, le prix se voit attribué à celui qui s'approche le plus de la sélection moyenne opérée par l'ensemble des concurrents. En effet, chaque concurrent va être amené à choisir les visages qu'il estime les plus propres à obtenir le choix des autres, lesquels examinent tous le problème sous le même angle. Cet exemple illustre comment, en situation d'incertitude, ce qui compte dans l'élaboration d'un choix, c'est l'opinion des autres. Puis, le processus d'influence informationnelle se répercute de façon verticale et horizontale d'une structure à l'autre, d'une entreprise à l'autre, d'un secteur à l'autre, dans les différentes relations entre agents, entre maillons des chaînes de subordination, et entre entreprises. S. Bikhchandani, D. Hirshleifer et I. Welch expliquent ainsi les phénomènes de «conformité locale de comportement» par l'existence de «cascades d'informations[10]».

L'enjeu devient alors de mieux deviner ce que les autres vont faire, afin de ne pas prendre le risque d'adopter un comportement différent et donc marginalisant. Comme l'a montré J.M. Keynes dans le cas de la détermination des prix[11], le processus d'imitation se valide lui-même puisqu'en se réalisant, il démontre la justesse de sa prévision. L'observation de la décision de réduction des effectifs chez les autres valide le diagnostic d'une situation de crise face à laquelle il faut réagir, ou alimente l'anticipation négative portée sur l'avenir. La décision de réduction des effectifs étant par la suite validée par des jugements extérieurs, la mesure prise apparaît aux yeux des décideurs comme une réponse adéquate ou qui, du moins, limite le risque de sanction négative : pour J.M. Keynes, « la sagesse universelle enseigne qu'il vaut mieux pour sa réputation échouer avec les conventions que réussir contre elles[12] ». En somme, il vaut mieux prendre le risque de se tromper collectivement que de se tromper isolément, d'autant qu'une performance meilleure que le voisin est bien moins valorisée qu'une performance moins bonne n'est pénalisée[13]. Dès lors, tout ceci pousse à se rapprocher des décisions des autres pour éviter le risque d'un résultat très différent. Or, « ne pas se comporter comme le concurrent fait courir le risque de voir sa part de marché fluctuer ou chuter » : en effet, « l'aversion pour le risque étant grande, si un des investisseurs choisit l'actif non risqué, l'autre ne veut pas choisir l'actif risqué[14] ».

Le processus d'imitation devient alors un mécanisme autoréférentiel : « Un système autoréférentiel se définit par le fait que la grandeur par rapport à laquelle est évaluée la position des différents éléments le composant n'est pas une norme extérieure, comme dans les structures hétéro-référentielles, mais le produit même de l'interaction des stratégies élémentaires. Il s'ensuit que cette grandeur de référence est définie circulairement. Ainsi, dans le cas que nous étudions, l'opinion moyenne est simultanément le résultat des anticipations individuelles et l'objet qui sert de base à la détermination de ces mêmes anticipations [15].» Une des caractéristiques des systèmes autoréférentiels, ainsi que l'a précisé J.M. Keynes, est de conduire à des anticipations croisées de niveau infini : ce qui compte pour l'agent économique, c'est la façon dont les autres se représentent la performance. Mais, dans la mesure où les autres agents agissent de la même manière, anticiper l'opinion des autres conduit à anticiper ce que les autres pensent être l'opinion moyenne [16].

Les processus de réduction des effectifs deviennent cumulatifs dans la mesure où la décision de réduction d'effectifs intervient avant même l'émission d'un signal de la part des concurrents ou des unités de contrôle. En agissant de la sorte, les agents économiques produisent un signal qui va amener les autres à s'y conformer.

Les réductions d'effectifs ne sont pas spécifiques à un secteur d'activité, à une taille d'entreprise ou à un métier particulier. Et on peut dire qu'elles sont monnaie courante : l'entreprise qui réduit ses effectifs est aujourd'hui dans la moyenne. Le journal américain *Fortune* a ainsi recensé que plus de 85 % des entreprises américaines avaient réduit leurs effectifs de structure entre 1987 et 1991 [17]. De même, la taille moyenne des entreprises américaines a diminué, les entreprises moins grandes (ou plus petites) devenant la norme [18].

Ces processus mimétiques révèlent une dominante, qui fait de la réduction des effectifs un objectif en soi [19], ayant une valeur intrinsèque. Les réductions d'effectifs ne constituent plus uniquement un mode d'adaptation à des contraintes externes, un moyen participant de la mise en œuvre d'une politique, mais elles en deviennent une finalité. A partir du moment où le processus d'allégement des effectifs devient une fin en soi, tous les moyens sont mis en œuvre pour atteindre cet objectif perpétuellement renouvelé qui, de ce fait, ne connaît pas de fin.

Ce phénomène correspond à ce que les Anglo-Saxons appellent le «downsizing», terme que recouvre en partie celui de réduction des effectifs [20]. Le «downsizing» est défini comme une stratégie intentionnelle (par opposition à une stratégie contrainte, subie) qui affecte à la fois le volume de main-d'œuvre mobilisé et l'organisation du travail [21]. Il correspond à un double mouvement de réduction des effectifs, de contraction et de reconfiguration de l'organisation : pour accroître a priori sa compétitivité, l'entreprise doit être souple et réactive. Le «downsizing» tend ainsi à prôner un modèle d'entreprise «dégraissée». Partant de l'observation que les entreprises américaines continuaient massivement à recourir au «downsizing» malgré ses limites [22], W. Mc Kinley, C.M. Sanchez et A.G. Schick ont montré que deux natures de pression sociale poussaient les entreprises à réduire toujours plus leurs effectifs : la contrainte («constraining») et le clonage («cloning»). Ils notent que les réductions d'effectifs ne répondent plus uniquement à une situation de déclin : le «downsizing» a atteint le statut d'une attente («expectation»). Le «downsizing» semble être devenu la nouvelle loi de comportement managérial [23]. Dans la mesure où les entreprises se conforment aux contraintes sociales qui prônent la minceur, le «downsizing» se répand et devient pour elles un moyen d'apporter la preuve de leur légitimité [24].

Ce phénomène d'influence normative vient dès lors alimenter les processus d'influence informationnelle : la pression sociale s'exprime en faveur d'organisations légères et ce critère devient l'objet de la circularité informationnelle. Les entreprises se comparent à l'aune de leur tour de taille et la minceur organisationnelle accède au statut d'idéal, par définition toujours poursuivi. Tous les régimes sont alors bons à adopter, même s'ils font office de recettes miracles sujettes à caution ou porteuses d'effets secondaires nocifs. Car de toute façon, de tels effets n'ont que peu de poids par rapport à la satisfaction rassurante apportée par le reflet dans la glace d'une image de soi purifiée.

Il y aurait ainsi sur ce type de décision à la fois mimétisme entre entreprises différentes (l'entreprise suit le comportement des autres entreprises et cherche à le rattraper a priori), mimétisme temporel au sein d'une même structure (l'entreprise répète la décision prise hier suivant les mêmes processus et modalités), mimétisme entre les unités contrôlées (elles règlent leurs anticipation en fonction des décisions des autres) et mimétisme dans la cascade des relations de subordination (l'unité contrôlée règle sa décision en fonction de l'anticipation qu'elle porte sur les critères de jugement à venir). Or, le biais mimétique induit un processus de rattrapage perpétuel, dans la mesure où les anticipations du moment s'élaborent à partir de multiples observations croisées de décisions ayant elles-mêmes reposé sur des anticipations. Le biais mimétique porte alors toujours plus loin le champ des possibles en matière de recherche de flexibilité, dont la réduction des effectifs est aujourd'hui une modalité privilégiée.

La réduction des effectifs comme modalité privilégiée de la recherche de flexibilité devient une fin en soi ; elle acquiert une valeur intrinsèque, qui est l'objet d'évaluations et de comparaisons, entre unités, entre entreprises, entre agents. On pourrait ici interpréter ce comportement comme une forme d'adaptation et de protection a priori à un univers perçu comme instable et dangereux : comme le caméléon, l'agent développe des stratégies de protection en se fondant dans le paysage et retient pour cela la couleur qu'il perçoit comme dominante. Autrement dit, pour H. Mintzberg, « les responsables de divisions — comme les contrôleurs de gestion envoyés par le siège pour regarder par-dessus leur épaule — redoutent l'imprévu plus que tout et sont totalement stressés d'avoir à afficher des résultats. Le meilleur moyen pour eux de s'assurer des résultats rapides et entièrement prévisibles est de ne surtout jamais faire quoi que ce soit d'intéressant : de toujours chercher à "couper" sans jamais chercher à créer. C'est ainsi que la rationalisation des coûts est devenue au dirigeant d'aujourd'hui ce que la saignée était au médecin du Moyen Age : la panacée [25] ».

De ses travaux sur les comportements en situation d'incertitude, A. Orléan tire comme conclusion que le concept d'incertitude permet de penser la règle comme modalité de la gestion marchande : « les déficiences de l'évaluation privée face à l'incertain conduisent à la nécessité d'une médiation qui s'impose de l'extérieur aux contractants. Ainsi, l'incertitude fait émerger le social ou la collectivité en tant que forme efficace de réduction de l'imprévisibilité », ou encore, « seule la ritualisation permet de prendre en charge l'imprévisibilité [26] ». Or, l'analyse des mécanismes d'émergence de bulles spéculatives l'amène à conclure que le marché financier est une institution qui ne permet pas un juste traitement de l'incertitude [27], puisqu'il ne jugule pas les mouvements de défiance généralisée. Dès lors, pour A. Orléan, « analyser les conséquences sociales de cette suspicion nécessite de considérer les moyens d'action dont disposent les agents pour exprimer leur défiance [28] ».

Or justement, exprimer sa défiance revient dans bien des cas à s'exposer, en tant qu'individu, à une sanction redoutée : celle de la rupture de la relation. L'entreprise en tant qu'institution n'endigue pas l'incertitude marchande et laisse la course à la flexibilité livrée à elle-même.

Et dans ces processus mimétiques, être innovant ou agir différemment revient à prendre le risque d'être marginalisé. A l'inverse, le processus mimétique est un signe fort d'insécurisation individuelle et collective, qui ne permet pas d'accéder à la différence.

CHAPITRE 10

Les décideurs en guerre
avec eux-mêmes ?

L'entreprise apparaît éclatée, dans ses liens juridiques, dans ses modes de coordination, dans ses relations humaines ; et à force de s'externaliser, elle implose. Elle n'offre pas de point de repères qui permette aux acteurs parties prenantes de la réduction des effectifs, aux salariés ou aux acteurs de la régulation sociale, de fonder leurs représentations et leurs actions. Les acteurs de la décision apparaissent particulièrement en guerre — plus ou moins déclarée — avec eux-mêmes. Pris dans les contraintes des relations de subordination en situation d'incertitude, les décideurs vont être acculés à des mécanismes de défense pour ne pas affronter les contradictions, voire les horreurs conséquentes aux réductions d'effectifs. Dans l'enfermement de la machine de gestion, l'alternative à la décision de réduction des effectifs n'est pas pensable. De plus, le décideur est aliéné au modèle identitaire du dirigeant-combattant. Et si à cause de l'ampleur du chômage dans la cité, il est de plus en plus difficile de ne pas voir les effets destructeurs des réductions d'effectifs, différentes formes de déni permettent d'échapper aux contradictions et de se disculper des effets sociaux des pratiques répétées de réduction des effectifs.

Les cadres que nous avons rencontrés sont conscients des effets sociétaux des réductions d'effectifs à répétition et des décalages entre leurs discours et leurs pratiques. Ils expriment une forme de malaise face à ces contradictions : «*on ne se préoccupe des ressources humaines que pour savoir combien on va pouvoir licencier... je ne sais pas où on va comme cela... c'est gênant... il y a des moments où on fait vraiment de la boucherie... on voit ce que ça donne pour la société... et avec tout ça, on s'affiche "entreprise citoyenne" parce qu'on fait un peu d'insertion*» ; «*on vit le tout et son contraire : "nous sommes une entreprise citoyenne, il faut faire attention aux gens" et en même temps : "celui-là tu me le licencies" ; il y a une culture paternaliste et en même temps des ruptures brutales, c'est anachronique*». En outre, les conséquences de ces politiques d'emploi sont de plus en plus visibles, jusqu'à venir toucher leurs familles : «*Quand je rentre chez moi, je me fais engueuler par ma fille... elle a fait une école de commerce et elle ne trouve pas de travail depuis 1 an*[1].»

Ces antagonismes dans la réduction des effectifs renvoient pour les cadres non seulement à une dimension cachée (on ne parle pas de pratiques de gestion internes qui sont délicates et stratégiques), mais de plus à un registre de l'indicible : l'acte de réduction des effectifs a des conséquences trop insupportables pour pouvoir être désigné. Dès lors, l'alternative n'est de fait pas pensable puisque l'hypothèse même de son existence reviendrait à admettre que l'on aurait pu éviter des morts inutiles. Nous avons déjà vu que la notion d'erreur possible n'est pas intégrée dans le raisonnement en matière de gestion des effectifs. Nous ajouterons ici que la présomption de l'erreur n'est pas intégrable dans le raisonnement, n'est pas envisageable, dans la mesure où elle touche de trop près à l'horreur. A fortiori, il ne peut y avoir d'instruction de l'erreur, de retour sur les étapes de la prise de décision, dans la mesure où une telle démarche reviendrait à désigner nommément des responsables qui seraient autant de bourreaux.

Les cadres ne cessent de répéter : « *C'est dramatique mais on n'a pas le choix.* » La dimension « *on n'a pas le choix* », « *on est lié* » traduit, nous l'avons vu, la subordination des cadres et des sous-traitants en situation d'« autonomie contrôlée » et d'incertitude. Elle est aussi la marque d'un mode de management qui manie le paradoxe.

D'après la définition qu'en propose P. Watzlawick, une situation paradoxale apparaît dès lors qu'il est nécessaire de faire, de dire ou de penser une chose et le contraire de cette chose ; quand s'impose la double solution de choisir et de ne pas choisir entre deux ou plusieurs solutions à un problème donné. Cette situation paradoxale naît dans les conditions suivantes : « 1. Une forte relation de complémentarité (officier-subordonné) ; 2. Dans le cadre de cette relation, une injonction est faite à laquelle on doit obéir, mais à laquelle il faut désobéir pour obéir (l'ordre définit le soldat comme se rasant lui-même si et seulement si il ne se rase pas lui-même et vice et versa) ; 3. L'individu qui, dans cette relation, occupe la position "basse" ne peut sortir du cadre, et résoudre ainsi le paradoxe en le critiquant, c'est-à-dire en métacommuniquant à son sujet (cela reviendrait à une insubordination). Un individu pris dans une telle situation se trouve dans une position intenable. » Les décideurs en matière de réduction des effectifs reçoivent ainsi une injonction paradoxale d'avoir à choisir et à ne pas choisir simultanément [2]. Les instances de contrôle les somment d'être autonomes, c'est-à-dire : « vous pouvez faire ce que vous voulez mais remontez-moi ce que je demande, comme je le demande et quand je le demande »... et finalement, « ce que je vous demande n'est atteignable que d'une seule façon »... mais, « vous faites bien ce que vous voulez, comme vous le voulez, puisque vous êtes autonome ». Ou encore : « Nous vous demandons d'accroître en permanence la performance de l'organisation dont vous êtes responsable... pour atteindre cet objectif dans les temps impartis, il n'existe qu'une possibilité... mais vous êtes libre de faire comme vous voulez... et s'il arrivait un problème, vous en serez tenu pour responsable, puisque vous êtes le responsable. » Autrement dit, il y a à la fois injonction de choisir la bonne solution et, simultanément, négation de la possibilité de choix (de toute façon, il faut réduire les effectifs). Dès lors, toute tentative d'un autre choix que celui de la réduction des effectifs est étouffée avant même de pouvoir être élaborée.

Il faut alors que le décideur soit un véritable mercenaire pour accepter cette « mission impossible » : « Voici nos instructions pour atteindre la cible, nous superviserons tous vos faits et actes mais, s'il arrivait un accident, nous nierons avoir eu connaissance de vos agissements. » Le comportement de mercenaire répond au modèle identitaire des décideurs ; la prise de risque dans un environnement incertain permet au décideur de s'affirmer comme tel[3].

L'entrepreneur, pour A. Ehrenberg, « est érigé en modèle de vie héroïque parce qu'il résume un style de vie qui met au poste de commandes la prise de risques dans une société qui fait de la concurrence interindividuelle une juste compétition[4] ». Pour appartenir à la tribu des décideurs, il faut être en mesure de mener une guerre sans merci, quitte à sacrifier des vies humaines sur l'autel de la concurrence. «Plus les contraintes se resserrent autour du manager, semblant l'étouffer et consacrer sa faillite en tant que décideur, plus le manager se voit offerte la possibilité de démontrer sa nature de décideur véritable. L'urgence est un défi qui réaffirme, à travers une épreuve, la nature décisionnelle de la fonction managériale. La figure du décideur se reproduit dans le mouvement même qui la menace», explique H. Laroche[5]. Autrement dit, le fait de prendre une décision radicale face à un danger menaçant affermit le décideur dans sa propre représentation de la façon dont il doit agir. Ce modèle du dirigeant combattant est véhiculé par les médias et dans les formations supérieures à la gestion. Le directeur d'une école de commerce accueillait ainsi ses étudiants en première année : «*Nous allons faire de vous les conquérants des steppes de l'an 2000.*» Le modèle de l'entrepreneur est tout autant stimulé par les pratiques de gestion en œuvre : nous avons évoqué la multiplication de «centres de résultats» avec de «*véritables patrons de PME à leur tête*». On pourrait y ajouter l'incitation par les entreprises à la création d'entreprise ou à l'essaimage, qui répond à une appétence forte à «devenir son propre patron».

Les critères de référence du patron performant ont de fait évolué. Hier, un «bon patron» se définissait en fonction du nombre de personnes qu'il encadrait (il s'agissait de gérer de grosses unités); aujourd'hui, un «bon patron» est celui qui opère des restructurations «*en douceur*», «*sans vagues*». Certains des dirigeants que nous avons rencontrés affichent ainsi leurs médailles : «*En 10 ans, j'ai fait 8 plans sociaux et je n'ai pas eu une seule grève.*» Et ils les exposent en arrivant en poste dans une nouvelle unité. Dans son discours d'arrivée, le nouveau directeur général d'une entreprise annonça par exemple : «*J'ai plus de 1 000 suppressions d'emploi à mon actif et je vous préviens, je n'ai jamais cédé.* » Le dirigeant opère des restructurations « *sans vague* » et affiche qu'il les réalise sans états d'âme. On retrouve ces critères de performance individuelle dans les procédures d'évaluation annuelle, de promotion et de recrutement des cadres. Dans le cas des directeurs des ressources humaines, il s'agit d'être capable de « faire passer » les décisions prises sans entamer le fonctionnement de l'entreprise, quitte à adopter un comportement de « tueur ». A titre anecdotique mais significatif, nous avons été « chassée » par un cabinet de recrutement pour un poste de responsable des ressources humaines dans une usine. La lettre indiquait : « *En tant que spécialiste des réductions d'effectifs, nous vous proposons un poste où vous pourrez mettre en œuvre votre compétence.* »

La réduction des effectifs devient, dans certains cas, une façon d'affirmer son identité de décideur, ce qui accroît la pression de l'influence normative des processus mimétiques ; cette influence normative est relayée et alimentée par la représentation sociale (construite) de ce que doit être un décideur. Aux États-Unis, le « patron-dépeceur » apparaît être le nouveau héros du monde des affaires et il s'affiche comme tel[6]. Al Dunlap, président-directeur général de Sunbeam, affirme ainsi : « *Si je n'avais pas le cran de faire des coupes claires, si je n'étais pas prêt à supporter les critiques intenses et l'angoisse personnelle et émotionnelle qui en résulte, je serais comme n'importe quel PDG.* » En France, les propos restent plus nuancés et plus confinés. Mais ces critères finissent par devenir des objets de comparaison entre dirigeants.

Les cadres en situation de diriger se trouvent pris dans un système de double contrainte[7], où ils risquent de se trouver punis ou du moins de se sentir coupables si jamais ils venaient à insinuer que les injonctions impo-

sées sont inadéquates. Deux modes de coercition sont en
fait présents : les cadres sont à la fois les exécuteurs
d'une stratégie qui les renvoie à une image de bourreau
— et donc à un sentiment de culpabilité —, et en même
temps ils en sont des victimes potentielles — et risquent
d'être sanctionnés. Par des mécanismes de pression
directs ou indirects, il leur est demandé de trancher dans
le vif, sans que l'épée de Damoclès qui pèse sur eux soit
pour autant retirée.

En tant qu'individu, le cadre en situation de diriger ne
peut admettre de commettre des crimes gratuits ; mais en
tant que subordonné à des injonctions paradoxales, il ne
peut envisager d'autre solution ; en tant que décideur, il
ne peut admettre d'être régi par des mécanismes ne laissant que peu de place à son libre arbitre[8]. Pour reprendre
la métaphore de la « mission impossible », le mercenaire
deviendrait fou s'il venait à soupçonner l'inanité de la
mission confiée ; et il serait en danger d'exclusion pour
fait de trahison s'il laissait apparaître un tel soupçon.

Une des issues dont le décideur dispose pour ne pas
se retrouver dans de telles contradictions consiste alors
à dénier l'existence même d'un problème[9]. Il vaut mieux
ne pas voir les effets traumatisants des réductions d'effectifs, plutôt que de se reconnaître comme un bourreau[10] ; il vaut mieux ne pas voir l'éventualité de choix
alternatifs, plutôt que de perdre son appartenance à une
organisation ; il vaut mieux ne pas voir l'éventualité de
mécanismes déterminants, plutôt que de risquer son
identité de décideur[11]. Une façon de ne pas voir d'éventuels effets induits de la décision prise consiste à maintenir en l'état les filtres de lecture. Une des formes de
déni consiste à adopter un comportement de terrible sim-
plificateur. Les données qui viendraient interroger la
reconduction de la décision de réduction des effectifs ne
sont pas considérées : on observe un phénomène de

«cécité localisée[12]». Autrement dit, il ne peut y avoir d'essai puisqu'il n'y a pas d'erreur identifiée ; l'erreur n'est pas intégrée dans le raisonnement. Dès lors, quand des dysfonctionnements ou des effets induits émergent, leur cause n'est pas imputée à la décision de réduction des effectifs ou de réorganisation ; si les résultats attendus ne sont pas obtenus, c'est soit que l'on n'a pas fait comme il fallait, soit que l'on n'a pas fait assez. Ce dernier point justifie souvent de perpétuer la décision, éventuellement en perfectionnant la façon de faire. Comme le souligne P. Lagadec dans le cas de situations de crise, « des efforts collectifs de rationalisation sont déployés pour écarter signaux d'alerte et retours d'information qui pourraient conduire à faire reconsidérer les décisions arrêtées. Tout est fait pour rationaliser le statu quo[13] ».

Une façon de ne pas voir les effets sociaux de la décision consiste à faire en sorte de ne pas pouvoir les voir, en reportant le poids de l'exécution de la décision sur d'autres agents, en d'autres lieux, à d'autres niveaux. Le recours à des auditeurs pour identifier les lieux du sureffectif, le recours à des cabinets conseils pour assurer le fonctionnement des antennes emploi[14], le recours à des plans sociaux massifs, ou encore la décentralisation de la gestion des sureffectifs constituent autant de modalités de mise à distance des blessés. A. Camus décrit les mêmes mécanismes d'occultation d'une population entière, face à l'épidémie de peste : « La société des vivants craignait à longueur de journée d'être obligée de céder le pas à la société des morts. [...] Ce qui caractérisait au début nos cérémonies, c'était la rapidité ! Toutes les formalités avaient été simplifiées [...] Ainsi, tout se passait vraiment avec le maximum de rapidité et le minimum de risques. Et sans doute, au début du moins, il est évident que le sentiment naturel des familles s'en trouvait froissé. Mais en temps de peste, ce sont là des considérations dont il n'est pas possible de tenir compte : on avait tout sacrifié à l'efficacité. [...] Le plus simple, toujours pour des raisons d'efficacité, parut de grouper les cérémonies [...] L'organisation était donc très bonne et le préfet s'en montra satisfait[15].»

Néanmoins, il devient de plus en plus difficile de ne pas voir la situation se dégrader. De plus, la visibilité augmente, dans la mesure où les décisions se répètent inlassablement, et où le caractère massif des réductions d'effectifs dans l'entreprise et dans la cité touche maintenant toutes les catégories de population. Dès lors, on peut supposer qu'une façon de regarder les effets polluants de la décision sans s'en s'attribuer la responsabilité consiste à se conformer aux critères et aux arguments mobilisés par tous. Le recours à des ratios standartisés permet de distancier le décideur de la réduction des effectifs. Ainsi, se conformer aux mêmes processus de décision que les autres constitue une façon pour le décideur non seulement de se protéger du regard évaluateur des autres, d'anticiper sur le regard des autres, mais aussi de se préserver du regard que le décideur peut porter sur lui-même. Le processus de polarisation mimétique répondrait ainsi à un processus de polarisation de la défiance, y inclus de la défiance des décideurs vis-à-vis d'eux-mêmes. Le processus de rationalisation des décisions de réduction des effectifs est un vecteur de la mise en acceptabilité sociale de la décision, mais aussi de sa mise en acceptabilité individuelle.

Enfin, une façon de se disculper a priori des effets sociaux des pratiques répétées de réduction des effectifs consiste à cloisonner les registres[16] : d'un côté, l'entreprise n'a pas le choix, car elle est soumise à des agressions externes ; d'un autre côté, l'entreprise est tout de même « citoyenne » puisqu'elle participe aux mesures pour l'emploi (tant qu'elles n'alourdissent pas la charge de l'emploi fixe). Ainsi, comme le résume P. Watzlawick, « le bienfaiteur universel n'a donc pas le choix : il est le chirurgien qui manie le bistouri dans le seul but de soigner. Il ne veut pas la violence, mais la réalité (celle qu'il a inventée) le contraint à y recourir, en un sens, contre sa volonté[17] ». Al Dunlap (dit « Al la tronçonneuse ») l'affirme lui-même : « *J'ai de l'empathie pour ceux qui sont mis à la porte. Mais ce que je garde à l'esprit avant tout, ce n'est pas les 35 % que j'ai dégraissés, mais les 65 % que j'ai sauvés*[18]. » Ce que P. Lagadec explique de la façon suivante : « Les membres du groupe développent une foi sans borne en leur propre moralité, qui les pousse à ignorer la signification morale de leurs décisions. Un groupe confronté à de très difficiles problèmes moraux tendra ainsi à rechercher une aide dans un unanimisme de groupe. On verra ainsi utilisées des formules dont le vague ne fait que cacher des dilemmes ressentis par chacun ; ainsi : "On ne fait pas d'omelette sans casser des œufs[19]." »

CHAPITRE 11

L'indicible malaise des cadres

Pour les cadres qui sont directement impliqués dans
la mise en œuvre d'une décision [1] souvent prise en
d'autres lieux, les mécanismes de déni évoqués sont
beaucoup plus acrobatiques : ces acteurs ont en permanence à gérer les perturbations individuelles, collectives
et organisationnelles des mesures de réduction des
effectifs [2]. Ils ont le sentiment de «fournir toujours
plus», tout en étant isolés et sans en obtenir de reconnaissance. Ils expriment des formes de malaise, tout en
soulignant le fait de ne pouvoir l'exprimer en interne
(que ce soit à leurs supérieurs ou à leurs subordonnés).
La prise de parole directe étant fortement contrainte, ils
évoquent des formes de «non-participation», tout en
cherchant à trouver des arrangements locaux qui permettent de limiter les dégâts.

Le reengineering recherche un assouplissement de
l'entreprise en diminuant les niveaux hiérarchiques. Au
cours d'interventions de conseil portant sur le management d'un projet de changement organisationnel,
nous avons rencontré les niveaux «N» (directeur) à
«N−2» de la structure. Il est apparu que les principaux
obstacles au changement étaient liés à un problème de
cohérence de la ligne hiérarchique : les «N−1» rece-

vaient des instructions dont ils ne percevaient pas les fondements, ils devaient les décliner sans les avoir légitimés et ce processus se répercutait de maillon en maillon le long de la ligne hiérarchique.

Les responsables opérationnels évoquent ainsi le fait de ne pas arriver à se faire entendre auprès des niveaux hiérarchiques supérieurs, tout en n'ayant pas accès aux informations stratégiques, ce qui les met en porte-à-faux vis-à-vis de leurs subordonnés : «*je ne leur dis plus rien de ce que j'apprends, car je ne sais jamais si ça ne sera pas remis en cause demain*» ; «*on a eu des réunions de cercles de qualité, mais on n'arrivait jamais à trouver les moyens pour appliquer les propositions qui étaient faites, alors on a arrêté*» ; «*le directeur nous demande si on a des questions, mais on n'est pas à l'aise, on ne répond pas car cela pourrait remettre en cause les gens en dessus de nous*» ; «*on le savait depuis plusieurs jours, mais on ne pouvait rien dire, et maintenant on a perdu tout crédit vis-à-vis de nos N − 1*» ; «*l'encadrement est à l'écoute du terrain, mais en haut, ça tombe dans des oreilles de sourds*» ; «*on ne peut rien faire espérer aux gens, car on ne sait jamais si la direction ne nous prépare pas quelque chose*». Les responsables opérationnels, qui ont souvent la charge de l'annonce du licenciement à des individus qu'ils encadrent, affirment particulièrement une forme de lassitude et de solitude devant le caractère récurrent des réductions d'effectifs : «*on en a assez, on aimerait faire autre chose*» ; «*là-haut, ils ne se rendent pas compte. Ce n'est pas eux qui se retrouvent avec un gars en larmes dans leur bureau*».

Localement, les responsables sur le terrain tentent de limiter les conséquences humaines et organisationnelles des restructurations : ils vont chercher à reclasser au mieux les salariés, à «*limiter la casse*». Mais pour cela, ils se sentent isolés : «*personne ne sait comment*

prendre le bébé, alors on le refile au directeur des res-
sources humaines. Et après, il n'y a plus personne »;
« les solutions humaines nécessitent du brainstorming :
ce n'est pas un homme isolé qui peut les traiter »; *« il*
faut qu'on soit des kamikazes ». Ils ont ainsi le sentiment
de ne disposer d'aucun appui dans la gestion de leurs
équipes, d'avoir à être les transmetteurs de mauvaises
nouvelles pour les uns, tout en ayant à continuer à faire
travailler les autres.

Au demeurant, ces efforts pour concilier des tensions
contradictoires ne voient à leurs yeux pas de reconnaissance : ils sont tout autant menacés dans leur propre
emploi, ils disposent de moins en moins de critères dis-
tinctifs initialement liés à leur statut de cadre, et le
déroulement de leur carrière n'est plus linéaire. Les processus de sélection à la sortie s'appliquent à toutes les
catégories de salariés et maintenant les cadres sont aussi
touchés par les réductions d'effectifs. En termes de
réduction des effectifs de l'encadrement, nombre d'entreprises pratiquent des départs « doux » de salariés les
plus chers[3], ce qui semble cohérent par rapport à une
recherche d'économies sur la masse salariale, tout en
cherchant à assurer a priori la paix sociale. Compte tenu
de leur caractère plus massif qu'auparavant, ces départs
s'effectuent moins en sourdine et on passe de licenciements dorés (transactions individuelles, incluant un
montant très élevé d'indemnités de départ et le recours
à un cabinet d'outplacement) à des licenciements clas-
siques (inscription sur un plan social, préretraites). Dès
lors, le statut des cadres ne les protège plus du licenciement et ils voient leur traitement face à la sortie quelque
peu banalisé : ils se vivent traités de la même façon que
les autres.

De plus, les pratiques de gestion des cadres apparaissent de moins en moins différenciées des pratiques de

gestion concernant d'autres catégories de salariés : les entretiens annuels d'évaluation, l'introduction d'une partie variable dans la rémunération ou encore la rémunération au forfait ont été dans bien des cas étendus aux techniciens et agents de maîtrise. Ainsi, le développement des compétences et du spectre d'activités de la « haute maîtrise » a fait émerger une zone floue, où le statut cadre se distingue difficilement. La notion de seuil entre « cadre » et « non-cadre » devient délicate : comme le souligne L. Mallet, cette difficulté « est illustrée par le fait que selon les entreprises, voire au sein de la même entreprise, certains postes très comparables sont soit en position cadre, soit en position non-cadre[4] ». Enfin, l'équation réduction des effectifs — blocage des embauches — élévation des niveaux de recrutement a eu un impact direct sur les flux de promotion des cadres : les goulots d'étranglement empêchent de perpétuer les mêmes rythmes de promotion connus au cours des périodes de forte croissance. Ainsi, souligne le directeur des ressources humaines du groupe Pointe, « *les cadres ne feront plus les mêmes carrières qu'hier* ». Finalement, ces différentes dimensions dessinent le schéma de « la fin de l'âge d'or » : « *Moins de salaires, moins de carrières, moins de perspectives…* » et moins de pouvoir d'achat[5], moins de stabilité acquise a priori avec l'obtention d'un niveau de qualification validé, moins de perspectives automatiquement ouvertes pour la génération suivante.

Dès lors, les cadres expriment une forme de malaise, qui est de l'ordre de « toujours plus, pour moins de reconnaissance ». Des directeurs des ressources humaines auxquels nous avons soumis cette hypothèse ont ainsi affirmé : « *ils ont l'impression d'être les dindons de la farce* » ; « *ils disent : on nous demande beaucoup plus et finalement, on est traités comme les autres* » ; « *ils ont le sentiment de scier leur propre branche »* ; *« les cadres sont désabusés »* ; *« les cadres éprouvent un déficit de reconnaissance »* ; *« à partir du moment où la reconnaissance du cadre est intrinsèque au statut, elle n'a pas besoin d'être travaillée. Le jugement de la qualité du travail porte beaucoup plus sur les mises en valeur de l'erreur : on lui dit "c'est mal" quand il y a un problème, et jamais "c'est bien". Moyennant quoi, il n'a plus de référence, il ne sait plus ce qu'il vaut »*. A la demande du cabinet de chasseurs de têtes Russel Reynolds, la Cofremca a réalisé en 1994 une étude sur le malaise des cadres. Verdict de G. Demuth, directeur général de la Cofremca : *« Il y a dans l'air comme un mal diffus. Tous n'en mourront pas, mais tous en sont frappés. Et ce que nous avons rencontré n'est pas la simple collection d'états d'âme individuels ou conjoncturels. »* Les symptômes décrits par les enquêteurs de la Cofremca sont multiples : *« Sentiment de s'être laissé bercer par le discours humaniste des années 80, pour n'être jugé aujourd'hui que sur sa capacité à licencier ; sentiment constant de "sortir ses tripes" pour rien. »* Ces cadres opérationnels éprouvent eux aussi le syndrome de « mission impossible », avec de plus la menace d'être toujours trahis.

Néanmoins, c'est un malaise qui ne s'exprime pas : il est invisible aux yeux des directions, et il demeure indicible pour les cadres eux-mêmes. Les états d'âme du cadre n'ont pas droit de cité.

D'après les entretiens que nous avons menés auprès de dix-sept directeurs des ressources humaines d'entreprises différentes, les directions restent enfermées dans leur représentation d'un cadre mobilisé et disponible ; elles demeurent aveugles aux états d'âme des cadres : *« la représentation que se font les dirigeants du rôle des cadres n'a pas évolué. Pour eux, le cadre reste quel-*

qu'un de dévoué à l'entreprise ; les cadres, c'est ceux qui font 2 × 35 heures et qui n'ont pas d'états d'âme » ; « à partir du moment où on a accordé le statut cadre, on dit "foutez-moi la paix" » ; « une anecdote : quand le thème du contrôle et de la réduction du temps de travail a émergé, il a été question de faire un référendum. Certains patrons de l'entreprise affirmaient : "De toute façon, les cadres ne voteront pas pour." On leur a répondu : "Ne rêvez pas." Ils n'avaient pas compris qu'un référendum constituerait une opportunité pour les cadres d'exprimer leurs frustrations accumulées .»

A titre collectif, les possibilités d'expression collective des cadres rencontrent les limites du syndicalisme cadre : la norme en la matière consiste plus en un vide de syndicalisation des cadres, même si depuis peu, quelques-uns se tournent vers le « front du refus[6] ». L'expression individuelle est fortement contrainte par l'articulation entre autonomie contrôlée et systèmes d'incitation : exprimer le malaise comporterait le risque de signifier ouvertement une non-adéquation aux critères d'évaluation, et renverrait à la menace de renvoi ou de mise au placard. Enfin, l'expression douloureuse des cadres est peut-être singulièrement impossible, compte tenu de l'image qui est projetée sur eux. Le statut de cadre semble enfermer dans le silence : « En général, la souffrance ne peut se dire : le soldat courageux et a fortiori un officier, ne peut exprimer sa faiblesse et sa peur devant l'ennemi[7]. »

Il apparaît depuis peu un symptôme de ce malaise indicible : les cadres en viennent à activer la règle de droit en matière de temps de travail. En effet, le début des années 1990 marque l'émergence d'un phénomène jusqu'alors limité à des cas isolés : l'irruption banalisée des cadres dans les permanences de l'inspection du travail. Ce recours des cadres à l'intervention de l'administration du travail renvoie directement à l'extension des processus de réduction des effectifs aux populations cadres : d'après le témoignage des inspecteurs du travail, les cadres arrivent suite à un licenciement (individuel ou économique) et déploient des dossiers incluant de multiples doléances. On y retrouve notamment : le dépassement systématique et chronique des horaires de travail (qu'ils soient hebdomadaires ou annuels), et l'impossibilité de placer les congés payés compte tenu des missions de travail ou encore des réunions assignées. Le droit du travail exige lorsqu'il n'y a pas d'application d'un «horaire collectif», c'est-à-dire en cas d'horaire variable ou individualisé, que l'employeur réalise un contrôle du temps de travail[8]. De récents rappels à l'ordre semblent introduire une brèche dans des pratiques bien établies, relevant plus d'une dérive tendancielle des dépassements d'horaires, ou du moins d'une conception du cadre sans temps, soit disponible. Ils heurtent ainsi la représentation dominante du cadre qui, devant remplir une mission et assumer des responsabilités, n'est pas seulement rémunéré pour réaliser des tâches préidentifiées et n'a a priori pas de problème de temps. Si les cadres en viennent aujourd'hui à compter leur temps, au point dans certains cas d'en activer la règle de droit en la matière, c'est peut-être parce qu'ils ont le sentiment de moins compter, ou de compter de façon moins durable. On peut ainsi penser que le temps de travail devient un référent pertinent pour les cadres qui se vivent comme un coût dont l'entreprise peut se délester à tout moment, et qui les amène à rappeler la règle de droit, à défaut de disposer en interne d'autres modes d'expression de leur malaise.

Dans ses travaux, A.O. Hirschman[9] s'interroge sur les phénomènes de déclin des organisations, et sur les processus de détérioration de la performance des firmes.

Son analyse porte essentiellement sur le comportement des consommateurs et, par extension, sur celui des agents en situation de choix alternatif. Cette grille d'analyse peut être transposée au comportement du cadre face à l'entreprise, et notamment à son choix d'implication ou non. A.O. Hirschman s'est notamment penché sur les comportement des agents vis-à-vis d'un choix alternatif, quand ceux-ci éprouvent de la défiance envers l'option jusqu'alors retenue. Dans cette configuration, explique-t-il, les agents peuvent adopter deux comportements : « exit » (l'abandon, le départ, le rejet du choix antérieur [10]) ou « voice » (l'expression de la défiance). Pour un consommateur, « exit » consistera à ne plus acheter un produit, et « voice » à exprimer son insatisfaction [11]. Compte tenu des éléments que nous avons évoqués sur l'évolution des conditions de travail et d'emploi des cadres, il apparaît que s'ils éprouvent une défiance envers leurs directions, ils n'ont que peu de moyens de l'exprimer, que ce soit en partant ou en restant. La solution « exit » est fortement restreinte par la tension chronique sur le marché du travail. La situation dégradée de l'emploi des cadres peut être considérée comme un facteur d'influence, menant à des comportements de conformité aux exigences de la hiérarchie et de l'organisation. Comme le soulignent J.G. March et H.A. Simon dans leur analyse des processus d'influence, « il existe une relation évidente entre la situation générale de l'emploi et la possibilité de choix. Plus le nombre de chômeurs est grand, plus faibles seront les possibilités perçues d'alternatives à la participation [12] ». La solution « voice » (soit la prise de parole ; l'expression du malaise, des rancœurs, des récriminations) semble restreinte ou, du moins, peu efficiente, et ceci d'autant plus que le crédit de la solution « exit » est lui-même limité [13].

Dès lors, explique A.O. Hirschman, la prise de parole

et la démission étant fortement contraintes, l'agent se voit acculé à adopter un comportement de repli sur soi, de «non-participation» («loyalty»), qu'il définit comme étant l'attitude exprimant le plus pleinement l'essence de l'incertitude en situation de dépendance asymétrique, à savoir la pure défiance, sans proposition de solution alternative. La «non-participation», qui consiste à ne pas émettre de contradictions directes, se retourne par défaut en une forme de participation à l'entretien du système. Les cadres expriment par exemple des formes de refus de prise de risque : «*Moi, j'ai compris* [affirme un responsable de la comptabilité], *maintenant, je respecte le budget, point. Il vaut mieux être stupide plutôt que d'entrer dans le collimateur du patron. Tant pis si après plusieurs mois, on s'aperçoit que j'ai coupé dans des dépenses vitales.*»

Par contre, devant les mesures de réduction des effectifs, ils déploient bien souvent des trésors de diplomatie pour parer aux difficultés ; ils arrangent localement la gestion des conséquences individuelles et organisationnelles des décisions prises et s'appuient pour cela sur leur propre réseau relationnel. La nature de ces arrangements locaux [14] dépend des régulations locales et des acteurs en place : «*ce que l'on peut faire… ça dépend des patrons en place*» ; «*moi, j'arrive à négocier des bonnes modalités de départ avec mes supérieurs parce que j'ai des syndicats puissants*». De tels arrangements sont par définition aléatoires : ils reposent sur des combinaisons contingentes des individus impliqués, dans un lieu donné et à un moment donné. Ces arrangements demeurent cloisonnés : ils ne sont pas transférables d'une situation à une autre, voire ils ne peuvent être reproduits par les mêmes individus. Ils supposent donc pour leurs initiateurs de longs efforts, sans garantie d'aboutissement, ni de stabilisation.

Henri Vacquin, sociologue d'entreprise, tire une conclusion de ces observations répétées : « *Le pire accident du travail aujourd'hui est de se trouver en situation de diriger.* » Car le pire accident du travail est de se trouver en situation de répondre à des injonctions qu'on ne valide pas forcément ; d'avoir à prendre des décisions que l'on peut vivre comme néfastes ; et finalement, d'avoir à animer des équipes dans cette perspective négative.

CHAPITRE 12

Morcellements, cloisonnements, méfiances : que reste-t-il de l'entreprise ?

« Ainsi la maladie qui, apparemment, avait forcé les habitants à une solidarité d'assiégés, brisait en même temps les associations traditionnelles et renvoyait les individus à leur solitude.
Cela faisait du désarroi [...]
Les légendes qu'on rapportait au sujet des enterrements n'étaient pas faites pour rassurer nos concitoyens [...]
La société des vivants craignait à longueur de journée d'être obligée de céder le pas à la société des morts [...]
Toute la ville ressemblait à une salle d'attente [1]. »

En perdant son emploi, l'individu perd son apparte-nance à une tribu... mais dans son emploi, a-t-il vrai-ment le sentiment d'appartenir à la tribu-entreprise — à la même que tous les autres — dont il partage le mythe dominant ? La tribu-entreprise est éclatée en son sein, tiraillée par des enjeux individuels divergents, où se manifestent différentes formes de « sauve-qui-peut », telles que P. Lagadec en envisage le mécanisme d'apparition : « Il faut aussi envisager des processus de désaf-filiation brutale, lorsque les membres d'un groupe res-sentent soudain un risque personnel non compensé par une protection de groupe ; il s'ensuit alors une logique de "sauve-qui-peut" [...] Apparaissent alors brutalement tous les aveuglements qui avaient permis de masquer les illusions du groupe. Le même désengagement s'opère lorsque le leader n'inspire plus suffisamment confiance[2]. » L'entreprise qui réduit de façon répétitive ses effectifs devient une tribu où les rites mortuaires sont éloignés, où les blessés sont mis à distance et où les res-capés ressentent en permanence le poids du sursis.

Ces observations révèlent la rupture entre l'entreprise et les individus qui la composent, et la rupture au sein même des collectifs de travail. Nous reprendrons pour ce qui suit, soit des témoignages recueillis dans des cir-constances très diverses[3], soit des témoignages recueillis par d'autres[4], soit des éléments qui ont émergé de façon incidente lors d'études de terrain[5]. Nous avons notam-ment participé à une enquête qualitative sur la base d'en-tretiens, menée dans les services de l'inspection du tra-vail[6], afin de faire un point sur l'état des lieux des solidarités collectives au travail. Il en ressort que la soli-darité apparaît tributaire de l'emploi : la menace de sa perte éclate la communauté de travail et bloque l'action collective.

En parallèle aux pratiques de réduction des effectifs, les grandes entreprises ont développé des méthodologies de gestion prévisionnelle des emplois et des compé-tences (GPEC). La cohabitation de plans de réduction des effectifs et de plans de développement des emplois et des compétences rend ces derniers suspects aux yeux des salariés : les premiers viennent polluer la crédibilité accordée aux seconds, et ce d'autant plus qu'ils mobili-sent des outils similaires. La formation est perçue comme un danger de reclassement externe, les mobilités sont vécues négativement, ou encore les entretiens d'évaluation sont suspectés d'être autant de moments de sélection des salariés licenciés. Dans une entreprise de la métallurgie, nous avons observé que cette tension entre les discours de la GRH et les processus de réduction d'effectifs avait engendré une réticence de la part des salariés non cadres à partir en formation. Le raisonnement étant le suivant : « *Si j'accepte une formation, je vais devenir facilement employable à l'extérieur et je serai sur la prochaine charrette.* » Dans un grand groupe de services, les mobilités internes sont aujourd'hui vécues négativement : « *On a joué au mistigri avec la mobilité, les chefs de service ont essayé de se débarrasser de certaines personnes en interne et maintenant, on a fusillé la mobilité.* » Quand le directeur des ressources humaines de l'entreprise évoque les comités mobilité, il affirme : « *c'est la foire aux bestiaux* », et un cadre commente : « *on nous déplace comme des pions d'un poste à l'autre sous prétexte qu'on a une clause de mobilité dans notre contrat.* » De même, les entretiens annuels apparaissent au mieux comme un exercice formel qui ne donne pas lieu à un débat sur l'évolution professionnelle, voire comme un moment d'élaboration de critères de sélection [7]. Pour les cadres de l'entreprise Pointe, « *après deux ans c'est stable, on reproduit les mêmes croix dans les mêmes cases* » ; « *je n'ai aucun retour dessus et personne ne sait me dire* ». Pour des techniciens de la même entreprise, « *quand on nous a fait passer des entretiens d'évaluation, c'était pour mieux préparer les listes* ».

Dans telle entreprise, une fois l'entretien préalable au licenciement effectué, il est exigé du salarié de ne plus réapparaître à son bureau, de rendre son badge et de se diriger vers l'antenne emploi ou le cabinet d'outplacement situé hors des locaux de l'entreprise. Un cadre ayant vécu cette situation raconte : «*Je ne comprenais pas pourquoi on n'avait plus besoin de moi. Je suis revenu le lendemain au bureau. Il était fermé et la serrure avait été changée. Je me suis installé dans le couloir. Je voulais surtout que l'on m'explique pourquoi je n'étais plus utile. Tout le monde me regardait bizarrement mais mes collègues ne m'adressaient plus la parole. Le deuxième jour, un dirigeant est venu me chercher et m'a demandé combien je voulais pour ne plus revenir dans les couloirs. Ce n'est pas ce que je demandais mais j'ai accepté.*» Or, comme le souligne M. Douglas, les rites mortuaires remplissent une fonction essentielle : celle d'assurer la survie de la communauté [8]. Si l'existence de rites mortuaires intervient dans le maintien de la communauté, on peut se demander à l'inverse si leur occultation ne participe pas de sa dislocation : en évitant tout contact avec les blessés, on laisse planer le spectre de la mort. Dans tous les cas, au vu de ce que venons de mentionner, on peut considérer «ceux qui restent» comme des rescapés en sursis et non pas, par exemple, comme des survivants victorieux.

Lors de l'étude menée au cours de l'été 1996 dans un établissement industriel, après une grève ayant duré près de trois semaines, nous avons en premier lieu demandé aux salariés interviewés [9] quels avaient été les faits marquants rencontrés par leur entreprise depuis dix ans. Ils ont à l'unanimité fait référence à la série des plans sociaux, et particulièrement à la façon dont ils ont été gérés. A l'inverse, les autres événements ayant marqué l'histoire de l'usine et qui nous avaient été racontés par la direction semblent les avoir peu marqués. Quand nous avons fait allusion à certains d'entre eux (politiques de changement, modifications dans l'organisation du travail), les réponses obtenues ont été très évasives et ont comporté des erreurs chronologiques. La mémoire des salariés est sélective : elle semble s'être cristallisée sur les plans sociaux, quelles qu'aient été les politiques managériales menées au cours de ces mêmes années. Dans ce même établissement, une des annonces de plan social a laissé des traces douloureuses pour tous. Les chefs de service racontent comment *«un an avant, on nous a demandé d'appliquer les entretiens annuels d'évaluation auprès des ouvriers. On a rempli les fiches, on n'a jamais eu de nouvelles, et un an après, les listes sont tombées ; on a eu le sentiment de s'être faits avoir ; après, comment voulez-vous que l'on récupère ça ? ».* L'annonce du plan social a en outre été précédée d'une menace de réduction de salaire de 10 % : «*c'était y licenciements ou moins 10 %*» ; «*quelque temps avant, ils avaient voulu baisser les salaires de 10 % et on avait refusé, alors, c'était une petite vengeance*». Les modalités mêmes de l'annonce des salariés en sureffectif ont été vécues comme relevant d'un autoritarisme violent : «*les agents de maîtrise sont descendus dans les ateliers un vendredi à 11 h ; ils sont passés dans les chaînes et ils ont dit "toi", "pas toi", "toi", "pas toi"… ceux qui étaient désignés devaient monter dans les bureaux pour avoir l'entretien*» ; «*il y en a un, on lui a dit "pas toi" le matin, et l'après-midi, le chef est redescendu et il lui a dit "toi aussi"*» ; «*il y avait une tension terrible dans l'atelier, on n'a pas compris*». Les critères de licenciement ne semblent pas avoir été compris et introduisent des suspicions : «*ça a été très sec, il n'y avait aucun critère clair de licenciement*» (un agent de maîtrise) ; «*les chefs donnaient des noms à la tête du client*» (un ouvrier) ; «*mon frère était sur la liste, je n'ai pas compris : il n'était jamais absent et il avait une famille à charge*» (un ouvrier) ; «*ils ont tout cassé, c'était diviser pour mieux régner*» (un ouvrier). Moyennant quoi, les salariés ont intériorisé le fait qu'ils étaient tous menacés, quel que soit leur comportement au travail. Tout signe est interprété comme une menace pesant sur l'emploi, voire comme une forme de malveillance patronale : « *Maintenant, on a l'impression que le parc machine est trop important pour l'usine, on n'a plus assez de travail et on a le sentiment qu'on organise le dégraissage.* »

L'arrivée d'auditeurs est de la même façon vécue comme une menace. Pour un directeur d'usine, « *quand le groupe les envoie, c'est soit que ça ne va pas, soit qu'il va encore falloir faire mieux* ». Cette défiance vis-à-vis des auditeurs est partagée par les autres salariés : « *ils arrivent avec leurs tableaux à remplir, leurs cheminées rouges et leurs cheminées vertes, ils se baladent partout et d'habitude, c'est mauvais signe* » ; « *quand ils débarquent avec leur costume gris, c'est qu'on va nous annoncer quelque chose peu de temps après* ». Cette perception d'intervenants externes annonciateurs de mauvaises nouvelles s'est d'ailleurs souvent ressentie lors de nos propres interventions. Ainsi, les débuts d'entretiens sont souvent marqués par des questions du type : « *Vous venez faire un audit, ou quoi ?* », nécessitant un exposé détaillé de la démarche de l'étude. Hormis ceux qui affirment venir pour avoir l'occasion d'exprimer ce qu'ils n'ont jamais l'occasion de dire, la plupart des salariés rencontrés étaient sur la réserve et quelques-uns ont clairement exprimé leurs craintes : « *Il y a beaucoup de gens qui ont refusé l'entretien, j'ai peur.* »

Les rescapés d'un plan de restructuration ont le sentiment d'être en sursis et ressentent en permanence le poids — même s'il n'est pas toujours directement exprimé comme tel — de ce que l'on pourrait appeler un « chantage à l'emploi » (« *si vous n'êtes pas content, la porte est ouverte* [10] »).

A nouveau, comme dans d'autres situations que nous avons évoquées, cette méfiance ne peut pas se dire. Bien au contraire, les salariés d'un établissement industriel expliquent comment il s'agit d'apprendre à se taire, par peur des représailles : *« on est bons à ne rien dire »*, *« si vous dites ce que vous pensez, on vous coupe l'herbe sous le pied »*, *« ici, on progresse quand on est mouchard »* (des ouvriers). *« La situation est bien pire aujourd'hui, car les gens ont peur de perdre leur emploi uniquement s'ils donnent un point de vue ou s'ils revendiquent leurs droits »* affirme un agent de maîtrise. De même, les menaces (ou les sentiments de menace) envahissent les relations de travail : pour les ouvriers, *« quoi qu'on fasse, on se sent coupable »*, *« si on parle dans les couloirs, on se sent en faute »;* pour un agent de maîtrise, *« il faut toujours louvoyer, il faut sortir le petit cahier où on prend des notes sur les gens »*.

Dans un tel contexte, le recours au conflit collectif apparaît quasiment impossible. Ainsi, la grève de la fonction publique de novembre-décembre 1995 [11] amène —au moins — deux natures d'analyses : les revendications des grévistes, ancrées dans la conservation des avantages acquis (statut, rémunération, retraite), révèlent fondamentalement une angoisse de « privatisation du statut de fonctionnaire », qui est vécue a priori comme une menace. En outre, on a pu observer un phénomène de « surinvestissement » des salariés du secteur privé pendant la grève. Le directeur des ressources humaines d'une des entreprises que nous avons étudiées nous a raconté : *« Ils sont tous venus, malgré les heures de déplacement, quitte à dormir sur place ou à marcher des heures... cela en était gênant. »* La secrétaire a commenté une fois le directeur des ressources humaines parti : *« Vous comprenez, il faut que l'on apporte en permanence la preuve de notre nécessité... alors, si on n'est pas là et que le service arrive à fonctionner sans nous, on risque de supprimer notre poste. »* Là encore, l'expression du malaise ne s'exprime pas comme tel : on ne peut pas — on ne sait pas — dire.

Finalement, « le silence sur les mots pour le dire explose en maux [1][2] ». Les médecins du travail témoignent [13] et affirment que leurs « *consultations laissent de plus en plus place à la confession* ». Ils observent de nouvelles formes de pathologie au travail (« *pathologies psychiatriques et d'états dépressifs réactionnels : hypertension artérielle, états de choc, etc.* »), notamment liées à la coexistence formes différenciées d'emploi.

Ces éléments sont à nos yeux autant de symptômes de crispation : crispation sur ce qu'il reste de sécurité pour les uns, crispation angoissée sur un emploi fondamentalement considéré aux yeux de tous comme précaire.

Le travail réalisé par les sociologues I. Francfort, F. Osty, R. Sainsaulieu et M. Uhalde sur les mondes sociaux de l'entreprise a récemment dressé un tableau des types de construction identitaire au travail. Il souligne en particulier le « déclin du modèle communautaire » : « Aujourd'hui, la communauté s'est diluée. En témoignent l'importance des discours structurés autour d'un "avant", évoqué avec nostalgie, et d'un "à présent". Les sociabilités sont désormais restreintes à des microcollectifs de travail. On évoque à plusieurs reprises l'existence de clans et l'atomisation des relations de masse [14]. » Leur recherche met en avant le développement de nouvelles formes d'identité au travail (le modèle de la mobilité, le modèle entrepreneurial, par exemple). Compte tenu de la perspective que nous avons adoptée, c'est l'éclatement communautaire qui nous est apparu le plus flagrant, laissant la solidarité livrée au seul tribut de l'emploi.

Dans l'établissement industriel mentionné plus haut, les salariés évoquent les éléments du passé — qui apparaît donc révolu — avec nostalgie. Par exemple, ils citent avec émotion la journée portes ouvertes d'il y a près de dix années : «*à la journée portes ouvertes, on était fiers de notre usine*»; «*il y avait une implication très forte de tout le monde, tous les gens venaient avec leur famille*». Ils soulignent une détérioration globale de l'ambiance, qui s'argumente à la fois des relations de travail, de la production, des directions et de l'emploi : «*il y a dix ans, quand on venait au travail, on ne questionnait pas l'avenir*»; «*c'était plus familial, convivial, il y a maintenant un manque de vie sociale dans l'entreprise et l'identité de l'entreprise se perd*»; «*avant, on était contents de venir*». Ils déplorent une détérioration des relations de travail : «*il y a dix ans, quand on venait au travail, on ne questionnait pas l'avenir*» (un agent de maîtrise); «*c'était plus familial, plus convivial, il n'y a plus de vie sociale parce qu'on a peur*» (un ouvrier); «*il y avait une unité des gens qui ne se retrouve plus*» (un ouvrier). Ils expriment une nostalgie des patrons d'antan : «*il était très autoritaire, mais quand il disait quelque chose, les cadres suivaient*»; «*il était main dans la main avec le siège qui le soutenait*» (deux cadres).

Les entretiens menés avec les salariés laissent de même émerger des suspicions réciproques : certains sont suspectés d'avoir pris l'emploi des autres ou de vouloir le prendre; d'autres sont accusés de «ne pas faire leur boulot». Cette entreprise a embauché des jeunes en contrat de qualification, en contrepartie de préretraites FNE. Pour les anciens, «*ils ont piqué la place des P1*»; «*les contrats de qualification, on leur a mis dans la tête qu'un jour ils seront chefs, alors ils ont un comportement différent*»; et pour les jeunes, «*les anciens nous ont mal acceptés; on allait prendre leur place*». Les salariés de Cigogne font de même état des effets de l'individualisation de la gestion des carrières sur le comportement de

leurs chefs : «*ils sont plus carriéristes que professionnels, avant c'était le contraire*»; «*nos chefs passent et
refont tout à chaque fois*»; «*maintenant quand une personne change, tout change*»; «*ils travaillent pour eux-
mêmes tandis que nous on travaille pour Cigogne*».

De même, les syndicats, la direction et les salariés se
renvoient dos à dos le sentiment d'impuissance face à
l'enchaînement des plans sociaux. Pour les salariés,
«*lorsqu'on arrive à se mettre d'accord dans l'atelier,
souvent les syndicats se servent de nous pour régler
leurs comptes avec la direction, et tout bloquer*»; «*les
syndicats se sont fait blouser plus d'une fois*»; «*les
gens voudraient que les syndicats soient unis pour des
choses importantes*». Pour la direction, «*les syndicats
utilisent des arguments bidons*»; «*quand on leur propose de signer un accord, ils n'en veulent même pas*»;
«*ils n'ont pas de projet*». Et pour les syndicats, «*la direction nous reçoit quand elle a besoin de nous pour faire
passer la modulation horaire, par exemple*»; «*en haut
lieu, on nous répond "ce n'est pas nous", et le directeur
d'usine dit : "je ne fais que suivre les objectifs"*».

Dans le même ordre d'idée, les tentatives de partenariat entre PME sous-traitantes de la vallée de la
Maurienne se heurtent à la tentation permanente de
«repli sur soi». Compte tenu de des contraintes de développement que connaissent les PME sous-traitantes, des
expériences de regroupement ont germé, dans l'objectif
de pallier le problème de taille critique auquel sont
confrontées les PME lors de réponses aux appels d'offres
(«*on avait la bonne taille pour ici mais les autres font
des appels d'offres pour des gros contrats et nous, on est
trop petits*»). Mais ces tentatives de regroupement n'ont
que peu porté leurs fruits : «*On s'est regroupés à 7 dans
une structure, pour offrir des prestations complètes, chacun avec notre métier, mais pour le moment on n'a rien*

décroché. » D'après des observateurs extérieurs, cette tentative de partenariat entre sous-traitants est régulièrement remise en cause par le poids de la pression concurrentielle : « *ils cherchent tous des nouvelles affaires alors, quand il y a eu un appel d'offres global, ils ont répondu tous ensemble et quelques-uns ont répondu de leur côté. Résultat, c'est quelqu'un de l'extérieur qui l'a eu et personne n'a compris* » ; « *c'est un sujet très difficile : ce regroupement se heurte à des problèmes de confiance et de circulation des informations et aussi de solidarité : ceux qui sont plus avancés dans leur développement n'ont pas envie de se traîner les autres* ». Ainsi, l'introduction de nouvelles pratiques d'achat des donneurs d'ordres a non seulement déstabilisé les relations entre donneurs d'ordres et sous-traitants, mais aussi les modes de coordination entre sous-traitants. Là aussi, on est passé d'un mode de régulation du marché local par le biais d'accords tacites et reconduits (ex. : la répartition des zones d'action) à une situation de luttes de territoires, chacun jouant la carte de sa survie.

L'ensemble de ces symptômes traduit un affaiblissement de la régulation légitime ; comme l'explique J.D. Reynaud, « les règles n'ont de légitimité qu'autour d'un projet [15] ». Or justement, le seul projet proposé, ou du moins celui qui polarise l'angoisse de tous, est destructeur pour ceux qui se voient menacés dans leur emploi (aujourd'hui ou à terme), comme pour ceux qui participent de cette destruction.

Les entretiens ont traduit un fort désenchantement des salariés — y inclus des cadres — vis-à-vis de l'entreprise. Si comme le suggère C. Dubar [16], c'est la capacité des individus à affronter les défis du système qui définit leur identité, cette dernière ne peut être aujourd'hui que mise à mal, dans la mesure où les individus se heurtent aux paradoxes du système ; où ils se voient scier la branche sur laquelle ils sont assis. Si c'est dans le rapport à l'autre que l'identité de l'acteur social se construit, les rapports apparaissent ici fortement entachés de défiance réciproque, et c'est une défiance qui se diffuse verticalement (dans les relations de subordination) et horizontalement (entre pairs).

Dans ce système de tensions extrêmes où les individus éprouvent de la défiance envers l'ensemble de l'organisation et de ses règles, le déficit chronique de reconnaissance les entraîne dans une lutte de symboles. La course à la flexibilité introduit de nouvelles lignes de démarcation au sein même de l'entreprise : il y a ceux qui sont dans les cercles de décision et ceux qui ne sont que des exécutants de décisions auxquelles ils n'adhèrent pas forcément ; il y a ceux qui travaillent et ceux qui ne jouent pas leur rôle ; il y a ceux qui gagnent et ceux qui perdent. Quant à la construction d'une identité collective, elle apparaît quasiment interdite dans cette entreprise en guerre avec elle-même : les intérêts de chacun étant morcelés, les mouvements de défense collective et de prise de parole sont brisés.

Ces éléments traduisent une situation d'anomie, où la solidarité est éclatée. Or, comme le souligne J.D. Reynaud, « l'anomie rend plus difficile et plus incertain l'accord entre les individus [...] à supposer qu'un accord paraisse, il est moins stable et moins assuré » ; « chaque individu est plus seul et les liens sociaux qui l'attachent sont plus faibles ». C'est ainsi qu'émerge une crise identitaire, d'autant plus forte que l'identification à l'entreprise est de moins en moins possible.

Conclusion

« *Sauve qui peut* », *l'apprentissage est-il possible ?*

L'allégement de l'entreprise vise à répondre à une situation de guerre économique mondiale face à laquelle elle dispose de peu d'alliés. L'entreprise a incorporé la menace externe, devenue endogène : elle a retourné l'agression contre elle-même, elle se vit en situation de guerre et elle est entrée dans une course sans fin à l'armement. La guerre auxquelles se livrent les entreprises fait des victimes, et il faut en argumenter la nécessité. Dès lors, la proclamation de l'état de guerre devient nécessaire à l'exécution des réductions d'effectifs. Autrement dit, pour protéger l'action contre le scepticisme, il faut la justifier et désigner un ennemi interne ou externe à l'entreprise, dont on montrera qu'il s'emploie à compromettre la réussite de l'entreprise, et en « inventant [1] » l'ennemi, on lui donne une réalité contre laquelle il s'agit maintenant de se battre. C'est une guerre qui dure, dont les protagonistes n'entrevoient pas le terme, et dont l'objectif s'est perdu de vue. Or, « la victoire est l'objectif principal de la guerre. Si elle tarde trop, les armes s'émoussent et le moral des troupes s'effrite [...] ce qui est essentiel dans la guerre c'est la victoire, et non les opérations prolongées[2]».

On n'observe pas de processus d'apprentissage[3] ; ils ne sont pas applicables dans les situations de détresse et d'emballement des processus de décision en matière de gestion des effectifs, tels que nous les avons observés. L'étalon de mesure «effectifs» est devenu un référent largement partagé, qui n'apparaît pas dépendre du secteur d'activité ou du profil de l'entreprise et qui devient l'objet de toutes les comparaisons. Avec ce courant de l'entreprise allégée, la recherche a priori de souplesse et de réactivité, dont un des leviers d'action privilégié est la réduction des effectifs, semble concerner maintenant toutes les formes d'organisation. Et pour combattre efficacement l'ennemi, il faut se doter des outils les plus performants, qui sont autant de surenchères à ceux dont disposent les autres, mais qui en aucun cas ne viennent entamer le processus lui-même de décision de contraction des effectifs, quitte à se retrouver en situation de «sous-effectif». Ces situations d'emballement posent la question de la possibilité ou non de l'élaboration d'alternatives. Les coûts induits des réductions d'effectifs sont cachés et les transformations organisationnelles éventuelles ne permettent d'afficher ni les résultats escomptés, ni ceux anticipés par les agents économiques. L'élaboration d'alternatives est non seulement fortement contrainte mais, de plus, sa pensée est d'emblée évincée sous le poids du référent dominant. Les données qui pourraient venir interroger la reconduction de la décision de réduction des effectifs ne sont pas considérées : on observe un phénomène de «cécité localisée[4]». Autrement dit, il ne peut y avoir d'essai puisqu'il n'y a pas d'erreur identifiée ; l'erreur n'est pas intégrée dans le raisonnement. Le seul espace d'apprentissage concerne les savoir-faire en matière de gestion des sureffectifs, soit les modalités de mise en œuvre de la décision : la décision elle-même n'est pas interrogée et l'entreprise travaille à construire des argumentaires de plans sociaux, à développer des partenariats, à accroître la polyvalence de ses salariés, à mettre en place des structures de reclassement et de mobilité. Exposer cet emballement nous amène à regarder la « réduction des effectifs fin en soi » comme une construction (une interprétation) idéologique de la réalité, c'est-à-dire comme une construction qui ne remet jamais en cause les prémisses de sa réflexion[5]. Les processus de décision sont alors régis par un mouvement de spécularité, par définition illimité et débouchant sur une radicale indécidabilité[6]. Pourtant, c'est une indécidabilité particulièrement déroutante, dans la mesure où, en termes de mise en œuvre de la décision, l'entreprise donne à voir sa cohérence, mais c'est derrière une multitude de décisions qui pour partie la dépassent. Nous estimerons que l'existence répétée et argumentée de décisions de réduction des effectifs est principalement le signe d'une fuite en avant des processus de décision, où les finalités sont oubliées.

Les mécanismes de décision sont froids et mercantilisés (tout est question d'objectifs, de coûts, de rendements, d'efficacité, de ratios). Néanmoins, si les processus décrits retracent l'histoire des mécanismes de prise de décision, cette même histoire devient extrêmement vertigineuse si l'on considère les effets de sa mise en œuvre sur les acteurs eux-mêmes. Il s'agit certes d'une fuite en avant, mais de plus le caractère spéculatif de ces décisions remet en cause les règles du jeu social de l'entreprise, et du jeu social de l'entreprise dans la cité. Dès lors, il s'introduit une disjonction entre les effets de système — auxquels les individus participent — et le monde vécu — que les mêmes individus subissent. Cette rupture entre ce que l'on fait et ce que l'on comprend accule au déni, voire à la schizophrénie[7]. Les acteurs sont pris entre les deux feux de la rationalisation des réductions d'effectifs dans leur entreprise, et des effets du chômage dans la cité, tétanisant leur capacité de penser. C'est peut-être cette clef d'analyse qui permet de comprendre pourquoi la question des mécanismes de licenciement n'était pas directement posable au cours de la recherche : une telle question s'adressait au système — la détermination du sureffectif — alors que les acteurs rencontrés étaient eux-mêmes pris et voulaient nous parler de leur interrogation sur leur monde vécu — où mènent les processus de réduction des effectifs ?

Or, dans les configurations que nous avons étudiées, il n'existe ni de constitution d'espace public[8], ni de processus de prise de parole, et la violence mimétique n'est pas enrayée. Le débat porte sur les modalités de mise en œuvre d'une décision qui n'est pas interrogée ; d'une décision que les acteurs ne s'autorisent pas à interroger, du moins publiquement. Dans cette situation de désarroi et de dérégulation sociale, les individus sont pris dans des enjeux de survie et ne trouvent pas d'espaces pour exprimer leur défiance ; les institutions n'arrivent plus à remplir leur fonction de régulation. Quand J.M. Keynes étudie l'instabilité économique, il la réfère non seulement aux processus de spéculation, mais de plus au fait que les dynamiques de polarisation des anticipations négatives ne permettent pas aux individus d'accéder à l'optimisme nécessaire à la prise d'initiatives[9]. A cause du désarroi sociétal que suscite la réduction répétée des effectifs aujourd'hui, la course à la flexibilité ne peut pas accéder au statut de convention stabilisée. Et elle échoue à donner du sens au choix des acteurs. Elle échoue à susciter la confiance nécessaire à la prise de risques. Or justement, dans les processus spéculatifs, le même mécanisme est à l'œuvre dans l'enclenchement de la crise et dans sa résolution : sur les marchés financiers, la bulle spéculative éclate de la même façon qu'elle a gonflé [10]. Autrement dit, les mécanismes spéculaires de la crise sont ceux-là mêmes qui permettent d'en sortir. Mais l'idée même de la panique engendre la panique : la panique est une représentation auto-réalisatrice, qui est soumise aux mêmes processus qui ont engendré la crise. Et finalement, les experts sont tout autant démunis à prévoir la crise qu'à prévoir son retournement car justement, elle obéit à la panique, par définition imprévisible.

Il deviendrait alors nécessaire de penser ce qui s'opère, de repenser l'événement, mais la défiance se diffusant auprès de l'ensemble des acteurs, nommer revient à mettre en danger sa propre survie. Personne ne peut admettre le caractère mécaniste et inéluctable des réductions des effectifs, car personne ne peut admettre que cette entreprise qui est devenue une institution primordiale de la construction du lien social et de l'identité des individus puisse ne plus l'être ou, du moins, puisse ne plus être l'unique. Dès lors, il n'est d'autre issue que de penser la réduction des effectifs comme le résultat incontournable de contraintes puissantes. Moyennant quoi, il devient impossible de penser que l'entreprise puisse adopter un comportement différent. L'horreur même de cette condition impose à tous une sorte de retenue. Non seulement les individus ne disposent que de peu de moyens d'action pour exprimer leur défiance (ils se sentent menacés) mais, de plus, ils ne peuvent admettre que cette défiance puisse être exprimable, car une telle expression reviendrait à reconnaître l'éventualité de leur propre mortalité. Et derrière ces mécanismes d'occultation ou de déformation, il n'y a pas de capacité d'organiser la pensée et la représentation collectives : les processus de réduction des effectifs ne peuvent être qu'inéluctables ; ils ne peuvent qu'être liés à une lutte acharnée contre un ennemi redoutable et menaçant. Ce qui ne fait que renforcer le sentiment d'incertitude [11]. Et on ne peut pas organiser de représentation du futur : les agents économiques intègrent le fait qu'ils ne peuvent pas établir de mesures qualitatives du futur, des effets des décisions prises.

Devant cet inconnu inévitable, les capacités à être acteur se réduisent à des arrangements locaux, qui nécessitent de longs efforts et qui demeurent relativement imperméables à toute diffusion. Dans les bassins d'emploi, on peut observer des formes d'innovation socio-économiques, visant à concilier contraintes de flexibilité et sécurisation des travailleurs ou permettant le développement sous forme d'emploi, de nouvelles activités. Des associations multiples en sont souvent porteuses. Des missions locales jeunes, des comités de développement de bassin, des rassemblements d'employeurs ou des associations à but non lucratif élaborent des montages complexes permettant de répondre à des demandes locales, tout en inventant de nouveaux statuts pour des travailleurs [12]. Des adaptations irréductiblement locales et éparses émergent ainsi, mais qui ne sont pas captées — voire qui sont niées — par les niveaux politiques de décision : elles restent globalement inconnues en dehors des lieux où elles se développent et, a fortiori, elles ne peuvent être considérées comme des expérimentations à diffuser. Elles se heurtent en outre bien souvent à un système de protection sociale et de politique de l'emploi conçu à l'origine pour un modèle unique : le salariat à temps plein. De tels arrangements avec le système, réalisés par des acteurs — ou des groupes d'acteurs — isolés, s'appuient alors sur des réseaux précaires dont la stabilité est soumise à de nombreux aléas. Mais c'est peut-être ainsi que le système demeure à peu près viable de façon individuelle et collective, malgré le système.

Analyser les processus de réduction des effectifs nous a ainsi amenée à décrire un système qui se reproduit à vide et qui dès lors ne permet pas l'élaboration d'alternative. Les processus de décision se focalisent sur une optimisation des moyens à mettre en œuvre, à défaut d'organiser des stratégies d'ensemble. Il n'est pas nouveau d'observer des processus de décision qui ne peuvent tenir compte de l'ensemble des éléments et des interactions dans un système complexe : de tels processus comportent toujours en eux-mêmes leurs propres limites. Le problème est bien plus que les données oubliées et les effets de système inhérents aux processus de décision provoquent des effets sanglants. On peut éventuellement accepter que les systèmes de décision soient irrémédiablement imparfaits ; mais, concernant l'emploi dans un contexte de crise sociétale, de telles failles deviennent particulièrement inconvenantes. Ce qu'introduit la décision de réduction des effectifs, c'est qu'elle fait mal. On passe de l'erreur indicible à la faute innommable.

Dès lors, que pourrait par exemple signifier le fait qu'un jour, un dirigeant fasse opérer une analyse a posteriori d'une décision de réduction des effectifs et par suite annonce : « Les données actuelles montrent que les critères sur lesquels nous avons antérieurement fondé notre décision sont à réviser ; nous allons donc travailler à remettre en adéquation nos critères de décision avec nos buts actuels » ? Concernant les décisions en matière d'emploi, un tel questionnement semble absent. Nous l'avons vu, la flexibilité de l'emploi comporte cet atout formidable d'introduire une réversibilité possible de la décision, soit d'intégrer la possibilité d'un retour en arrière par rapport à une décision antérieure. Elle vient donc alimenter une forme de flexibilité des décisions. Elle dissimule néanmoins une déficience de flexibilité dans les processus de décision, soit l'introduction d'une réinterrogation possible des critères antérieurs de la décision. C'est peut-être sur cette défaillance des capacités d'apprentissage décisionnel que la fuite en avant est la plus saisissante, revêtant pour sa partie visible la forme d'une quête de flexibilité de l'emploi. La décision de réduction des effectifs affiche tous les attributs d'une décision, dans la détermination qu'elle affiche et dans les résolutions qu'elle prend. Mais cette couverture occulte un déficit de travail de délibérations sur les fondements de la décision et le mécanisme de répétition à l'identique d'un modèle type de décision peut alors être considéré comme un substitut de l'élaboration stratégique.

La contrainte marchande existe et se répercute en de multiples lieux : il ne faut pas négliger la puissance de cette contrainte ni ses effets sur la régulation sociale. Mais encore faut-il caractériser finement la réalité de la contrainte marchande et de ses conséquences sur les systèmes socio-productifs, dans ses spécificités, afin de dépasser la seule assertion passe-partout de « c'est à cause de la concurrence, de la mondialisation et de la globalisation » : la contrainte marchande ne s'exprime pas exactement de la même façon suivant les configurations d'entreprises, qui méritent des analyses et donc des dispositifs d'action établis « sur mesure ». C'est à cette condition qu'il pourra apparaître un vaste champ du possible en matière de performance et de conditions de la flexibilité, dépassant alors la solution standardisée du couple rentabilité financière — réduction des effectifs. Pour la part de l'économique, un des enjeux majeurs des entreprises consiste en un accroissement de leurs leviers de flexibilité et ceci ne semble pas connaître pour l'heure de limites. Un tel mouvement induit une redéfinition permanente des contours de l'entreprise, de l'organisation du travail et de la relation contractuelle. Et derrière, dans bien des configurations, ce sont les individus qui constituent le dernier maillon de cascades de recherche de flexibilité et qui, finalement, se trouvent isolés dans l'emploi ou face à l'emploi. Dès lors, ne s'agit-il pas pour « le social » d'inventer des modes de régulation permettant de concilier exigence de flexibilité et protection individuelle ? Dans cette perspective, on peut certainement penser un renouveau des formes d'organisation et de travail, qui passerait par une prise en compte des relations interentreprises, et entre l'entreprise et ses bassins d'emploi. Ce qui invite dès lors à « repenser le local » pour repenser des formes d'organisation. Les spécificités locales existent ; des acteurs épars cherchent à faire bouger le système malgré le système ; et finalement, du lien de proximité existe et peut être ravivé.

On se situe dans le cadre étudié par K.E. Weick lors du Mann Gulch Disaster[13] : en analysant cette catastrophe (la mort de pompiers dans un incendie jugé au départ anodin), K.E. Weick montre que la vulnérabilité des organisations face aux crises est forte, quand s'effondrent à la fois le sens de ce qui se passe et l'organisation qui permet de reconstruire du sens. Il montre comment la désintégration de la structure des rôles, l'attaque des identités individuelles et le repli de chacun sur soi emportent toute capacité d'élaboration du sens et peuvent alors mener à la catastrophe (le feu n'explique pas tout). Il suggère alors pour réactiver l'élaboration de sens, de « raconter des histoires[14] ».

A la fin de notre réflexion, l'enjeu primordial nous apparaît de rendre visible et de nommer ce qui s'opère à la fois dans les entreprises comme dans la régulation sociale. Il ne s'agit pas d'identifier des erreurs ou de désigner des coupables, mais d'expliciter des processus à l'œuvre afin d'envisager de nouvelles marges de pensée, de nouvelles marges de manœuvre, d'extraire les individus de leur enfermement dans un silence coupable. Comme le souligne P. Lagadec, «nommer permet de fixer l'indétermination ; de réduire une forme barbare à une réalité connaissable [...] Dès qu'il peut y avoir échange, il peut y avoir traitement, compromis». Dans ce tableau qui peut paraître sombre, on peut estimer que des marges de manœuvre existent, en matière d'innovation socio-organisationnelle, mais elles ne peuvent s'exprimer que derrière le primat de la logique financière qui structure aujourd'hui fortement les décisions d'emploi et d'organisation. A ce titre, en effet, des établissements tentent de développer des formes de flexibilité interne (notamment par le biais d'accords d'aménagement et de réduction du temps de travail). Mais de telles démarches restent subordonnées à l'obtention de ratios économiques et financiers satisfaisants au regard des instances d'évaluation et de contrôle. Autrement dit, on voit des jeux d'acteurs locaux, tentant de réanimer de telles expériences, mais ceux-ci s'opèrent en dehors des projecteurs des niveaux centraux de décision et sous couvert d'avoir assuré les critères de jugement auxquels ils doivent répondre.

Mais cet essai de nomination [15] ne peut se transformer dans l'action que si des acteurs s'en emparent pour instruire un débat de fond sur les finalités dans lesquelles ils s'inscrivent. Encore faudrait-il alors qu'ils puissent ne pas se sentir menacés a priori au cas où ils se lanceraient dans une telle démarche.

ANNEXES

NOTES

Avant-propos

1. P. Artus et R. Wind, 1994, «Le cycle de 1990-1994 en France a-t-il eu des caractéristiques particulières?», CDC, Document d'étude, n° 1994/04/E, mai.

2. Direction de la prévision du ministère de l'Economie, 1994, «Un bilan du dernier cycle», juin.

3. DARES, 1994, «Embauches et licenciements au cours de l'année 1993 : un marché de l'emploi en voie de redressement?», *Premières Synthèses,* n° 69, septembre.

4. DARES, 1996 a, «Quand les entreprises réembauchent : le redémarrage de 1994 au regard de celui de 1988», *Premières Synthèses,* n° 123, février.

Introduction

1. V. Forrester, 1996, *L'horreur économique,* Fayard, 215 p., pp. 26-27 : «Si le profit demeure en ces zones calcinées le grand ordonnateur, il est pourtant tenu secret [...] Les richesses d'un pays participent en vérité d'une tout autre organisation, d'un tout autre ordre : celui des lobbies de la mondialisation.»

2. A.D. Chandler, 1988 (1re édition : 1977), *La main visible des managers, une analyse historique,* Economica, 635 p.

PREMIÈRE PARTIE
Qu'est l'entreprise devenue ?

1. A.D. Chandler, 1988 (première édition : 1977), *La main visible des managers, une analyse historique*, Economica, 635 p. « Titulaire de fonctions jusqu'à présent assurées par le marché, l'entreprise moderne est devenue l'institution la plus puissante de l'économie américaine et ses managers sont devenus les décideurs économiques les plus influents. » Cette entreprise moderne s'établit à l'époque pour pallier les faiblesses de la seule coordination par le marché et notamment les coûts d'information et de transactions liés à l'échange marchand. Et ce, au moment où le volume de l'activité économique atteint un niveau tel que la coordination administrative permet d'obtenir une plus forte productivité, des coûts plus faibles et des profits plus élevés que la seule coordination par le marché. C'est la « main visible » des managers qui vient endiguer les déficiences de la « main invisible » du marché.

2. « L'entreprise moderne » adopte une structure divisionnelle et une organisation hiérarchique de cadres salariés : « l'entreprise moderne s'est montrée capable de fonctionner dans des endroits différents, de remplir souvent des fonctions économiques différentes et de produire diverses catégories de biens et de services. Les activités des unités opérationnelles et les transactions qui se nouèrent entre elles furent ainsi intériorisées. Elles furent désormais dirigées et coordonnées par des employés salariés plutôt que par les mécanismes du marché » (*ibid*, Introduction).

3. « Avec l'apparition de l'entreprise moderne, il devenait possible pour la première fois d'envisager d'y passer toute sa vie professionnelle en gravissant les échelons hiérarchiques » (*ibid.*, Introduction).

4. Elle se dote de « managers » et d'une ligne hiérarchique (cadres supérieurs, cadres moyens, contremaîtres, surveillants…) venant assurer la coordination interne, dite « administrative », des processus de décision. L'établissement et la consolidation de cette hiérarchie opérationnelle, appuyée par des cadres fonctionnels qui eux aussi se structurent (les directions financières, marketing, comptables, logistiques, ressources humaines, commerciales, etc.), ont instauré des critères de permanence et d'autonomie de l'organisation.

5. A.D. Chandler, 1977, *op. cit.* : « Titulaire de fonctions jusqu'à présent assurées par le marché, l'entreprise moderne est devenue l'institution la plus puissante de l'économie américaine et ses managers sont devenus les décideurs économiques les plus influents ». C'est alors que A.D. Chandler parle de « révolution du capitalisme gestionnaire », dont il précise qu'« il est rare dans l'histoire du monde qu'une forme d'organisation se développe et devienne aussi importante et universelle en un temps aussi court ».

6. J.C. Daumas, 1997, « Industrialisation et structures des entreprises en France, 1880-1970 », in J. Marseille (sous la dir. de), *L'industrialisation de l'Europe occidentale (1880-1970)*, pp. 215-236 : « Le fait marquant des

années soixante est la croissance de grands groupes industriels, c'est-à-dire d'ensembles de sociétés unies entre elles par un système hiérarchisé de relations financières [...] si bien que les grandes entreprises françaises se conforment désormais au modèle de la structure multidivisionnelle qui domine dans les autres grands pays industriels.» «Au total, en France, le processus de formation et de développement de la grande entreprise industrielle moderne a été "complexe" et "discontinu". Amorcé dans les années 1900, il a connu deux phases d'accélération successives : d'abord dans les années 1920, où il a abouti à l'élaboration de réseaux de participations étendus autour de quelques grandes firmes leaders dans chaque secteur ; puis, à partir de 1958, à la formation de grands groupes industriels dont l'organisation interne tend à réaliser l'intégration et l'interconnexion des filières de production et dont le poids est déterminant dans le fonctionnement du système industriel», p. 236.

7. J.P. Fitoussi, 1995, *Le débat interdit*, Arléa.

CHAPITRE 1 : L'entreprise allégée, sélective et éclatée

1. Par exemple, l'association patronale «Entreprise et Progrès» a proposé à plusieurs reprises la constitution d'un «contrat collectif d'entreprise».

2. Les décrets d'avril 1985 assouplissent l'utilisation du CDD dans le cas d'embauche de chômeurs de longue durée.

3. Ordonnance de 1982 sur le travail temporaire.

4. C'est de même un des constats de départ de l'étude de B. Brunhes Consultants, D. Kaisergruber (sous la dir. de), 1997, *Négocier la flexibilité, pratiques en Europe,* Les Éditions d'organisation, 237 p. Sur la négociation de la flexibilité, notamment concernant la France, Préface de B. Brunhes : «la quatrième spécificité de la France est l'ampleur du débat public sur les thèmes de l'emploi et de la flexibilité, un débat souvent flou, souvent idéologique, parfois irréaliste (comme la discussion sur la retraite à 55 ans...)», p. 15.

5. D'inspiration institutionnaliste, P.B. Dœringer et M.J. Piore, 1971, *Internal labor markets and manpower analysis,* D.C. Health, Lexington, 214 p.

6. J. Atkinson, 1984, «Manpower strategies for flexible organizations», *Personnel Management,* août, pp. 28-31.

7. Dans le cadre du déroulement de la procédure d'un plan social, l'entreprise élabore un dossier à destination des institutions représentatives du personnel et de l'administration du travail (contrôle de la procédure de consultation des partenaires sociaux et de la mise en œuvre des mesures d'accompagnement), voire de la Délégation à l'emploi dans le cas de demandes d'allocations du FNE. Ce dossier inclut généralement un volet «économique» (exposé des motifs économiques du licenciement collectif)

et un volet « social » (présentation des modalités d'accompagnement des départs).

8. Depuis le début des années 1980, un droit à la reconversion se consolide, inspiré de l'expérience de la reconversion de la sidérurgie des années 1970. L'exigence des mesures d'accompagnement liées à des plans de restructuration est exprimée en premier lieu dans l'accord interprofessionnel sur la sécurité de l'emploi du 10 février 1969 ; elle est reprise dans la loi du 3 janvier 1975 ; elle est développée dans les textes de 1986 (loi et accord interprofessionnel qui créent la convention de conversion). La notion même de plan social, soit un ensemble de mesures qui doivent accompagner une opération de licenciement collectif pour motif économique, n'apparaît dans la loi qu'en 1989 (loi du 2 août 1989, qui consacre l'appellation de « plan social » et en définit son objet), qui en précise les objectifs. Elle se développe enfin avec la loi du 27 janvier 1993 (amendement Aubry), qui donne au plan social non seulement un objectif, mais un contenu (elle propose une énumération indicative de mesures de reclassement, telles les actions de reclassement interne et externe, les mesures d'aménagement du temps de travail ou de création d'activités nouvelles).

9. Il n'existe pas de statistique officielle sur la proportion de licenciements économiques encadrés par un plan social. Néanmoins, un pourcentage de 20 % est généralement admis par les services du ministère du Travail.

10. Les salariés acceptant une mutation au sein du groupe reçoivent une prime de mutation et conservent pendant 3 mois un droit de retour au sein de l'entreprise dans le cas où le nouvel emploi ne leur convient pas.

11. Par définition, le montant de la « prime d'initiative individuelle » est négocié au cas par cas.

12. Il s'agit ici des modalités d'accompagnement liées aux conventions de conversion. A.L. Aucouturier, 1995, *Portraits en relief des cellules de reclassement*, Rapport d'étude réalisé par le CREDOC, 260 p.

13. Les animateurs de l'antenne emploi — qui sont en l'occurrence des salariés d'un cabinet extérieur — établissent des bilans individuels des personnes ayant souscrit à cette mesure. Dans le volet « social » des plans, l'entreprise s'engage à proposer à ces salariés trois « offres valables d'emploi » (les OVE doivent maintenir les salariés aux mêmes niveaux de classification et de rémunération — à 20 % près — et doivent se situer dans un rayon de 50 km — ou moins d'une heure de transport — du lieu d'habitation). En outre, l'entreprise propose aux éventuels employeurs de ses salariés en sureffectif de leur payer le premier mois de la période d'essai. Ainsi, l'antenne emploi a pour vocation à la fois de préparer les salariés licenciés à une reconversion externe et en même temps de drainer des offres d'emploi d'entreprises implantées dans le bassin.

14. Dans ses bulletins mensuels et trimestriels, l'UNEDIC recense les effectifs et leurs évolutions structurelles, par activité, par taille d'entreprise et par région.

15. Ceci est obtenu d'un côté par les déclarations de mouvements de

main-d'œuvre (CDI et CDD) et d'un autre par les bilans de la politique de l'emploi réalisés par la DARES.

16. P. Cam, 1995, «Recruter n'est pas jouer», in CÉREQ, G. Podevin, *Le recrutement*, Documents, n° 108, septembre, p. 291.

17. Depuis la suppression de l'autorisation administrative de licenciement économique, il n'existe plus de source exhaustive pour suivre le phénomène. Le motif d'inscription au chômage est enregistré par l'ANPE sur la base des déclarations de demandeurs d'emploi. Du côté des employeurs, l'INSEE analyse depuis 1975 les DMMO établies par les établissements de 50 salariés et plus et dans lesquelles est portée la mention «sortie pour cause de licenciement économique». La DARES (ministère du Travail) réalise une enquête trimestrielle (EMMO) auprès d'un échantillon d'établissements de 10 à 49 salariés (1 sur 4), depuis 1988. Il n'existe donc aucune mesure des licenciements économiques dans les établissements de moins de 10 salariés. Pour le traitement de ces deux fichiers, un rapprochement est opéré avec ceux de l'UNEDIC qui enregistre les volumes d'emploi salarié UNEDIC. Au total, l'écart moyen entre les deux séries était estimé en 1994 à 30% dans l'industrie, à 50% dans le secteur tertiaire marchand et encore plus élevé dans le bâtiment (source : DARES, 1995, «Les licenciements économiques selon le secteur d'activité en 1993 et 1994», *Premières Informations*, n° 473, 4 juillet).

18. D. Balmary, 1994, «L'administration et les plans sociaux : convaincre ou contraindre?», *Droit social*, n° 5, mai : «Il faut rappeler que 76% des inscrits à l'ANPE pour motif de licenciement économique proviennent de petites entreprises de moins de 50 salariés, par définition non soumises à l'obligation de plan social.»

19. R. Beaujolin, 1996, «Une industrie de montagne face aux donneurs d'ordres», *Annales de l'École de Paris,* vol. III, Séminaire «Crises et Mutations», 22 mars, 10 p.

20. R. Ardenti et P. Vrain, 1991, «Licenciements économiques, plans sociaux et politiques de gestion de la main-d'œuvre des entreprises», *Travail et Emploi*, n° 50, pp. 15-32 : «Dans les petits établissements, la majorité des départs en licenciement économique correspond à des licenciements secs et n'est pas assortie de mesures d'accompagnement [...] Les établissements de 50 à 499 salariés, notamment ceux appartenant à un groupe, mettent plus fréquemment en place des structures spécifiques et des mesures internes et recourent davantage aux ASFNE.»

21. Les secteurs traditionnellement «licencieurs» (industries manufacturières et industries extractives surtout) recourent particulièrement à ce mode de gestion des effectifs et, fait nouveau, les licenciements économiques à partir de 1992 touchent des secteurs relativement épargnés jusqu'alors, tels l'agriculture ou le tertiaire non marchand. De même, certains secteurs enregistrent à partir de 1992 (il est malheureusement impossible de comparer les résultats sectoriels de 1993 aux précédents, dans la mesure où les nomenclatures économiques ont été modifiées et ne sont pas comparables...), et pour la première fois, des diminutions nettes d'effectifs (ex. : télécommunications et services marchands aux entreprises).

22. Dans son étude de 1993 sur les mouvements de main-d'œuvre, la DARES note : « les pertes d'emplois gagnent toutes les catégories d'établissements » et « c'est dans les petits établissements que le taux de sortie pour licenciement économique a le plus augmenté ces deux dernières années, alors qu'il était relativement faible auparavant ». Si l'on observe les statistiques publiées par l'UNEDIC, on constate que les établissements de 5 à 19 salariés enregistrent pour la première fois une diminution nette de leurs effectifs à partir de 1991. Dans le même temps, les grandes entreprises (500 salariés et plus) atteignent leur plus haut niveau de réductions d'effectifs (— 6,2 % dans l'année 1993). Ainsi, même si les petits établissements connaissent une situation plus favorable que les autres, ils ne sont plus épargnés par la crise.

23. En 1991 et 1992, « la proportion des établissements qui avaient déjà recours aux licenciements économiques l'année précédente augmente » et, note la DARES, particulièrement dans les grands.

24. Le type de population touchée par les mesures de réduction des effectifs a évolué : au cours des années 1980-1986, elles concernaient en tout premier lieu les ouvriers (63 % des licenciements en 1986). En 1992, l'augmentation du nombre de cadres touché par les licenciements économiques est de 28 %, tandis que cette croissance est de 15 % pour les professions intermédiaires et de moins de 5 % pour les employés et les ouvriers non qualifiés. En fait, les cadres ont été touchés plus tardivement que les autres par ce phénomène.

25. M. Hammer et J. Champy, 1993, *Le reengineering, réinventer l'entreprise pour une amélioration spectaculaire de ses performances*, Dunod, 247 p.

26. Cette pratique a été encouragée par la législation sur les plans sociaux, la Cour de cassation exigeant, suite à l'amendement Aubry, que le licenciement n'intervienne que « si le reclassement de l'intéressé dans le groupe n'est pas possible ».

27. C. Leboucher et P. Logak, 1995, « L'entreprise face à l'embauche », *Annales de l'École de Paris*, vol. III, Séminaire « Crises et Mutations », 22 septembre, 10 p. : « Une demande de personnel supplémentaire, qui généralement émane des services opérationnels, ne peut aboutir à une embauche effective en CDI qu'après avoir reçu l'assentiment d'un nombre important de personnes [...] C'est une procédure longue, qui peut nécessiter plusieurs mois avant d'aboutir à une décision de recrutement externe. C'est en particulier parce qu'il faut du temps pour vérifier que le poste ne peut être pourvu en interne [...] Ce n'est qu'ensuite qu'on peut procéder à l'embauche si toutefois l'établissement n'a pas comblé le manque de personnel autrement. »

28. Nous n'incluons pas les CDD dans ce cadre car, dans certaines entreprises, le recours au CDD doit suivre le même parcours — éventuellement moins long — que dans le cas du recours à un CDI. Le recours au CDD est ainsi traité au même titre que toute embauche.

29. A. Gorgeu et R. Mathieu, 1995, « Recrutement et production au plus juste. Les nouvelles usines d'équipement automobile en France », *Dossier*

du CEE, n° 7, 122 p. : il s'agit d'usines créées par des équipementiers (fournisseurs de premier rang) à proximité des usines des donneurs d'ordres (PSA et Renault). Au cours d'une étude sur la gestion des emplois dans les nouvelles usines d'équipement automobile, A. Gorgeu et R. Mathieu ont ainsi observé que « la hiérarchie est réduite au minimum » : dans les plus grandes usines (au moins 200 personnes), les organigrammes sont construits « en râteau » : « le nombre d'échelons hiérarchiques en production est réduit à un responsable par atelier » ; et « les organigrammes sont simplifiés dans les établissements les plus petits, où un même responsable occupe plusieurs fonctions ».

30. C'est notamment le domaine de la flexibilité fonctionnelle, J. Atkinson, 1984, *op. cit.* : « Terms and conditions of employment are designed to promote functionnal flexibility [...] The central characteristic of this group is that their skills cannot readily be bought in. »

31. P. Cassassuce, 1988, « La flexibilité de l'emploi et du travail dans les entreprises industrielles », in F. Stankiewicz (sous la dir. de), *Les stratégies d'entreprise face aux ressources humaines. L'après-taylorisme,* Economica, pp. 139-148. Il note ainsi que : « L'organisation du travail et du temps de travail devient une variable de commande dans la gestion de production. Cette politique de flexibilité représente un volet d'une politique d'ensemble qui vise notamment à minimiser les stocks de produits finis et d'en-cours avec un effectif permanent calculé par rapport à un point bas des ventes. »

32. Avec une « organisation qualifiante », telle qu'elle a été définie par A. Riboud, 1987, *Modernisation, mode d'emploi, Rapport au Premier ministre*, Paris, C. Bourgeois éditeur, 10/18, chapitre 3 : « Mettre en place une organisation qualifiante », p. 85-106, il s'agit d'articuler le trio nouvelle technologie — nouvelle conception de la formation — nouvelle conception de l'organisation, de telle sorte que l'organisation du travail devienne en elle-même qualifiante. Ces éléments sont présentés comme des conditions de « la nouvelle productivité ». Et « une organisation qualifiante est flexible, ouverte à l'autocontrôle et à la décentralisation des responsabilités, dépourvue de barrières hiérarchiques ou de cloisonnements entre ateliers ou services différents, propice à la mobilité des salariés, fondée sur la polyvalence et perfectible en permanence en fonction des niveaux de formation atteints ».

33. P. Cam, 1995, « Recruter n'est pas jouer », in CEREQ, G. Podevin éd., *Le recrutement*, Documents, n° 108, septembre, pp. 287-292.

34. C. Lagarenne et E. Marchal, 1995, « Recrutements et recherche d'emploi », *La lettre du Centre d'études de l'emploi*, n° 38, juin, 10 p., « dans un recrutement à distance, la mise en correspondance de l'offre et de la demande d'emploi s'effectue sur la base de résumés : l'offre est figurée par des descriptifs de postes ou des annonces, la demande par des curriculum vitae, des lettres de candidature ou, là aussi, par des annonces » ; « les recrutements de proximité autorisent une certaine entredéfinition de l'offre et de la demande ». Ces deux formes de mise en relation représentent chacune (de 1990 à 1994) environ la moitié des recrutements effectifs.

35. T. Colin et R. Rouyer, 1996, *Mise en œuvre, négociation et instrumentation des plans sociaux, observation sur quatre zones d'emploi dans la période 1993-1994,* Rapport de recherche du GREE pour la DARES, mai, p. 61.

36. D'après l'étude européenne menée par B. Brunhes C., 1994, *L'Europe de l'emploi, ou comment font les autres,* Les Editions d'organisation, « les dirigeants des entreprises ont cherché à relever la qualification moyenne de leur personnel au moment où ils réduisaient leurs effectifs : les deux phénomènes sont liés », p. 37.

37. B. Gazier, 1992, 2ᵉ édition, *Economie du travail et de l'emploi,* Précis Dalloz, 435 p., en référence aux travaux de J. Freyssinet, 1982, *Politiques de l'emploi des grands groupes en France,* PUG, p. 329, § 222 : « La flexibilisation externe ». Pour B. Gazier, ces pratiques se résument dans les stratégies de filialisation : « Les responsabilités désormais transférées aux établissements permettent de différencier leurs attitudes en fonction de leurs résultats et de leurs besoins, et la rupture du statut d'ensemble autrefois garanti leur laisse toute latitude pour combiner à leur guise les modalités de flexibilisation externe de la main-d'œuvre. »

38. B. Brunhes Consultants, 1997, *op. cit.,* p. 27.

39. On distingue en effet plusieurs niveaux de négociation : le niveau national interprofessionnel investit surtout, dans le cas de la France, « dans la gestion des institutions sociales » ; le niveau national professionnel (ou encore la branche) ; le niveau des branches au plan local, quasiment inexistant en France ; et le niveau des entreprises et des établissements. Voir B. Brunhes Consultants, 1997, *op. cit.* ; P. Rosanvallon, 1988, *La question syndicale,* Calmann-Lévy.

40. B. Gazier, 1992, *op. cit.,* p. 328 : « Le développement des emplois précaires peut s'interpréter comme une "extériorisation juridique" des rapports qui se nouent usuellement entre des salariés et leur employeur, l'intérim et la régie étant caractérisés par la disjonction de l'employeur et l'utilisateur de la main-d'œuvre. »

41. Selon la norme NFX 50 300N de novembre 1987, définie par l'AFNOR, « peuvent être considérées comme activités de sous-traitance industrielle, toutes les activités concourant pour un cycle de production déterminé, à l'une ou plusieurs des opérations de conception, d'élaboration ou de fabrication, de mise en œuvre ou de maintenance du produit en cause, dont une entreprise dite donneur d'ordres confie la réalisation à une entreprise dite sous-traitant ou preneur d'ordres, tenue de se conformer exactement aux directives techniques arrêtées en dernier ressort par le donneur d'ordres ».

42. M.L. Morin, 1994, *Sous-traitance et relations salariales, aspects de droit du travail,* Rapport au Commissariat général au Plan, janvier, 227 p. « Les salariés des sous-traitants travaillent sous la responsabilité de la maîtrise du sous-traitant, des liaisons étroites entre les maîtrises des deux entreprises sont établies. On est en face ici d'une sorte de direction conjointe. »

43. Un exemple type en la matière est l'accès au restaurant de l'entreprise donneuse d'ordres des salariés de l'entreprise sous-traitante : en tant

qu'«extérieurs», ils ne peuvent bénéficier du tarif subventionné par l'employeur donneur d'ordres.

44. Dans le cas des entreprises sous-traitantes travaillant en flux tendus, «l'organisation du temps de travail est directement calquée sur celle de l'usine de montage du constructeur», in A. Gorgeu et R. Mathieu, 1995, *op. cit.*.

45. Ces situations d'emploi sont appelées «particulières», par rapport à la norme de référence : les formes particulières d'emploi le sont au regard de l'emploi salarié à temps plein et à durée indéterminée. Dans la plupart des cas, il s'agit d'emplois à durée limitée : CDD, missions d'intérim, apprentissage, stages de formation professionnelle rémunérés ou contrats aidés mis en place par les dispositifs de l'emploi, dont beaucoup sont à temps partiel.

46. B. Gazier, 1992, *op. cit.,* «le processus permanent de réallocation du travail conduit nécessairement certains travailleurs à demeurer un certain temps sans emploi. Ce chômage est qualifié de frictionnel», p. 262.

47. C. Ramaux, 1994, «Comment s'organise le recours aux CDD et à l'intérim?», *Travail et Emploi*, n° 58, janvier, pp. 55-76.

48. Utilisation systématique de l'intérim en cas de besoin urgent, irrégulier et de courte durée ; utilisation du CDD en cas de besoin prévu, régulier et de longue durée.

49. B. Ernst, 1996, «Marché du travail et cycle conjoncturel», *Données sociales 1996*, INSEE, pp. 98-103.

50. *Ibid.* : «Les recrutements sur contrat à durée limitée se développent, même pour les postes qualifiés. En mars 1995, les deux tiers des salariés nouvellement recrutés sous CDD occupent des postes qualifiés (contre 57 % début 1990) et 7 % de ces nouveaux embauchés ont été recrutés sur des emplois de cadres, contre 4 % cinq ans auparavant.»

51. Centre d'études de l'emploi, 1996, *4 pages*, n° 13, janvier.

52. D'après la DARES, 1998, «La reprise de l'intérim au premier semestre 1997», *Premières Informations*, janvier, 8 p., les entreprises de travail temporaire ont ainsi connu une croissance de 50 % au cours de l'année 1997 et le travail temporaire représente cette année-là un volume total de 350 000 emplois en équivalent temps plein, sachant qu'un million de travailleurs ont signé six millions de contrats.

53. DARES, 1996 a, *op. cit.* : «Cela tend à confirmer que les employeurs de l'industrie et de la construction se tournent de plus en plus vers l'intérim pour répondre à un surcroît de commandes. Au-delà d'un comportement classique en début de reprise, c'est bien un changement durable des pratiques de gestion de la main-d'œuvre que ces évolutions traduisent».

54. F. Piotet et R. Sainsaulieu, 1994, *Méthodes pour une sociologie de l'entreprise*, Presses de la FNSP et ANACT, notent à ce propos : «De tous les pays industriels développés, la France est celui où le taux de syndicalisation est le plus faible, où la légitimité syndicale est la plus fragile. [...] Le système de relations professionnelles, quel que soit le niveau où on l'observe, n'a jamais très bien fonctionné en France. Aujourd'hui, il est en

panne partout, même si cette panne prend des allures différentes selon qu'il s'agit du secteur privé ou du secteur public [...] Cette crise du syndicalisme en France, [...] est d'abord et avant tout une crise du syndicalisme dans l'entreprise et une crise de la représentativité locale», pp. 156-157.

55. Rapport Bélier, 1989, sur la «représentation dans les petites entreprises», *Liaisons sociales*, Doc. R, n° 37/90 du 30 avril

56. Nous empruntons cette caractérisation de la présence syndicale dans les entreprises à M.L. Morin, 1994, *Sous-traitance et relations salariales. Aspects de droit du travail*, Rapport au Commissariat général au Plan, janvier, 227 p.

57. Une telle situation se retrouve particulièrement quand un site industriel propose à son comité d'entreprise de réintégrer tout ou partie des activités de sous-traitance pour éviter un plan social.

58. D. Kaisergruber, 1994, «Frontières de l'emploi, frontières de l'entreprise», *Futuribles*, décembre, pp. 3-20.

59. C. Lagarenne et E. Marchal, 1995, *op. cit.* : «Une étude plus approfondie tend à montrer que les chances d'accéder à un emploi stable ne sont pas seulement marquées par la filière suivie, mais aussi par la situation initiale des personnes recrutées [...] La recherche d'emploi n'a pas les mêmes chances d'aboutir selon la situation professionnelle de l'intéressé.»

60. Si l'on reprend l'interprétation proposée par J. Rivero et J. Sabatier du contrat de travail («l'esprit du contrat de travail, c'est l'échange d'une liberté contre une sécurité»), J. Rivero et J. Sabatier, 1981, *Droit du travail*, Presses universitaires de France, p. 81.

CHAPITRE 2 : L'entreprise dans la tourmente des marchés

1. B. Coriat, 1990, *L'atelier et le robot*, C. Bourgeois éditeur, Prologue : «Une nouvelle conjoncture historique», pp. 13-31.

2. R. Reich, 1993, *L'économie mondialisée*, Dunod, 336 p. «Divers éléments sont produits efficacement dans des endroits très variés. Ils sont ensuite combinés de toutes sortes de manières pour répondre aux besoins des consommateurs dans différents endroits», p. 103.

3. M. Aglietta, 1994, «Concurrence internationale, emploi, cohésion sociale», *Travail et Emploi*, n° 59, pp. 90-100 ; pour M. Aglietta, «le trait le plus remarquable des tendances actuelles est la perte du pouvoir des grandes entreprises sur les prix. Cet aspect de la concurrence est devenu général [...] Les entreprises exercent sous le feu direct de la concurrence internationale une pression sur les coûts salariaux avec une intensité et une persistance inconnues depuis fort longtemps [...] La baisse des effectifs est devenue le moyen privilégié de réponse à la concurrence».

4. E.H. Bowman et B.G. McWilliams, 1986, «La logique implacable de la dérégulation», *Revue française de gestion*, mars-avril-mai.

5. R. Reich, 1993, *op. cit.* : «La concurrence continue à comprimer les profits sur tout ce qui est uniforme, courant, standard, c'est-à-dire tout ce

qui peut être fabriqué, reproduit, ou extrait en grandes quantités partout dans le monde ; mais les entreprises florissantes dans les nations économiquement avancées changent de terrain, et s'appuient sur des produits et des services personnalisés », chap. 5 : « De la production de masse à la production personnalisée », pp. 71-77.

6. *Ibid.* « Aucun groupe ou participant unique ne "contrôle" cette entreprise comme c'était le cas pour l'entreprise de production de masse. Personne non plus n'en est le "propriétaire" au sens traditionnel de ce terme », p. 88.

7. Banque de France, B. Paranque, 1993, « Emploi, accumulation et rentabilité financière », *Dossier de la Centrale des bilans,* n° B94/02, 37 p., décembre.

8. J.P. Fitoussi, 1995, *Le débat interdit,* Arléa. Compte tenu de l'élévation des taux d'intérêt, « un calcul économique rationnel conduira l'entrepreneur à privilégier davantage ses profits présents, aux dépens de sa part de marché, puisque la valeur présente de ses profits futurs est réduite sous l'effet de l'augmentation des taux d'intérêt », p. 116 et, finalement, « le présent pèse désormais d'un poids plus lourd ».

9. *Ibid.*, chapitre V, pp. 109-134, « L'avenir déprécié », expose comment « face à la tyrannie financière, le moyen le plus efficace pour répondre aux exigences de rentabilité à court terme reste de réduire la part revenant aux salariés » ; la France a enregistré la plus forte baisse de la part des salaires dans le revenu national : elle est passée de 68,8 % dans les années 1960 à 60,6 % en 1994, contre 61,2 % en Allemagne et 66,7 % aux USA cette même année.

10. Le coût d'opportunité du capital est équivalent au meilleur rendement que les actionnaires potentiels peuvent obtenir en investissant — à risques comparables — sur les marchés financiers. Pour l'actionnaire, il n'y aura création de valeur que si l'entreprise dans laquelle il investit dégage un rendement supérieur à ce coût-là.

11. R. Brenner, 1996, « Le downsizing et les marchés boursiers », *Le Figaro*, 20 décembre 1996 : « Plus le "trésor de guerre" accumulé par une entreprise est grand, plus sont grandes les chances de cette entreprise de survivre aux tempêtes et de réussir dans le nouvel environnement. »

12. P. Artus et R. Wind, 1994, « Le cycle économique de 1990-1994 en France a-t-il eu des caractéristiques particulières ? », *Groupe Caisse des dépôts*, Document d'étude, n° 1994-04/E, 14 p. « Dans la récession récente, le taux d'investissement chute considérablement (de 19 % à 15,5 %), et dans le même temps, le taux d'autofinancement augmente (de 90 % à 110 %). Il y a une telle restriction des dépenses et de l'investissement des entreprises, qu'elles dégagent des excédents financiers durant la crise, ce qui est réellement sans précédent. »

13. Les niveaux de rentabilité attendus varient néanmoins suivant les secteurs, notamment en fonction de l'intensité capitalistique du secteur considéré.

14. Dans un récent article, des journalistes du quotidien *Le Monde* estiment ainsi à 15 % le taux de rentabilité visé par la plupart des grandes entre-

prises, en 1998 : «Hors de 15 % de rentabilité, point de salut ! Les patrons français s'alignent désormais derrière cette norme fétiche», C. Blandin, *Le Monde* du jeudi 23 avril 1998.

15. J.M. Keynes, 1969 pour la traduction française (1ʳᵉ édition : 1936), *Théorie générale de l'emploi, de l'intérêt et de la monnaie,* Bibliothèque scientifique Payot, 384 p.

16. Voir définition de l'AFNOR en chapitre 1.

17. J.C. Daumas, 1997, «Industrialisation et structure des entreprises en France, 1880-1970», in J. Marseille (sous la dir. de), *L'industrialisation de l'Europe occidentale (1880-1970), Histoire économique,* pp. 215-236, observe que «la concentration des entreprises s'est traduite pas une véritable bipolarisation du système productif français. Face à quelques centaines de grandes entreprises et une poignée de grands groupes, il existe une multitude de PME qui sont placées dans une situation de subordination aux niveaux stratégique et technologique».

18. Les éléments exposés dans ce chapitre sont en partie le fruit d'une étude menée dans la vallée de la Maurienne : R. Beaujolin, 1996, «L'analyse des répercussions des nouvelles pratiques d'achat des donneurs d'ordres sur l'emploi dans la sous-traitance, dans un bassin d'emploi», *Rapport pour la Direction générale de la stratégie industrielle, ministère de l'Industrie,* dont on trouvera une version synthétique dans R. Beaujolin, 1996, *op. cit.* Les citations de responsables d'entreprises sont issues de cette étude.

19. Dans les relations entre donneurs d'ordres et fournisseurs de premier rang, le terme de «partenariat» est utilisé dans son expression large, soit tel que l'ont défini A. Gorgeu et R. Mathieu, 1990, «Partenaire ou sous-traitant?», *Dossier de recherche du Centre d'études de l'emploi,* n° 31, juillet, 87 p. : «Dans son application, le partenariat se traduit par un climat de confiance entre client et fournisseur, basé sur des engagements mutuels, formalisés ou non : fidélité du client envers son fournisseur, à condition que ce dernier respecte un certain nombre d'exigences […] le partenariat vise à améliorer la compétitivité globale des produits des grands donneurs d'ordres, grâce à un partage de responsabilités en matière de conception, de fabrication et d'approvisionnement», l'assurance qualité (normes ISO 9000) constituant «la première étape de l'instauration d'un climat de confiance et à ce titre apparaît comme la clé de voûte du partenariat.»

20. Comme le soulignent A. Gorgeu et R. Mathieu, 1993, «Dix ans de relations de sous-traitance dans l'industrie française», *Travail,* n° 28, printemps-été, pp. 23-43, «la logique du partenariat ne se retrouve pas au second niveau […] les exigences des constructeurs en matière de qualité et de délais de livraison sont bien répercutées sur ces derniers, souvent avec plus de rigueur, mais sans ontreparties».

21. Ce sont de petites, voire très petites entreprises, essentiellement du secteur de l'électronique et de la plasturgie, créées sous l'impulsion d'ingénieurs-entrepreneurs, fournissant des produits sur tout le territoire national, voire ayant une petite part de leur chiffre d'affaires à l'exportation. Ce

sont des entreprises qui maîtrisent une technologie particulière qu'elles adaptent aux spécifications du client, voire qu'elles développent pour lui.

22. P. Artus, 1994, «Récessions, financement des entreprises, et situation particulière des petites entreprises», *Groupe Caisse des dépôts, Service des études économiques et financières, document de travail,* n° 1994-03/T, 28 p., a ainsi observé pour la période 1991-1993 trois phénomènes, concernant les PME : il y a eu une hausse particulière des taux d'intérêt pour les PME, recul de l'investissement plus fort que dans les grandes et accroissement important du risque de faillite. Il en a alors conclu à un phénomène de discrimination des prêteurs envers les PME.

23. B. Paranque, 1994, «Fonds propres, rentabilité et efficacité chez les PMI», *Revue d'économie industrielle,* n° 67, 1ᵉʳ trimestre, pp. 175-190.

24. A partir de la définition proposée par F.H. Knight, 1921, *Risk, Uncertainty and Profit,* Boston-NY, Houghton Mifflin Company, de l'incertitude, A. Orléan [A. Orléan, 1985, «Hétérodoxie et incertitude», *Cahier du CREA,* n° 5, pp. 247-275] a cherché à définir l'incertitude marchande. F.H. Knight définit l'incertitude par opposition au risque, en intégrant une différenciation entre aléa conjoncturel et aléa structurel. En situation de risque, l'incertitude est mesurable par des lois de probabilité. F.H. Knight distingue trois natures de probabilité : «la probabilité a priori», «la probabilité statistique» et «l'appréciation», pour laquelle «il n'existe aucune base de comparaison pour déterminer la probabilité de l'événement [...] L'estimation de la probabilité est un «pur exercice de jugement» [...] «en l'absence de toute base quantitative, l'évaluation ne pourra être qu'une appréciation personnelle sur l'événement considéré». F.H. Knight propose d'appeler les deux premières configurations «risque», dans la mesure où l'incertitude est mesurable. Dans la dernière configuration, où les lois de probabilité sont liées à l'appréciation individuelle, il considère que les agents sont en situation d'incertitude, dans la mesure où cette dernière est dite non mesurable.

CHAPITRE 3 : Entre l'économique et le social : le débat interdit ?

1. Dans le cadre du déroulement de la procédure d'un plan social, l'entreprise élabore un dossier à destination des partenaires sociaux et de l'administration du travail (contrôle de la procédure de consultation des partenaires sociaux et de la mise en œuvre des mesures d'accompagnement, article L. 321-7, loi du 27 janvier 1993), voire de la Délégation à l'emploi dans le cas de demandes d'ASFNE (allocation spéciale du Fonds national de l'emploi). Ce dossier inclut généralement un volet «économique» (exposé des motifs économiques des licenciements) et un volet «social» (présentation des modalités d'accompagnement des départs).

2. C. Midler, 1986, «Logique de la mode managériale», *Gérer et Comprendre — Annales des Mines,* juin.

3. M. Hammer et J. Champy, 1993, *Le reengineering, réinventer*

l'entreprise pour une amélioration spectaculaire de ses performances,
Dunod, 247 p.
    4. *Ibid.*
    5. C. Midler, 1986, *op. cit.*, montre comment le discours de la mode
managériale est une rhétorique qui «associe l'universel et le quotidien».
    6. Dysfonctionnements qui ont été en effet précisément analysés, en
particulier par la sociologie des organisations, en France. M. Crozier, 1963,
Le phénomène bureaucratique, Le Seuil, Points, 382 p.; R. Sainsaulieu,
1987, *Sociologie de l'organisation et de l'entreprise,* Presses de la FNSP
& Dalloz, 390 p.
    7. H. Dent, 1995, *La révolution du travail, le «job choc»*, Les Editions
Québécor, 335 p. : «la baleine exécute son virage à la manière d'une
péniche, le banc de sardines tourne instantanément», p. 42.
    8. Commissariat général au Plan, 1992, *France : la performance glo-
bale*, Commission «Compétitivité française» du XIᵉ Plan, La Documentation française, préface : «La compétitivité de l'entreprise elle-même
repose sur la motivation et l'adhésion de son personnel et de son environnement, ce qui suppose un modèle de société où règne un haut degré de
consensus sur les objectifs poursuivis.»
    9. N. Kerschen et A.V. Nenot, 1989, «Délégation à l'emploi et négo-
ciation des conventions de Fonds national de l'emploi : la pratique des
contreparties», *Droit social,* n° 1, janvier, pp. 17-22.
    10. G. Archier et H. Sérieyx, 1984, *L'entreprise du troisième type*, Seuil,
    11. *Ibid.*, p. 12.
    12. A. Riboud, 1987, *op. cit.*, p. 21 : «Le principe d'unité de ce rap-
port, c'est qu'on ne réussit pas le changement technologique, et plus largement, on ne réussit économiquement que si on réussit avec les hommes.»
    13. Repris *ibid.*
    14. L'ANACT a récemment publié une synthèse des derniers travaux
sur la question, 1995, *Changement organisationnel et instrumentation de
gestion*, collection «Dossiers documentaires».
    15. Voir chapitre 5 : «L'emploi, maillon faible de la rationalisation des
coûts»;
    16. Voir chapitre 10 : «Les décideurs en guerre avec eux-mêmes?»
    17. Par exemple, la loi du 2 août 1989 relative à la prévention du licen-
ciement économique et au droit à la reconversion a introduit de nouvelles
obligations pour les entreprises : elles doivent recourir à la concertation
dans le cadre de prévisions d'emploi et à des actions de formation et
d'adaptation.
    18. F. Calabrèse, N. Quintero, 1994, «La négociation d'entreprise sur
les classifications, la formation professionnelle et l'emploi», *CEREQ
Documents*, n° 96, juillet, 63 p. : «L'habillage procédural et l'instrumentation dont se dotent les entreprises se doublent d'une logique d'externalisation du coût de la main-d'œuvre, par l'usage d'outils définis par les pouvoirs publics en matière de gestion des sureffectifs et de recrutement des
jeunes [...] Les démarches de GPEC n'arrivent que rarement à franchir

l'étape de la définition d'implications en termes de construction de nouveaux systèmes de classification.»

19. L.J.D. Wacquant, 1996, «La généralisation de l'insécurité salariale en Amérique», *Actes de la recherche en sciences sociales*, n° 115, Seuil, «Les nouvelles formes de domination dans le travail», décembre, pp. 65-79.

20. P. Chevalier et D. Dure, 1993, «Quelques effets pervers des mécanismes de gestion», dossier «Pourquoi licencie-t-on?», *Annales des Mines — Gérer et Comprendre*, septembre, pp. 4-25.

21. Par***, directeur général de***, 1994, «Chronique ordinaire des licenciements annoncés», *ibid.*, pp. 27-28.

22. L. Janis, 1982, *Groupthink*, cité par P. Lagadec, 1992, *La gestion des crises...*, McGraw-Hill, p. 85 : «Le terme de groupthink sera utilisé pour désigner un mode de fonctionnement d'individus qui déploient bien plus d'efforts pour assurer un unanimisme de groupe que pour parvenir à un examen réaliste des lignes d'action envisageables. Le terme renvoie à une détérioration de l'efficacité mentale, de la capacité à tester la réalité, de l'aptitude au jugement moral — détérioration du résultat résultant de pressions internes au groupe.»

23. P. Lagadec, 1992, *op. cit.*

DEUXIÈME PARTIE

Les engrenages de la décision de réduction des effectifs

1. Tous les éléments développés dans cette partie concernent essentiellement les grandes entreprises.

2. P. d'Iribarne, 1995, «La science économique et la barrière du sens», in A. Jacob et H. Vérin (sous la dir. de), *L'inscription sociale du marché*, pp. 29-44.

3. Un tel questionnement renvoie aux travaux théoriques de H.A. Simon sur la théorie des choix, 1955, «A Behaviorial Model of Rational Choice», *Quarterly Journal of Economics*, vol. 69, p. 99-118. De façon schématique, selon cet auteur, un processus de décision commence par l'identification et la formulation d'un problème. Et la façon dont ce problème est formulé, donc analysé, détermine en grande partie celle dont il sera ultérieurement traité. Par exemple, si les indicateurs de gestion mobilisés amènent à relier la défaillance de rentabilité d'une entreprise au déficit chronique d'une de ses activités, la recherche de solution aura tendance à aller se focaliser sur cette activité. En second lieu, il sera recherché la solution la plus satisfaisante pour répondre au mieux au problème tel qu'il s'énonce. Or, les individus et les groupes ne peuvent intégrer dans leur raisonnement toutes les dimensions, toutes les options possibles et toutes les informations inhérentes à l'élaboration d'un choix : la multiplicité des critères à prendre en compte est beaucoup trop complexe. Dès lors, toute organisation établit

des procédures, se dote d'instruments de gestion pour disposer de grilles de lecture de la réalité permettant de construire des schémas d'action dès qu'un problème émerge. Armé de ces outils de lecture, le décideur a juste besoin de savoir en face de quel type de problème il se trouve pour lancer l'exécution d'un programme. On peut ainsi considérer que les outils de gestion remplissent une fonction de simplification de la complexité pour permettre l'élaboration de choix. Une telle simplification est d'autant plus nécessaire que les impératifs de l'action exigent généralement d'avoir à décider rapidement. Ces raccourcis ont donc cette qualité essentielle de permettre au décideur de se forger rapidement une opinion sur une situation et alors, de prendre une décision tout en l'expliquant facilement. De tels choix, reposant sur quelques critères, seront alors considérés comme « satisfaisants », par opposition à « optimaux » : un choix optimal impliquerait non seulement d'avoir intégré la totalité des critères mais aussi d'avoir trouvé une solution permettant de tous les satisfaire, ce qui ne peut être qu'irréaliste au regard de la complexité des situations rencontrées ; à l'inverse, un choix satisfaisant se contente de fournir une réponse adéquate par rapport à l'énoncé — même partiel — d'un problème.

4. M. Berry, 1983, *op. cité.* Une telle perspective s'inscrit dans le cadre des programmes de recherche lancés par le Centre de recherche en gestion de l'Ecole polytechnique et le Centre de gestion scientifique de l'Ecole des mines de Paris, depuis plus de vingt années. A partir du moment où l'on considère que les instruments de gestion structurent fortement les décisions prises, il s'agit alors d'examiner de près comment ils sont construits : comme le propose M. Berry, « il convient de s'intéresser aux procédures et aux outils mis en œuvre plutôt qu'aux intentions affichées ou à l'exercice du pouvoir visible ». Le chercheur tentera alors d'examiner quels sont les outils de gestion mobilisés (des tableaux de bord, des ratios, des systèmes de planification, etc.), de comprendre sur quelles conventions de calcul ils reposent. C. Riveline, 1990, *Evaluation des coûts, éléments d'une théorie de la gestion*, Cours de l'ENSMP, chapitre VI : « Définition générale des coûts », pp. 52-60. Ces modes de représentations offerts par les instruments de gestion se caractérisent par des « choix de découpage de l'espace et du temps » : « On peut évaluer le coût d'une décision ou d'un événement, à condition de définir un scénario de référence, de préciser le point de vue de l'observateur, c'est-à-dire la nature des éléments recensés. » La thèse de F. Pinardon (1987, *L'irréductible multiplicité des critères de rentabilité*, Thèse de doctorat de l'Ecole polytechnique, spécialité gestion, 275 p.) illustre cette perspective. Il analyse « l'irréductible multiplicité des critères de rentabilité » en partant du constat que les différents instruments d'évaluation de la rentabilité correspondent à autant de conventions de calcul propres à chaque organisation et à autant de regards antinomiques portés sur l'investissement.

5. C. Riveline, 1991, « Un point de vue d'ingénieur sur la gestion des organisations », *Annales des Mines, Gérer et Comprendre*, décembre, pp. 50-62, estime par exemple que les dirigeants « fondent donc la plupart

de leurs opinions sur des critères peu nombreux, sur des tableaux de bord sommaires, qu'on peut appeler des abrégés du vrai et des abrégés du bien».
6. P. Chevalier et D. Dure, 1993, *Les mécanismes des licenciements. Quelques effets pervers des procédures de gestion*, Mémoire de l'ENSMP.

CHAPITRE 4 : Les filtres de la décision de réduction des effectifs

1. L. Mallet et F. Teyssier, 1992, «Sureffectif et licenciement économique», *Droit social*, n° 4, avril, pp. 348-359, définissent une «logique financière», où «l'employeur chiffre d'abord l'économie nécessaire au rétablissement de ses comptes et en déduit le nombre de personnes qui doivent partir. La recherche de solutions alternatives aux licenciements (ou aux départs), économiques ou sociales, n'est pas intégrable dans cette logique, puisque le point de départ du raisonnement est la contrainte ou le choix d'une économie sur les salaires».

2. M. Burdillat, 1992, «Du sureffectif à la gestion prévisionnelle : quels processus de définition de l'emploi?», in M.C. Villeval (sous la dir. de), *Mutations industrielles et reconversion des salariés*, L'Harmattan, pp. 237-244, «en aval, ce sont les niveaux socio-techniques : la direction, le département ou le service», p. 239.

3. Nous préciserons plus loin la composition des ratios apportant une mesure du facteur travail, en termes de nature de coûts et d'effectifs.

4. J.G. March et H.A. Simon, 1991 (1958), *op. cit.*

5. P. Chevalier et D. Dure, 1993, *op. cit.*

6. Ce que P. Chevalier et D. Dure, *ibid.*, ont dénommé «la pratique du saupoudrage».

7. Tout comme on peut avoir des «budgets de reproduction», H. Savall et V. Zardet, 1992, *Le nouveau contrôle de gestion, méthode des coûts-performances cachés*, Editions Comptables Malesherbes, 399 p., montrent par exemple que «dans le cas d'une préparation budgétaire qui associe l'encadrement, on observe fréquemment des pratiques que nous qualifions de "budgets de reproduction" : le nouveau budget est construit par extrapolation du budget de l'année précédente, en appliquant un pourcentage de variation», p. 36.

8. Cet aspect constitue un des points de départ du dernier ouvrage du groupe ECOSIP, 1996, *op. cit.*, Introduction générale, p. 5-9, qui s'interroge sur la tension croissante entre les besoins de «pertinence» (adaptation de l'entreprise aux contraintes extérieures) et les besoins de «cohérence» (coordination interne de l'action collective).

9. H. Mintzberg, 1982, *Structure et dynamique des organisations*, Editions d'Organisation.

10. H. Mintzberg, 1996 a, *The rise and fall of strategic planning*, Prentice Hall, 458 p.

11. ECOSIP, 1996, *Cohérence, pertinence et évaluation*, Economica,

Introduction générale (P. Cohendet, J.H. Jacot, P.Lorino), p. 5-9 : «La "cible" n'est pas une cible mobile, et même si l'on accepte l'idée qu'il puisse y avoir quelques fluctuations en raison d'inévitables incertitudes (mesurables en termes de lois de probabilité), en "moyenne" l'objectif est supposé bien cadré.»

CHAPITRE 5 : L'emploi, maillon faible de la rationalisation des coûts

1. P. Chevalier et D. Dure, 1993, *op. cit.*
2. P. Lorino, 1991, *L'économiste et le manageur*, La Découverte, chapitre 1 : «Le facteur fantôme», p. 17-30.
3. Commissariat général au Plan, 1992, *op. cit.*
4. P. Zarifian, 1992, «De la productivité des opérations de travail à la productivité de l'emploi», in ANACT, 1995, *Changements organisationnels et instrumentation de gestion*, pp. 219-221 : «La productivité du travail au sens classiquement taylorien s'appuie sur le dispositif de définition du travail prescrit sous forme de gammes opératoires par le bureau des méthodes et sur le contrôle et la prise d'information exercés par l'encadrement d'atelier.»
5. «L'industriel» est entendu au sens large : il peut s'agir de la gestion d'un procès d'activités de services.
6. J.H. Jacot, 1990, «A propos de l'évaluation économique des systèmes intégrés de production», in ECOSIP, *Gestion industrielle et mesure économique*. Economica, pp. 61-70.
7. De 1986 à 1991, les réductions d'effectifs touchent 45 % des effectifs usines et 25 % des effectifs siège. A l'inverse, le plan suivant mène à une réduction de 3 % des effectifs usines et de 10 % des effectifs du siège.
8. P. Mévellec, 1990, *Outils de gestion, la pertinence retrouvée*, Ed. Comptables Malesherbes.
9. P. Lorino, 1991, *op. cit.*, explique comment le système comptable utilisé dans les entreprises s'inscrit en cohérence avec les préceptes du système productif déterminé par Taylor, y inclus le fait que la richesse procède essentiellement du travail direct.
10. O. Servais, 1995, «Méthodes et outils du licenciement collectif», *Travail*, n° 34, en arrive à la même conclusion, concernant un échantillon d'une dizaine d'entreprises moyennes ; il a exploité les documents remis aux partenaires sociaux lors de procédures de licenciement collectif et a estimé que le calcul du sureffectif correspond à la part excédentaire de la masse salariale qu'il faut réduire pour alléger les coûts fixes de l'entreprise et rétablir l'équilibre financier.
11. L. Mallet et F. Teyssier, 1992, *op. cit.*
12. Le droit du travail définit des règles de calcul des effectifs en «équivalent temps plein» pour déterminer les seuils et le nombre de représentants du personnel (C. trav. art. L412-5, L 421-2, L 431-2). De même, le Code de la sécurité sociale utilise des règles de calcul pour déterminer les cotisations d'accident du travail, par exemple.

13. P. Chevalier et D. Dure, 1993, *op. cit.*, p. 60 : «Les habitudes de gestion rendent la planification nécessaire, mais faute de pouvoir planifier les objectifs de vente et de production, les entreprises planifient leurs moyens, et surtout parmi eux ceux qui sont contrôlables, au premier chef : la ressource humaine.»

14. J.G. March et H.A. Simon, 1991 (2ᵉ éd., éd. originale, 1958), *Les organisations*, Dunod.

15. Commissariat général au Plan, 1992, *op. cit.* ; B. Coriat, 1990, *L'atelier et le robot*, C. Bourgeois éditeur ; ECOSIP, 1996, *Cohérence, pertinence et évaluation*, Economica ; P. Veltz et P. Zarifian, 1994, «De la productivité des ressources à la productivité par l'organisation», *Revue française de gestion*, janvier-février, pp. 59-66.

16. Commissariat général au Plan, 1992, *op. cit.* : «La compétitivité hors prix renvoie à l'ensemble des facteurs autres que les prix susceptibles d'influer sur le partage des marchés : image de marque, qualité des produits, structure et dynamisme commerciaux, différenciation et innovation de produits», p. 15.

17. P. Zarifian, 1992, *op. cit.*

18. M. Burdillat, 1990, «Les définitions de l'emploi dans l'entreprise» *Cahier du GIP — Mutations industrielles*, n° 41. «Les données actives sur l'emploi se définissent comme celles permettant d'apprécier des formes de performance de l'emploi au sein de l'organisation d'ensemble. Nous les qualifions en opposition aux données passives le plus souvent utilisées : celles qui photographient l'existant comme les classifications, ou celles qui permettent localement d'énoncer une forme de productivité, comme les notions de direct et d'indirect.» Ces termes font aussi référence aux «dépenses actives et passives de l'État pour l'emploi».

19. J. Gadrey, T. Noyelle et T. Stanback, 1992, «Les rendements décroissants du concept de productivité du travail», in J.H. Jacot et J.F. Troussier, *Travail, productivité, performance,* Economica, pp. 51-68

20. C. Riveline, 1991, *op. cit.*

21. P. Veltz et P. Zarifian, 1994, «De la productivité des ressources à la productivité par l'organisation», *Revue française de gestion*, janvier-février, p. 59-66.

22. On pourrait ajouter à cette liste des éléments encore moins chiffrables liés à l'émergence de malaises au sein des salariés restants (ce que les Anglo-Saxons appellent le «syndrome des survivants», par exemple).

23. La convention générale de protection sociale constitue le cadre des mesures d'accompagnement social des fermetures des sites sidérurgiques (USINOR).

24. E. Godelier, 1994, «Le vieillissement et l'âge dans un cas particulier : l'exemple d'USINOR», *Revue française des affaires sociales*, n° 1, janvier-mars, pp. 59-63.

25. C. Riveline, 1990, *op. cit.*, p. 65.

26. M. Capron et F. Ginsbourger, 1996, «La prise en compte décentra-

lisée des coûts de reclassement», in *Cahier de l'ANACT, Pour une gestion intentionnelle de l'emploi*, n° 10, juin.

27. Concept issu des travaux du CERC sur les comptes de surplus (méthode élaborée en 1969) puis développé dans CERC, 1987, *La productivité globale dans l'entreprise, mesure et répartition* et repris dans le rapport d'A. Riboud, 1987, *op. cit.*; M. Bernier, 1990, «La productivité globale : des instruments de gestion pour accompagner la modernisation de l'entreprise», in ECOSIP, *op. cit.*

28. P. Veltz et P. Zarifian, 1994, *op. cit.*

29. P. Mévellec, 1990, *op. cit.*

30. D. Centlivre, 1995, *Historique du concept du productivité globale utilisé par le groupe Danone*, CRG de l'École polytechnique, novembre, 7 p.

31. F. Ginsbourger, 1996, «Entre travail et emploi : des médiations à reconstruire», in ANACT, *op. cit.*, pp. 7-25.

32. M. Berry, 1983, *op. cit.*, p. 61.

CHAPITRE 6 : Une mise en œuvre qui rencontre peu de freins

1. T. Colin et R. Rouyer, 1996, *op. cit.* : «On constate une contribution forte des mesures d'âge à la composition du sureffectif. On pourrait même dire que plus que de participer à sa composition elles en influent aussi le niveau», p. 44.

2. C. Bessy, F. Eymard-Duvernay, B. Gomel et B. Simonin, 1995, «Les politiques publiques de l'emploi : le rôle des agents locaux», *Cahiers du Centre d'Études de l'Emploi, Les politiques publiques d'emploi et leurs acteurs*, n° 34, pp. 16-17. Ces économistes des conventions se sont penchés sur les articulations entre des règles générales (par exemple, la règle de droit en matière de licenciement économique) et des évaluations locales, processus qui apparaît en particulier lors de la sélection des salariés licenciés : «L'entreprise qui, à l'occasion d'un licenciement économique, sélectionne son personnel se trouve confrontée à un problème d'arbitrage entre différentes contraintes : non seulement entre les contraintes organisationnelles et financières associées à la pérennité de l'entreprise et les contraintes de reclassement des salariés licenciés, mais aussi entre les critères généraux codifiés par le droit (compétence professionnelle, ancienneté dans l'entreprise et charges de famille) et les évaluations plus locales. [...] Ce qu'il importe de retenir par rapport à notre cadre d'analyse, c'est le double travail d'articulation entre des qualifications générales et des évaluations locales.»

3. P. Ardenti et R. Vrain, 1991, *op. cit.*, définissent ainsi les permutations de main-d'œuvre : «Les mouvements de permutation se distinguent des mouvements de remplacement : sur un poste identique d'une qualification donnée, la permutation permet de changer le profil du salarié.»

4. D. Balmary, 1994, *op. cit.*

5. C. Bessy, 1993, *Les licenciements économiques entre la loi et le marché*, CNRS éditions, p. 53-72 («la codification du licenciement économique dans le droit du travail français»), retrace un historique de la notion de licenciement pour motif économique : les notions de «licenciements importants» et de «licenciements nécessités pour manque de travail» apparaissent dans les conventions collectives de 1936 et 1938 ; à partir de la fin de la guerre, l'ordonnance du 24 mai 1945 organise un contrôle des licenciements, pour assurer la reconstruction ; en parallèle, on retrouve le terme de «licenciement collectif» dans certaines conventions collectives. La notion de licenciement collectif émerge ainsi progressivement et apparaît dans l'accord interprofessionnel sur la sécurité de l'emploi du 10 février 1969, qui entre autres impose la consultation du CE.

6. La notion de «cause réelle et sérieuse» pour justifier le «licenciement pour cause économique» avait été définie dans la loi du 13 juillet 1973, concernant les licenciements individuels.

7. A partir du seuil de 10 licenciements sur une période de 30 jours, l'inspecteur du travail doit non seulement contrôler la réalité de la cause économique, mais aussi la régularité des procédures d'accompagnement mises en œuvre.

8. Nous ne nous pencherons pas sur les débats qui entourent la notion de licenciement pour motif économique. On retiendra néanmoins que la définition du motif économique est essentiellement une définition par défaut («motif non inhérent à la personne du salarié»), et que c'est une notion aux contours flous (cf. J.P. Laborde, 1992, «La cause économique du licenciement», *Droit social*, n° 9/10, sept-oct, p. 774-779).

9. Cet accord impose par exemple la consultation du CE.

10. Loi et accord interprofessionnel, qui créent la convention de conversion.

11. La loi du 2 août 1989 consacre l'appellation de «plan social» et en définit l'objet.

12. Arrêt du 25 février 1992 : «L'employeur, tenu d'exécuter de bonne foi le contrat de travail, a le devoir d'assurer l'adaptation des salariés à l'évolution de leurs emplois.»

13. Arrêt du 21 février 1992 : «Le licenciement d'un salarié ne peut intervenir en cas de suppression d'emploi, que si le reclassement de l'intéressé n'est pas possible», et arrêt Chevalier du 25 juin 1992 : «La réalité du motif économique et la recherche des possibilités de reclassement doivent s'apprécier à l'intérieur du groupe auquel appartient l'employeur concerné.»

14. D'après les statistiques de la DARES et de la Délégation à l'emploi, cf. R. Baktavatsalou, 1996, «Les licenciements pour motif économique et leur accompagnement du début des années 70 au milieu des années 90», *Données sociales*, INSEE, pp. 150-156 «le nombre total de personnes dans les dispositifs de préretraite a atteint 450 000 en 1982, 670 000 en 1983 et 720 000 en 1984».

15. O. Marchand et L. Salzberg, 1996, «La gestion des âges à la française, un handicap pour l'avenir ?», *Données sociales*, INSEE, pp. 165-

173 : « La part des actifs âgés de plus de 50 ans est relativement faible dans les flux annuels d'entrée dans les établissements de 50 salariés et plus (environ 4 %), quel que soit le secteur. Elle est près de trois fois plus importante dans les flux annuels de sortie, notamment en provenance des emplois stables. Outre les départs en préretraite ou en retraite, les licenciements affectent souvent les actifs les plus âgés : en 1992, un licenciement économique sur trois a touché un salarié de 50 ans. »

16. Nous n'intégrons pas dans notre réflexion le cas particulier que constitue le licenciement des salariés dits protégés, qui continue sur toute la période à être conditionné par l'autorisation administrative.

17. N. Kerschen et A.V. Nenot, 1989, « Délégation à l'emploi et négociation des conventions du Fonds national de l'emploi : la pratique des contreparties », *Droit social*, n° 1, janvier, pp. 17-22 : « Les contreparties constituent des engagements supplémentaires et positifs en faveur de l'emploi imposés par l'Etat à certaines entreprises aidées, au-delà des obligations normalement prévues par la réglementation des conventions du FNE. »

18. Il n'existe pas de statistique officielle sur ce sujet. Néanmoins, la proportion de 10 % à 20 % est habituellement admise par les services du ministère du Travail. D. Balmary, 1994, *op. cité*, précise : « c'est au grand maximum 25 % des licenciements économiques qui sont "couverts" par l'administration du travail en termes d'intervention sur les plans sociaux » ; « nous savons par les remontées de nos services, que nous avons enregistré en 1993, 2 850 procédures concernant au moins 20 salariés. A partir de cette donnée, on peut estimer grossièrement à environ 4 000 le nombre d'opérations concernant des entreprises de plus de 50 salariés et dont le nombre de licenciements est au moins égal à 10, c'est-à-dire celles qui sont soumises à une obligation de plan social. Il est clair que l'administration du travail ne peut avoir la capacité de couvrir l'ensemble. Au surplus, il faut rappeler que 76 % des inscrits à l'ANPE pour motif de licenciement économique proviennent de petites entreprises de moins de 50 salariés, par définition non soumises à l'obligation de plan social ».

19. Cette obligation concerne les entreprises où sont constituées une ou plusieurs sections syndicales par les IRP. La négociation annuelle porte sur les salaires et le temps de travail entre l'employeur et les organisations syndicales, les parties doivent examiner l'évolution de l'emploi dans l'entreprise et, notamment, du nombre des CDD, des missions de travail temporaire et du nombre de journées de travail effectuées par les intéressés, ainsi que des prévisions annuelles ou pluriannuelles d'emploi établies dans l'entreprise (C. trav. art. L. 432-1-1 pour les réunions du CE et C. trav. L. 132-27 pour les réunions avec les délégués syndicaux).

20. Auparavant, les syndicats n'avaient accès qu'aux discussions sur les mesures d'accompagnement des suppressions d'emplois, et non sur le volet industriel et économique des plans. Dans le cas d'entreprises de 50 salariés et plus, la direction doit consulter le comité d'entreprise ou à défaut, les délégués du personnel. L'employeur est tenu par la loi (C. Trav. L 321-2) d'adresser aux membres du comité d'entreprise un certain nombre d'informations : la ou les raisons économiques, financières ou techniques du

projet de licenciement collectif, le nombre de salariés dont le licenciement est envisagé, les catégories professionnelles concernées et le calendrier prévisionnel des licenciements.

21. Dans les faits, à partir du moment où la direction et le CE s'entendent sur le sujet, le terme de «technologie» semble être entendu au sens large : il peut s'agir d'une intervention sur un projet de réorganisation.

22. D'après une enquête menée par le GREE, «Mise en œuvre, négociation et instrumentation des plans sociaux», in DARES, 1996 b, «La mise en œuvre des plans sociaux : résultats de deux recherches», *Premières Synthèses*, n° 96-08-32-2, 8 p.

23. CFTC, 1992, *Licenciement économique et plan social, orientations pour l'action syndicale*, Service emploi-formation, chapitre : «Le rôle fondamental des organisations syndicales», p. 4.

24. R. Ardenti et P. Vrain, 1991, *op. cit.*, ont souligné : «Dans les grandes entreprises, l'utilisation systématique des départs anticipés permet de tempérer l'impact des plans de restructuration sur l'état des relations sociales, notamment parce que le recours à des dispositifs de ce type — ASFNE ou autres — sont dans les faits, l'objet d'un fort consensus implicite entre salariés et employeurs»; de même, une étude du CREDOC menée en 1993 auprès d'un échantillon de la population française concluait qu'en cas de licenciement pour motif économique, les Français préfèrent massivement un départ des plus âgés à un départ des plus jeunes.

25. X. Gaullier, 1994, «Emploi, politiques sociales et gestion des âges», *Revue française des affaires sociales*, n° 1, janvier-mars, pp. 11-44 : «Par un consensus paradoxal d'intérêts divergents entre les acteurs sociaux concernés : un consensus élaboré à travers des négociations, des conflits et des compromis, toute une dynamique sociale [...].»

26. F. Piotet et R. Sainsaulieu, 1994, *op. cit.*, p. 158 (chapitre 4 : «La construction de l'intérêt commun par le système de relations professionnelles»).

27. J. Girin, 1981, *Les machines de gestion*, CRG, octobre, 4 p. En reprenant la notion d'outils de gestion développée dans les travaux du CRG et du CGS, J. Girin s'est interrogé sur ce que pourraient être des «machines de gestion», par opposition à ces outils de gestion. Pour alimenter cette comparaison, il s'est inspiré de quelques-unes des considérations que Marx a consacrées à ce sujet (chapitres XIV et XV du *Capital*). J. Girin reprend certaines caractéristiques des machines à la base du processus de production : «la machine est coûteuse», elle «possède son propre rythme», les tâches consistant à alimenter la machine sont **généralement** très simples, et «la machine dépossède le travailleur de son savoir sur la production». Il a transposé ces observations à la sphère de la gestion et a noté de fortes proximités (par exemple, «dans le cas d'une comptabilité analytique, il y a des phénomènes d'obsolescence», ou encore, «la comptabilité suppose un fonctionnement régulier»). Enfin, «considérer [les outils de gestion] sous l'aspect machine [...] permet de mieux poser le problème de la dialectique des finalités de l'action et des moyens d'action : on met en place

une machine en vue d'un résultat, mais la logique de la machine finit par primer la logique de l'action».

TROISIÈME PARTIE

Aversion pour le risque et aversion pour l'emploi

1. C. Riveline, 1991, «Un point de vue d'ingénieur sur la gestion des organisations», *Gérer et Comprendre, Annales des Mines*, décembre, pp. 50-62 ; C. Riveline, 1990, *op. cit.*, chapitre VIII, «Les coûts, critères de contrôles et critères de choix», pp. 77-83 : «L'observation des comportements dans les entreprises montre qu'un critère de contrôle tend à devenir un critère de choix pour celui qui se sent contrôlé [...] Un remède évident consisterait dans une meilleure information. Mais encore faut-il que les responsables concernés disposent du temps et des compétences nécessaires. Quand bien même en disposeraient-ils, ils ont eux-mêmes des comptes à rendre à des électeurs ou à des administrations qui n'en disposent pas. La simple nécessité d'informer vite condamne à l'usage d'un paramètre concis et facile à comprendre.»

2. C. Riveline, 1991, *op. cit.*

3. *Ibid.* Ces instruments doivent remplir un certain nombre de conditions pour que le critère de jugement fonctionne : «Les critères qui fondent les jugements dont un agent économique est l'objet ont pour origine les caractéristiques techniques de sa tâche, et les normes institutionnelles et culturelles qui s'appliquent à ceux qui le jugent.»

4. *Ibid :* «Chacun juge son prochain au nom du fait qu'il est jugé lui-même, car c'est de là qu'il tire le droit, voire même le devoir, de juger autrui.»

5. H.A. Simon, 1951, «A formal theory of the employment relationship», *Econometrica*, pp. 293-305.

6. *Ibid :* «A method is obtained for determining under what conditions an employment contract will rationally be preferred to a sales contract.»

7. *Ibid :* «We might say that the latter behavior represents "short run" rationality, whereas the former represents "long run" rationality when a relationship of confidence between employer and worker can be attained. The fact that the former rule leads to solutions that are preferable to those of the latter shows that it "pays" the employer to establish this relationship.»

8. H.A. Simon, 1991, «Organizations and markets», *Journal of Economic Perspectives*, vol. 5, n° 2, printemps, pp. 25-44.

9. *Ibid :* «A major use of authority in organizations is to coordinate behavior by promulgating standards and rules of the road, thus allowing to form more stable expectations about the behavior of the environment», p. 39.

10. H. Mahé de Boislandelle, 1993, «Les théories de la transaction et

de l'agence, bases explicatives des nouvelles pratiques de GRH », *Colloque de l'AGRH*, Jouy-en-Josas, groupe thématique n° 5, pp. 248-255.
11. N. Elias, 1985 (1969), *La société de cour*, Flammarion, coll. « Champs ».
12. A. Supiot, 1994, *Critique du droit du travail*, PUF, « Les Voies du droit ».

CHAPITRE 7 : Les décideurs en danger face à l'emploi

1. Les éléments suggérés ici sont observables dans le système américain et sont moins développés en France, où il s'agit plus d'une tendance. Néanmoins, ils témoignent d'un mode de coordination entre dirigeants et actionnaires, dont le transfert en France est stimulé par l'internationalisation des marchés financiers.
2. A titre d'exemple, le quotidien *La Tribune* titrait le 29 mars 1996, au sujet du programme de restructuration d'Alcatel-Alsthom (ce plan a donné lieu à la suppression de 12 000 emplois en huit mois) : « La Bourse apprécie le programme de restructuration » : « La vision stratégique de S. Tchuruk était attendue avec impatience et un peu d'inquiétude par le marché. Le résultat est globalement positif, comme en témoigne l'évolution des deux valeurs [+ 4,6 %], les points positifs de la présentation de S. Tchuruk aux analystes financiers ont tout de même été nombreux : poursuite des réductions d'effectifs pour abaisser le point mort, ventes d'actifs qui seront supérieures aux 10 milliards annoncés, désir ferme d'être un opérateur industriel complet et non un partenaire minoritaire. »
3. Dans une enquête auprès d'analystes financiers, C.H. d'Arcimoles, 1997, « Information sociale, bilan social et évaluation financière de l'entreprise : pratiques et attentes des professionnels », *Actes du Colloque du vingtième anniversaire du bilan social*, LIRHE, 5 et 6 juin, Toulouse, pp. 193-203, note: « 93 % des analystes jugent que l'anticipation du futur est plus importante que la compréhension du passé. »
4. J.P. Fitoussi, 1995, *op. cit.*
5. H. Dumez, 1994, *op. cit.*
6. K. Eisenhardt, 1989, « Agency theory : An assessment and review », *Academy of Management Review*, 14, pp. 57-74.
7. Un tel mécanisme est lié à une tendance lourde du capitalisme occidental de séparation croissante entre la propriété des firmes et les fonctions de direction des entreprises.
8. Le conseil d'administration ayant approuvé un plan de stock-options, le directoire ou le président ont le pouvoir de définir la répartition et d'arrêter la liste des bénéficiaires.
9. La société peut néanmoins subordonner le droit d'exercer l'option au maintien du salarié dans l'effectif ou à l'obtention d'objectifs.
10. Interview accordée au journal *Le Monde*, 7 juin 1995.
11. Sénat, 1995, *Rapport d'information sur les plans d'option de sous-*

cription ou d'achat d'actions, dirigé par J. Arthuis, P. Loridant et P. Marini, mai.

12. *Business Week*, 1996, « How high can CEO pay go ! », 22 avril 1996. Ce même article indique que sur cinq années l'augmentation aux USA des bénéfices a été de 75 % ; du salaire ouvrier, de 16 % ; des licenciements, de 39 % ; et des rémunérations des dirigeants, de 92 %.

13. S.M. Puffer et J.B. Weintrop, 1991, « Corporate Performance and CEO Turnover : The Role of Performance Expectations », *Administrative Science Quarterly*, 36, pp 1-19.

14. *Ibid.* : « The principal finding is that turnover occurs when reported annual earnings per share fall short of expectations. »

15. Traduction d'une expression d'origine anglo-saxonne : les « golden parachutes ».

16. A. Lebaube, 1995, « Menottes dorées », *Le Monde*, mercredi 7 juin, supplément « Initiatives ».

17. C.H. d'Arcimoles, 1997, *op. cit.*

18. De même, le *Wall Street Journal* annonçait en octobre 1995 que 75 % des nouveaux chômeurs américains, chiffre en nette augmentation, sortaient des rangs des cadres, des professions hautement qualifiées et du personnel administratif et technique.

19. APEC, 1995, « Les cadres satisfaits mais vigilants », Cadroscope, *Courrier Cadres*, juillet.

20. A. Supiot, 1994, *Critique du droit du travail*, PUF, « Les Voies du droit ».

21. J.G. March et H.A. Simon, 1991 (1958), *op. cit.*, chapitre 3 : « L'influence des motivations sur les décisions au sein de l'organisation », p. 58.

22. M. Villette, 1996, *Le manager jetable, récits du management réel*, La Découverte, p. 147.

23. A. Gorgeu et R. Mathieu, 1993, *op. cit.*

24. M.L. Morin, 1994, *op. cit.*

25. W.W. Powell, 1990, « Neither market nor hierarchy : network forms of organizations », in B.M. Staw et L.L. Cumints, *Research in Organizational Behavior*, 12, pp. 295-336 : « Firms are blurring their established boundaries and engaging in forms of collaboration that ressemble neither the familiar alternative of arms length market contracting, nor the former ideal of vertical integration », p. 297.

CHAPITRE 8 : Choix hypothéqués et hypothèque sur l'emploi

1. R. Salais, 1989, « L'analyse économique des conventions de travail », *Revue économique, L'économie des conventions*, vol. 40, n° 2, pp. 199-240, reprend la définition de la convention keynésienne de productivité pour définir une forme de défiance envers les conventions de productivité : « La convention de productivité assure un compromis entre les deux prin-

cipes d'équivalence, salaire-travail et travail-produit, simultanément à l'œuvre dans la relation de travail »; «l'entrepreneur s'engage sur le taux de salaire. Il peut en retour, établir une prévision de la productivité future de son personnel».

2. R. Salais, 1989, *op. cit.*, explique comment il résulte une incertitude majeure de la relation de travail : cette incertitude est relative à la productivité : «L'entrepreneur doit avoir recours à la première équivalence, salaire contre temps de travail, pour obtenir ce qui l'intéresse, la seconde, temps de travail contre produit. Mais à la conclusion de la relation, rien ne garantit et ne peut garantir que la seconde équivalence temps-produit sera réalisée plus tard en conformité avec les attentes de l'entrepreneur », p. 202. «L'incomplétude du contrat de travail» est définie par B. Reynaud, 1993, «La règle de droit : outils d'analyse de la relation salariale», *Travail et Emploi*, pp. 4-21 : «D'une part, les règles ne sont pas des mesures exactes de l'intensité de la qualité du travail. Il reste une incertitude irréductible car la relation salariale est un rapport de subordination à l'autorité de l'employeur. D'autre part l'autorité ne se réduit pas à des ordres que l'employeur donne au salarié. Une autre dimension est importante : c'est l'adhésion du salarié aux objectifs de l'entreprise, qui ne peut être obtenue par des commandements donc des règles [...] Telles sont les raisons du caractère incomplet du contrat de travail. C'est ce qui fait la grande différence entre l'échange salarial et l'échange des marchandises.»

3. B. Appay, 1993, «Individuel et collectif. Questions à la sociologie du travail. L'autonomie contrôlée», *Cahiers du GEDISST*, n° 6, pp. 57-92.

4. *Ibid.* : «Il met en perspective, dans le même cadre d'analyse, des phénomènes apparemment distincts, voire même contradictoires de localisation et de centralisation, que je considère pourtant comme constitutifs d'un même processus [...] Il tend à rendre compte d'un processus contradictoire entre des formes de centralisation étatique et productive du contrôle social et des formes d'organisations sociales plus localisées, autonomes et flexibles.»

5. Les sous-traitants «partenaires» doivent produire auprès de leurs donneurs d'ordres l'ensemble de leurs coûts, ventilés par principaux postes. C'est notamment par ce biais que le donneur d'ordres suit l'évolution des efforts de rationalisation des coûts en fonction des objectifs fixés a priori.

6. R. Brenner, 1996, «Le downsizing et les marchés boursiers», *Le Figaro*, 20 décembre.

7. Rappelons à ce titre que P. Chevalier et D. Dure, 1993, *op. cit.*, ont observé que les annonces de plans sociaux survenaient particulièrement au début de l'été et en fin d'année, «soit aux deux temps forts des procédures budgétaires».

8. D. Fixari et F. Pallez, 1992, «Comment traiter l'urgence», *Annales des Mines — Gérer et Comprendre*, juin, pp. 78-86 : «Etant donné un acteur, individuel ou collectif, qui doit réaliser une tâche avant une échéance donnée, l'urgence est un jugement porté par un acteur, à un ins-

tant donné, sur l'importance du respect de cette échéance, et sur l'insuffisance du délai avant l'échéance.»

9. B. Appay, 1993, *op. cit.* : «Le chômage structurel de masse est essentiel à la constitution du potentiel de flexibilité absolue des individus. Il
constitue une menace réelle et intériorisée qui canalise les comportements,
même de ceux qui ne sont pas directement et immédiatement menacés. Il
s'agit bien ici pour les individus d'être confrontés à leur survie économique, qui conditionne les autres survies sociales.»

10. P. Chevalier et D. Dure, 1993, *op. cit.* : «Les habitudes de gestion
rendent la planification nécessaire, mais faute de pouvoir planifier les
objectifs de vente et de production, les entreprises planifient leurs moyens,
et surtout parmi eux ceux qui sont contrôlables, au premier chef : la ressource humaine.»

11. Selon J.M. Keynes, 1969 (1936), *op. cit.*, p. 184, les motifs qui gou-
vernent la préférence pour la liquidité sont les suivants : «1° Le motif de
transactions, i. e. le besoin de monnaie pour la réalisation courante des
échanges personnels et professionnels ; 2° le motif de précaution, i. e. le
désir de sécurité en ce qui concerne l'équivalent futur en argent d'une
certaine proportion de ses ressources totales ; et 3° le motif de spéculation,
i. e. le désir de profiter d'une connaissance meilleure que celle du marché
de ce que réserve l'avenir.»

12. O. Favereau, 1991, «Valeur d'option et flexibilité : de la rationalité
substantielle à la rationalité procédurale», in EHESS, *Les figures de
l'irréversibilité en économie*, pp. 121-181.

13. P. Llerna et M. Willinger, 1991, «Préférences pour la flexibilité et
fondements de la décision», in EHESS, *ibid.*, pp. 73-102, en reprenant les
travaux de D. Kreps, estiment que la préférence pour la flexibilité s'exprime quand il y a interdépendance temporelle des choix faits par le décideur, en situation d'incertitude.

14. O. Favereau, 1991, *op. cit.*

QUATRIÈME PARTIE

Mimétisme et désarroi

1. J.G. March et J.P. Olsen, 1991 b, «La mémoire incertaine : apprentissage organisationnel et ambiguïté», *Décisions et organisations*, pp. 205-
229, première publication in *European Journal of Political Research*, 3,
pp. 147-171.

2. K.E. Weick, 1995, *Sensemaking in Organizations*, SAGE publications.

3. *Ibid.*, pp. 30-31 : «I use the word "enactment" to preserve the fact
that, in organizational life, people often produce part of the environment
they face. I like the word because it suggests that there are close parallels
between what legislators do and managers do. Both groups construct rea-

lity through autoritative acts [...] They act and in doing so create the materials that become the constraints and opportunities they face. There is not somme impersonal "they" who puts these environments in front of passive people. Instead, the "they" is people who are more active. All too often people in organizations forget this. They fall victim to this blindspot because of an innocent sounding phrase, "the environment".»

4. J.G. March, 1991, «Réflexions sur le management dans les organisations», *Décisions et organisations*, pp. 87-107, première publication in 1981, *Administrative Science Quarterly*, 26, pp. 563-577, propose la définition suivante de l'apprentissage organisationnel : «L'action peut être considérée comme découlant de l'expérience acquise. L'organisation est conditionnée par essai erreur à répéter des comportements qui ont réussi dans le passé et à éviter ceux qui ont échoué. Il s'agit d'un modèle d'apprentissage expérimental», p. 90.

5. Un numéro spécial de la *Revue économique* a été consacré à l'économie des conventions, 1989, vol. 40, n° 2.

6. A. Orléan, 1985, *op. cit.*

7. J.M. Keynes, 1969 (1936), *op. cit.*, particulièrement, le chapitre 12 («L'état de la prévision à long terme», pp. 163-178), le chapitre 13 («Théorie générale du taux de l'intérêt», pp. 179-187) et le chapitre 15 («Les motifs psychologiques et commerciaux de la liquidité», pp. 206-219).

8. A. Orléan, 1989, «Pour une approche cognitive des conventions économiques», *Revue économique*, vol. 40, n° 2, mars, pp. 241-272.

9. *Ibid.* «La contrainte particulière qui retiendra notre attention, est celle que font peser sur la reproduction sociale, les mouvements de défiance généralisée.»

10. J.P. Dupuy, 1988, «Spécularité et Common knowledge», *Cahier du CREA* n° 11, pp. 11-51.

11. E. Morin, 1976, «Pour une crisologie», *Communications*, n° 25, pp. 149-163.

12. P. Lagadec, 1992, *La gestion des crises, outils de réflexion à l'usage des décideurs*, McGraw-Hill, 323 p. ; 1996, «Un nouveau champ de responsabilité pour les dirigeants», *Revue française de gestion*, mars-avril-mai, pp. 100-109.

13. P. Lagadec, 1992, *op. cit.*, Introduction.

14. *Ibid.*, pp. 54-55.

15. Comme l'observe A. Pollert, 1989, *op. cit.*, «le terme de flexibilité est désormais considéré de façon irréversible comme la solution à la récession, à l'intensification de la concurrence et à l'incertitude».

16. M. Douglas, 1992, 1967 pour l'édition originale, *De la souillure, études sur la notion de pollution et de tabou*, Éditions La Découverte, «Textes à l'appui», 193 p.

17. *Ibid.*, chapitre 7, «Les frontières extérieures», pp. 130-143, et chapitre 9 : «Le système en guerre avec lui-même», pp. 154-170.

18. *Ibid.*, pp. 174-175.

19. C. Riveline, 1993, « La gestion et les rites », *Annales des Mines — Gérer et Comprendre*, décembre, pp. 82-90.

20. Le mythe est ici entendu dans le sens d'une « image simplifiée, que des groupes humains élaborent ou acceptent au sujet d'un individu ou d'un fait et qui joue un rôle déterminant dans leur comportement ou leur appréciation », Le Robert. Comme le précise C. Riveline, *ibid.*, « vocable qui ne désigne pas quelque chose de faux, mais quelque chose à quoi l'on croit »

21. W. McKinley, C.M. Sanchez et A.G. Schick, 1995, *op. cit.* : « They function as "myths" to which organizations conform in exchange for legitimacy, irrespective of whether conformity enhances efficiency. »

22. C. Riveline, 1993, *op. cit.* : « Le rite dominant est l'usage des chiffres. »

CHAPITRE 9 : La réduction des effectifs comme fin en soi

1. J.P. Dupuy, 1990, « La panique, du mythe au concept », *Document du CREA*, août, p. 36.

2. A. Orléan, 1985, *op. cit.*

3. H. Dumez et A. Jeunemaître, 1995, « Savoirs et décisions : réflexions sur le mimétisme stratégique », in *Des savoirs en action*, sous la direction de F. Charue-Duboc, pp. 25-49.

4. B. Reynaud, 1995, « Les cabinets conseils en rémunération : obstacles au dépassement du modèle taylorien et défis lancés au marché du travail », in A. Jacob et H. Vérin (sous la dir. de), *L'inscription sociale du marché*, L'Harmattan, pp. 94-111, a analysé de la même façon le rôle des cabinets conseils dans l'élaboration des échelles de salaires.

5. Comme le soulignent H. Dumez et A. Jeunemaître, 1995, *op. cit.*, « les informations qu'utilisent les analystes financiers sont celles qu'utilisent les entreprises du secteur, et les éléments d'analyse des stratégies maniés par les analystes sont ceux que manient les dirigeants d'entreprise : les stratégies soutenues par les marchés financiers ont donc toutes les chances, in fine, d'être celles que les entreprises adoptent de manière mimétique. Et, en même temps (circularité), les stratégies que vont adopter les entreprises sont précisément celles dont elles pensent qu'elles ont les meilleures chances d'être soutenues par les marchés financiers ».

6. M.B. Lieberman et D.B. Montgomery, 1988, « First-mover advantages », *Strategic Management Journal*, vol. 9, pp. 41-58 : « We define first-mover advantages in terms of the ability of pioneering firms to earn positive economic profits. »

7. H. Dumez et A. Jeunemaître, 1995, *op. cit.*, pp. 27-28.

8. A. Orléan, 1994, « Analyse des phénomènes d'influence », *Revue économique*, pp. 657-672 : « Dans les phénomènes d'influence sociale informationnelle, les individus se rapprochent les uns des autres parce qu'ils utilisent les réponses des autres comme des informations supplémentaires. »

9. J.M. Keynes, 1969 (1936), *op. cit.*, p. 171 : « La technique du place-

ment peut être comparée à ces concours organisés par les journaux où les participants ont à choisir les six plus jolis visages parmi une centaine de photographies, le prix étant attribué à celui dont les préférences s'approchent le plus de la sélection moyenne opérée par l'ensemble des concurrents. Chaque concurrent doit donc choisir non les visages qu'il juge lui-même, mais ceux qu'il estime les plus propres à obtenir le suffrage des autres concurrents, lesquels examinent tous le problème sous le même angle. Il ne s'agit pas pour chacun de choisir les visages qui, autant qu'il peut en juger, sont réellement les plus jolis, ni même ceux que l'opinion moyenne considérera réellement comme tels. Au troisième degré où nous sommes déjà rendus, on emploie ses facultés à découvrir l'idée que l'opinion moyenne se fera à l'avance de son propre jugement.»

10. S. Bikhchandani, D. Hirshleifer et I. Welch, 1992, «A Theory of Fads, Fashion, Custom, and Cultural Change as Informational Cascades», *Journal of Political Economy*, vol. 100, n° 5, pp. 992-1026 : une cascade informationnelle apparaît quand un individu fonde son action sur l'observation du comportement de celui qui le précède, sans tenir compte de ses propres informations. «An informational cascade occurs when it is optimal for an individual, having observed the actions of those ahead of him, to follow the behavior of the preceding individual without regard to his own information [...] We argue that localized conformity of behavior can be explained by informational cascades.»

11. J.M. Keynes, 1971 pour l'édition française, 1923 pour l'édition originale, «Les effets sociaux des fluctuations de la valeur de la monnaie», in *Essais sur la monnaie et l'économie*, Petite Bibliothèque Payot, p. 34 : «Il y a une aggravation du phénomène qui vient de ce que toute anticipation du mouvement des prix, si elle est adoptée par un grand nombre d'agents économiques, tend à être cumulative dans ces effets jusqu'à un certain point. Si une hausse des prix est attendue et que le monde des affaires agit sur la base de cette anticipation, ce fait même provoquera une hausse pendant un certain temps et, en démontrant la justesse de la prévision, renforcera l'influence du facteur psychologique. Et il en va de même si on s'attend à une baisse. C'est ainsi qu'un ébranlement relativement faible à l'origine peut suffire à provoquer une fluctuation importante.»

12. J.M. Keynes, 1969 (1936), *op. cit.* : «Finalement, l'individu qui investit à long terme et qui par là sert l'intérêt général est celui qui, dans la pratique, encourra le plus de critiques, si les fonds à placer sont administrés par des comités, des conseils ou des banques. [...] La sagesse universelle enseigne qu'il vaut mieux pour sa réputation échouer avec les conventions que réussir contre elles», p. 172.

13. P. Artus et M. Kaabi, 1994, «Mimétisme. Un modèle théorique simple et une application au cas de la structure des taux d'intérêt», *Revue économique*, n° 3, mai, pp. 613-624.

14. *Ibid.*

15. A. Orléan, 1989, *op. cit.*

16. *Ibid.*

17. Cité par W. McKinley, C.M. Sanchez et A.G. Schick, 1995,

« Organizational Downsizing : Constraining, Cloning, Learning », *Academy of Management Executive*, vol. 9, n° 3, pp. 32-43.

18. G.R. Carroll, 1994, « Organizations... The Smaller They Get », *California Management Review*, vol 37, n° 1, pp. 28-41 : « Smaller organizations have become the norm [...] This smaller organizations now loom so large that by most accounts the "typical" or "average" American organizations is much smaller than in the 1960 s. »

19. W. McKinley, C.M. Sanchez, et A.G. Schick, 1995, *op. cit.* : « At the core of this argument is the idea that firms feel pressure to downsize because being "lean and mean" has achieved the status of a valued attribute — an end in itself. »

20. On notera que le langage français n'a pas véritablement traduit le phénomène de « downsizing », le terme le plus proche pouvant néanmoins être celui de « dégraissage ».

21. S.J. Freeman et K.S. Cameron, 1993, « Organizational downsizing : a convergence and reorientation framework », *Organization Science*, vol. 4, n° 1, février, pp. 10-29 : « Downsizing is not something that happens to an organization, but something that organization members undertake purposively. This implies, first of all, that downsizing is an intentional endeavor [...] It represents a strategy implemented by managers that affects the size of the firms work force and the work processes used. »

22. W. McKinley, C. M. Sanchez et A.G. Schick, 1995, *op. cit.* : « Given the uncertainty about dowsizing's effectiveness as a cost-reduction and profit-enhancing strategy, as well as the negative effects downsizing may have on the attitudes of surviving employees, the question arises : why are so many companies downsizing ? With so many concerns about downsizing, why is it spreading like wildfire through the ranks of America's largest corporations ? »

23. *Ibid.* : « In recent scholarly and practitioner-oriented writing, however, dowsizing has been disconnected from the decline concept. As a result, dowsizing is now interpreted positively, and seems to be attaining the status of an expectation [...] They rationalize downsizing as the new "law". »

24. *Ibid.* : « As corporations conform to social constraints promoting "leaness", downsizing spreads more widely, and becomes attractive as a means of demonstrating legitimacy. »

25. H. Mintzberg, 1996 b, « Managers, méfiez-vous du management », *Harvard Business Review*.

26. A. Orléan, 1985, *op. cit.*

27. A. Orléan, 1989, *op. cit.*

28. *Ibid.*

CHAPITRE 10 : Les décideurs en guerre avec eux-mêmes ?

1. D'après une étude du CEREQ, 1995, « L'insertion professionnelle des diplômés de l'enseignement supérieur se dégrade » *Bref Céreq*, n° 107 :

cette enquête menée auprès d'un échantillon national de diplômés de l'enseignement supérieur montre que 19,5 % des diplômés de 1992 étaient au chômage neuf mois après la fin de leurs études. Le taux atteignait 30 % parmi les sortants d'écoles d'ingénieurs.

2. P. Watzlawick, J.H. Beavin, D.D. Jackson, 1972, 1967 pour l'édition originale, *Une logique de la communication*, Points Seuil, 280 p., pp. 195-210 : « Les éléments essentiels de la situation sont les suivants ».

3. J.G. March et Z. Shapira, 1991 (1987), « Les managers face au risque », in *Décisions et organisations*, chapitre 5, pp. 109-130. Dans cet article, les auteurs ont étudié les attitudes des managers face au risque, et ils soulignent que « la prise de risque est plus, pour ces managers, une question d'obligation professionnelle que de penchant personnel. Ils sont convaincus qu'elle est un élément essentiel du rôle de dirigeant. Comme le dit le directeur général d'une entreprise : "si vous n'êtes pas prêts à assumer des risques, il faut changer de métier". Souligner ce lien entre prise de risque et management est moins une déclaration sur l'utilité mesurable de la prise de risque pour le manager que l'affirmation d'un rôle [...] en accord avec l'idéologie managériale contemporaine, diriger, c'est prendre des décisions », p. 117.

4. A. Ehrenberg, 1991, *Le culte de la performance*, Calmann-Lévy, coll. Pluriel, p. 174.

5. H. Laroche, 1994, « Le paradoxe de l'urgence », *L'urgence dans les organisations : où, comment et pourquoi*, Journées d'études « Temps et Organisation », CRG École polytechnique, 1ᵉʳ et 2 décembre.

6. A.J. Dunlap, PDG de Sunbeam, surnommé le « Michael Jordan de la reprise d'entreprise », « Al la tronçonneuse », affirme dans un récent livre (1996, *Mean Business : How I Save Bad Companies and Make Good Companies Great*, Times Book, cité par L.J.D. Wacquant, 1996, *op. cit.*) : Dans les 24 heures suivant l'annonce de sa nomination, l'action Sunbeam est passée de 12,25 à 19,50 dollars, gonflant la valeur boursière de la compagnie de 521 millions de dollars.

7. P. Watzlawick, J.H. Beavin et D.D. Jackson, 1972 (1967), *op. cit.*, chapitre 6 : « La communication paradoxale ».

8. D'après les investigations menées par M. Berry, 1983, *op. cit.*, de telles résistances à la notion de mécanisme de gestion renvoient à une dimension culturelle : « Il semble difficile d'admettre que les produits de la science et du génie de l'organisation des hommes puissent diminuer leur emprise sur leur propre destin », p. 64.

9. P. Watzlawick, J. Weakland et R. Fisch, 1975, *Changements, paradoxes et psychothérapie*, Le Seuil, Points Essais, 189 p., p. 65 : comme le souligne P. Watzlawick, « une des manières de ne pas résoudre un problème consiste à faire comme s'il n'existait pas » ; « A première vue, on aurait du mal à croire qu'une personne aux prises avec un problème veuille le résoudre en niant sa réalité. Pourtant, la sagesse populaire en est avertie et l'exprime dans des expressions comme "faire la politique de l'autruche", "se voiler la face", "faire la sourde oreille", ou dans le proverbe anglais : "si vous n'y regardez pas, ça disparaîtra tout seul". Plus abstrai-

tement, on retrouve ici la formule suivante : il n'y a pas de problème (au pire, c'est une difficulté) et tous ceux qui voient là un problème doivent être fous ou mal intentionnés. »
10. Comme le souligne P. Lagadec, 1992, *op. cit.* : « Ici une personne, qui a dans ses caractéristiques professionnelles d'être en position de responsabilité, est confrontée à la douleur ou à l'horreur d'autres personnes. [...] Le dirigeant n'échappe pas à cette loi générale des êtres humains : parce qu'ils dérangent, qu'ils épouvantent. [...] Tout est "naturellement" en place pour la fuite, et le responsable se laissera absorber par "autre chose" », p. 142.
11. Comme le notent P. Watzlawick, J. Weakland et R. Fisch 1975, *op. cit.*, pp. 60-61, « c'est sans doute le besoin de maintenir une façade sociale acceptable qui constitue la première et la plus importante des raisons de ce déni des problèmes ».
12. H. von Foerster, 1988, « La construction d'une réalité », in P. Watzlawick, *L'invention de la réalité, contributions au constructivisme*, Seuil, Points Essais, pp. 45-69 : « La cécité localisée n'est pas perçue comme une tache sombre dans notre champ visuel ; elle n'est pas perçue du tout, ni comme quelque chose de présent, ni comme quelque chose d'absent — ce que nous percevons, nous le percevons "sans taches". »
13. P. Lagadec, 1992, *op. cit.*, p. 86.
14. *Ibid.* : « La ligne de plus grande pente [de fuite du décideur face à l'horreur] est de considérer que le Samu et les pompiers ont fait leur travail, que "ces gens" sont donc pris en charge », p. 142.
15. A. Camus, 1947, *La peste*, Gallimard, pp. 160-162.
16. P. Lagadec, 1992, *op. cit.*, p. 86.
17. P. Watzlawick, 1988 (1981), « Avec quoi construit-on des réalités idéologiques ? », in *L'invention de la réalité*, p. 239.
18. In L.J.D. Wacquant, 1996, *op. cit.*
19. P. Lagadec, 1992, *op. cit.*, pp. 85-86.

CHAPITRE 11 : L'indicible malaise des cadres

1. Nous entendons par « cadres parties prenantes à la mise en œuvre de la décision » les cadres identifiés dans la première partie comme relevant des lieux socio-techniques de l'entreprise et comme étant en charge de l'intendance de la décision de réduction des effectifs. Il s'agit par exemple des responsables ressources humaines d'établissements, des directeurs d'usine, des chefs de service, voire des chefs d'atelier. Les contours de cette population recouvrent pour partie ceux de la population précédente. La nuance consiste ici à considérer ces acteurs dans leur mission de gestion d'une entité, compte tenu de la prégnance des mesures de réduction des effectifs.
2. M. Berry, 1983, *op. cit.*, p. 65, souligne que si les agents économiques repoussent souvent l'hypothèse mécanique, « pourtant nombreux sont ceux

qui ressentent le poids de ces mécanismes : ce sont en particulier ceux qui sont en position d'exécutants ou dans la hiérarchie intermédiaire ».

3. D'après l'INSEE, *Économies et statistiques,* n° 261, alors que les personnes âgées de 55 ans et plus représentaient 13,9 % de l'effectif des cadres d'entreprise en 1982, ils ne représentent plus que 9,8 % en 1990.

4. L. Mallet, 1993, « L'évolution des politiques de promotion interne des cadres », *Revue française de gestion,* juin-juillet-août, pp. 38-48.

5. D'après l'INSEE, le pouvoir d'achat des salaires nets dans les secteurs privé et semi-public a augmenté en moyenne de 0,4 % en 1995, mais les cadres ont vu leur pouvoir d'achat baisser de 0,7 %.

6. Néanmoins, plusieurs des DRH interviewés au début de l'année 1997 nous ont mentionné le fait qu'un nombre croissant de cadres commençaient à se tourner vers la CGT...

7. N. Aubert et V. de Gaulejac, 1991, *op. cit.,* p. 305.

8. Article L 620-2 du Code du travail : « Lorsque tous les salariés occupés dans un service ou dans un atelier ne travaillent pas selon le même horaire collectif, les chefs d'établissement doivent établir les documents nécessaires au décompte de la duré du travail, des repos compensateurs pour chacun des salariés concernés. » Les modalités du décompte des horaires sont précisées par l'article D 212-21 du Code du travail : « La durée du travail de chaque salarié doit être décomptée selon les modalités suivantes : quotidiennement par le relevé des heures de travail effectuée ; chaque semaine, par récapitulation selon tous les moyens du nombre d'heures de travail effectuées par chaque salarié. » Les infractions à la réglementation sur la durée du travail — et son absence de contrôle — sont généralement sanctionnées d'une contravention (4ᵉ classe), entraînant une peine d'amende pouvant aller jusqu'à 5 000 F (appliquée autant de fois qu'il y a de salariés travaillant en dehors des dispositions pénales). La procédure pénale peut être initiée par un inspecteur du travail, une organisation syndicale ou un salarié. L'inspection du travail a récemment dressé un certain nombre de PV concernant la durée du travail des cadres et employés. La Cour de cassation vient de confirmer cette tendance en affirmant que la notion d'horaire de travail et les lois y afférentes sont applicables à tous, hormis les cadres dirigeants. Elle a notamment rappelé les conditions à respecter dans le cas de salariés forfaitisés.

9. A.O. Hirschman, 1970, *Exit, voice and loyalty, Responses to decline in firms, organizations, and states,* Harvard University Press, 162 p.

10. *Ibid.* : « Some customers stop buying the firm's products or some members leave the organization : this is the exit option », p. 4.

11. *Ibid.* : « Some customers stop buying firm's products or some member leave the organization : this is the exit option. [...] The firm's customers or the organization's members express their dissatisfaction directly to management or to some other authority to which management is subordinate or through general protest addressed to anyone who cares to listen : this is the voice option », p. 4.

12. J.G. March et H.A. Simon, 1991 (première parution, 1958), *Les*

organisations, Dunod, chapitre 3 : «L'influence des motivations sur les décisions au sein de l'organisation», p. 58.

13. A.O. Hirschman, 1970, *op. cit.*, souligne : «Expulsion can be interpreted as an instrument — one of many — which "management" uses in these organizations to strict resort to voice by members», p. 76 ; «It appears that the effectiveness of the voice mechanism is strengthened by the possibility of exit. The willingness to develop and use the voice mechanism is reduced by exit, but the ability they use it with effect is increased by it», p. 83.

14. L. Boltanski et L. Thévenot, 1990, *De la justification, les économies de la grandeurs*, Gallimard Essais, 485 p., expliquent ainsi que lorsqu'une une controverse émerge entre deux «mondes», trois types de solutions peuvent être recherchées : la clarification, l'arrangement local et le compromis. Dans les configurations étudiées, la clarification apparaît impossible, et le compromis (qui constitue une forme d'accord plus durable, consolidée par des dispositifs) ne semble pas émerger. Par contre, on observe des arrangements locaux, entendus comme des situations où des partenaires arrivent à se mettre d'accord localement sur une transaction.

CHAPITRE 12 : Morcellements, cloisonnements, méfiances : que reste-t-il de l'entreprise ?

1. A. Camus, 1947, *op. cit.*

2. P. Lagadec, 1992, *op. cit.*, p. 90.

3. Une étude menée dans le cadre du cabinet Vacquin sur l'analyse a posteriori d'un conflit, dans une usine de l'entreprise Pointe (on en trouvera les éléments de déroulement et de méthodologie en annexe). Des discussions «en passant» avec des cadres, des salariés, des syndicalistes, des avocats du travail, etc.

4. Des études — la plupart fondamentalement empiriques — faites par des inspecteurs du travail (Association Villermé), des médecins du travail, des organisations syndicales, des experts de comités d'entreprise, ou d'autres chercheurs.

5. Par exemple, l'étude sur la sous-traitance et l'emploi en Maurienne nous a donné l'occasion d'habiter sur place 4 semaines durant et de discuter avec les Mauriennais.

6. Au cours de l'année 1994, trente entretiens semi-directifs d'une durée moyenne de 1 h 30 ont été menés dans les locaux de l'inspection du travail, avec des salariés relevant de situations très diverses : employés de petites ou de grandes entreprises, chômeurs récents, intérimaires, etc.

7. L'analyse que fait P. Levi, 1987 (1ʳᵉ édition italienne : 1958), *Si c'est un homme*, Julliard, 214 p., des processus de sélection dans les Lager nous paraît offrir quelques éléments comparables, même si l'analogie est poussée un peu loin : «L'examen est très rapide et sommaire, et d'ailleurs ce qui compte pour l'administration, ce n'est pas tant d'éliminer vraiment les

plus inutiles que de faire rapidement place nette en respectant le pourcentage établi », p. 137.

8. M. Douglas, 1992, *op. cit.*, p. 187 : «Le rituel [mortuaire] permet de demeurer vivant et sain d'esprit.»

9. Trente salariés ont été rencontrés, après constitution d'un échantillon qui tenait compte de la classification (ouvrier, agent de maîtrise, cadre) et du secteur d'appartenance dans l'usine.

10. *Fortune*, «Licenciements de 1 à 10, juin 1996», repris par *Management et Conjoncture sociale*, n° 486, juin, pp. 6-7, raconte : «Un directeur d'un laboratoire médical a reçu des instructions lui indiquant de diminuer de moitié l'ensemble du personnel. Les 1 000 employés ont été rassemblés dans le parking de l'entreprise afin de connaître le nom des 500 licenciés. Les actionnaires ont indiqué ensuite aux 500 survivants qu'ils devaient être contents d'être gardés mais que leur assurance-maladie était supprimée...»

11. Y. Minvielle et H. Vacquin, 1996, *Le sens d'une colère, noveambre-décembre 1995, chances et perspectives,* Stock, 295 p.

12. V. Amar, 1996, «Les entreprises somatisent, elles ont mal à leur âme», *Management et Conjoncture sociale,* juin, pp. 13-22.

13. Association Santé et Médecine du travail, 1994, *Souffrances et précarité au travail, Paroles de médecins du travail,* Syros/Mutualité Française, 357 p.

14. I. Francfort, F. Osty, R. Sainsaulieu, M. Uhalde, 1995, *Les mondes sociaux de l'entreprise,* Desclée de Brouwer, pp. 232-239 : «Le déclin du modèle communautaire». «La logique communautaire semble être marquée par un double mouvement : la continuité, à travers la référence, toujours présente, que font les individus à une tradition familiale, à la mémoire collective, à la recherche de protection et d'inscription dans une histoire qui se poursuit; la rupture, à travers l'évolution vers des sociabilités de proximité. Celle-ci est le résultat de l'exacerbation des divergences entre les intérêts de la Maison [...] et les intérêts de la catégorie ou de la classe sociale. Ce conflit apparaît au grand jour, mais de manière individualisée et intériorisée. Ceci constitue la composante majeure du changement opéré ces dix dernières années.»

15. J.D. Reynaud, 1989, *Les règles du jeu,* Armand Colin, chapitre 8 : «L'anomie».

16. C. Dubar, 1991, *La socialisation. Construction des identités sociales et professionnelles,* Armand Colin.

Conclusion

« Sauve qui peut », l'apprentissage est-il possible ?

1. Dans le sens proposé par H. von Foerster, 1988, «La construction d'une réalité», in P. Watzlawick, *L'invention de la réalité, contributions*

au constructivisme, Seuil, Points Essais, pp. 45-69 : « Le postulat : l'environnement, tel que nous le percevons, est notre invention », p. 46.

2. Sun Tzu, 1972 (1963), *L'art de la guerre,* Flammarion, Champs, 255 p., II : « La conduite de la guerre », pp. 101-107.

3. C. Midler, 1991, « Evolution des règles de gestion et processus d'apprentissage », *Colloque « L'économie des conventions »*, 27 et 28 mars, 27 p.

4. H. von Foerster, 1988, *op. cit.* : « La cécité localisée n'est pas perçue comme une tache sombre dans notre champ visuel ; elle n'est pas perçue du tout, ni comme quelque chose de présent, ni comme quelque chose d'absent — ce que nous percevons, nous le percevons "sans taches". »

5. P. Watzlawick, 1988, 1981 pour l'édition originale, *op. cit.* Ainsi que la décrit P. Watzlawick : « Étant donné son caractère axiomatique, elle [l'idéologie] ne peut (ni n'a besoin de) démontrer sa propre véracité. Des déductions rigoureusement logiques faites à partir de cette prémisse résulte l'invention d'une réalité dont la caractéristique essentielle est que tout échec ou incohérence du système n'est jamais attribué à la prémisse fondamentale, mais à ce qui en a été déduit. »

6. J.P. Dupuy, 1990, *op. cit.*, p. 46 : « Il s'agit pour chacun de choisir en se calant sur une référence dont la nature ou la valeur dépend des choix de tous. Cette circularité débouche sur une radicale indécidabilité. »

7. M. Granovetter, 1995, « La notion d'embeddedness », in *L'inscription sociale du marché*, pp. 11-21 : « Ils [les gens] ont en tête, dans leur idéologie, que le marché est impersonnel, alors qu'ils considèrent leur travail de façon tout à fait personnelle. Les gens ont la capacité de compartimenter leur vie et leur idéologie. C'est ainsi en général : lorsqu'on observe les activités économiques, on ne peut les voir telles que l'idéologie le prescrit […] On observe une sorte de schizophrénie où chacun connaît son propre cas mais pense que le cas général suit l'idéologie. »

8. J.P. Dupuy, 1989, « Convention et Common Knowledge », *Revue économique, L'économie des conventions*, vol. 40, n° 2, pp. 361-400.

9. J.M. Keynes, 1969 (1936), *op. cit.*, chapitre 12 : « L'état de la prévision à long terme », pp. 175-176 : « Aussi bien le dynamisme faiblit, si l'optimisme naturel chancelle, et si par suite on est abandonné au seul ressort de la prévision mathématique, l'entreprise s'évanouit et meurt, alors que les craintes de pertes peuvent être aussi dépourvues de base rationnelle que l'étaient auparavant les espoirs de profit […] Pour que l'initiative individuelle se révèle suffisante, il faut que la prévision rationnelle soit secondée et soutenue par le dynamisme. De même que l'homme valide chasse la pensée de sa mort, c'est le dynamisme des pionniers qui leur fait oublier l'idée de la ruine finale qui les attend souvent, l'expérience ne leur laissant à cet égard pas plus d'illusions qu'à nous-mêmes. » « Outre la cause due à la spéculation, l'instabilité économique trouve une autre cause, inhérente celle-ci à la nature humaine, dans le fait qu'une grande partie de nos activités positives dans l'ordre du bien, de l'agréable ou de l'utile procèdent plus d'un optimisme spontané que d'une prévision mathématique. […] Lorsqu'on évalue les perspectives de l'investissement, il faut donc tenir

compte des nerfs et des humeurs, des digestions même et des réactions au climat des personnes dont l'activité spontanée les gouverne en partie.»
10. J.P. Dupuy, 1989, *op. cit.*, p. 373. «Le processus [de spécularité] se déroule en deux temps : le premier est celui du jeu spéculaire et spéculatif dans lequel chacun guette chez les autres les signes d'un savoir convoité et qui finit tôt ou tard par précipiter tout le monde dans la même direction ; le second est la stabilisation de l'objet qui a émergé, par oubli de l'arbitraire inhérent aux conditions de sa genèse. L'unanimité qui a présidé à sa naissance le projette, pour un temps, au-dehors du système des acteurs lesquels, regardant tous dans le sens qu'il indique, cessent de croiser leurs regards et de s'épier mutuellement [...] Dans le temps effectif du processus, il [le mécanisme imitatif] se referme sur l'objet qu'il élit selon une dynamique autorenforçante. Cette dualité traduit que le même mécanisme est à l'œuvre derrière la crise et la résolution de la crise.»
11. P. Lagadec, 1992, *op. cit.* : «Comme dans une tragédie, chacun préfère suivre son destin, et courir à un échec qu'il perçoit confusément comme inévitable. Alors, à quoi bon s'arrêter en chemin pour un instant de lucidité douloureuse?»
12. Le séminaire «Vies collectives» de l'Ecole de Paris du management s'est justement donné comme mission de diffuser par le biais de séminaires des expérimentations en la matière.
13. K.E. Weick, 1993, «The Collapse of Sensemaking in Organizations : the Mann Gulch Disaster», *Administrative Science Quarterly*, 38, pp. 628-652.
14. K.E. Weick, 1995, *op. cit.,* p. 61 : «A good story, like a workable cause map, shows patterns that may already exist in the puzzles an actor now faces, or patterns that could be created anew in the interest of more order and sense in the future. The stories are templates. They are products of previous at sensemaking. They explain. And they anergize. And those are two important properties of sensemaking that we remain attentive when we look for plausibility instead of accuracy.»
15. M. Berry, 1984, *op. cit.*, p. 64 : «Si les chercheurs ont ainsi une production locale s'adressant aux acteurs directement impliqués dans la vie d'une organisation, cela n'exclut pas qu'ils élaborent des constructions théoriques de portée générale [...] Mais il faut considérer que la portée d'une construction globale n'est que de fournir des guides pour mieux penser les problèmes locaux. Sa pertinence vaut donc, non pas par ce qu'elle prouve, au sens où l'on emploie cette expression en physique, mais par l'enjeu des questions qu'elle éclaire et sa capacité à stimuler la réflexion de tierces personnes, chercheurs ou praticiens.»

GLOSSAIRE

Compétitivité : La compétitivité évalue la capacité d'un pays ou d'une entreprise à supporter la concurrence du marché. Les facteurs de compétitivité sont alors multiples. La mesure de la « compétitivité coût » intègre les coûts salariaux ; elle rend compte de la situation de l'économie au regard du premier facteur de production (le travail et son coût). La mesure de la « compétitivité prix » intègre, en plus des coûts salariaux, les autres coûts de production et la marge dégagée par les entreprises. La mesure de la « compétitivité globale » vise à intégrer l'ensemble des facteurs de compétition, y inclus ses facteurs hors coûts ou hors prix, tels que la capacité d'innovation, les délais de production, la qualité des produits et services, etc.

Flexibilité du travail : Il s'agit d'une recherche d'adaptation la plus étroite possible entre les besoins de la production (ou de la prestation de services) et la mobilisation de la main-d'œuvre. Cette adaptation peut être obtenue en interne ou en externe ; elle peut concerner le volume de travail, le coût du travail ou encore les contenus du travail (voir développements dans le chapitre 1).

Flexibilité externe de l'emploi : Ce terme regroupe l'ensemble des mesures prises par l'entreprise visant à assurer une partie de la charge de travail par des emplois externes (des emplois qui contrairement au CDI ou au CDD ne sont pas directement portés par l'employeur) ; ce sont des mesures qui entrent dans le cadre d'une recherche de flexibilité externe, tels que : le recours à la sous-traitance (de capacité ou de spécialité), l'essaimage, le recours à l'intérim, le recours à des travailleurs indépendants, etc. Ces mesures mènent alors à un processus d'externalisation des emplois.

Institutions Représentatives du Personnel (IPR) : On regroupe sous ce terme générique l'ensemble des formes de représentation des salariés, dont les obligations légales dépendent du nombre de salariés de l'entreprise : les salariés élisent, suivant les cas, des délégués du personnel et des représentants syndicaux qui siègent dans les réunions paritaires obligatoires (réunion des délégués du personnel, comité d'entreprise, comité central d'entreprise, comité européen d'entreprise). Ces élus disposent en outre de temps de délégation pour assurer leur mandat de représentation.

Masse salariale et frais de personnel : La masse salariale correspond à la somme globale des rémunérations brutes (directes et indirectes) versées aux salariés d'une entreprise (salaires, appointements, primes, indemnités de départ, congés payés, etc.). Pour évaluer l'ensemble des charges de personnel, il s'agit d'y ajouter les charges de Sécurité sociale et de prévoyance versées aux différends organismes sociaux ainsi que les autres charges sociales, telles que les versements aux comités d'entreprise et aux œuvres sociales. Entrent de plus dans le coût de la main-d'œuvre, le coût des taxes sur les salaires, de participation à la formation continue, etc.

Productivité : Il s'agit d'un rapport entre une production (en volume ou en valeur) et un ou plusieurs facteurs de production ; au numérateur, on retrouve la production de biens ou de services et au dénominateur, on retrouve des consommations utilisées pour cette production. Si la productivité est calculée par rapport au facteur travail ou à l'emploi, elle sera évaluée par les ratios « volume de production / nombre d'heures travaillées », « volume de production / personnes salariées de l'entreprise », ou « Chiffre d'affaires / masse salariale ». Si la productivité est calculée par rapport à l'ensemble des facteurs de production, on parlera de productivité globale.

Réductions d'effectifs : Un processus de réduction des effectifs s'observe quand une entreprise affiche d'une année sur l'autre, un nombre d'emplois internes diminué (somme des CDI et des CDD). Pour les multiples modalités de la réduction des effectifs, voir chapitre 1.

Rentabilité : La rentabilité mesure la faculté d'un capital placé ou investi de dégager un résultat ou un gain ; de donner un bénéfice par rapport au capital investi.

Valeur ajoutée : C'est la différence entre la valeur de la production et la valeur des consommations intermédiaires nécessaires pour assurer la production.

BIBLIOGRAPHIE

M. Aglietta, 1994, «Concurrence internationale, emploi, cohésion sociale», *Travail et Emploi*, n° 59, pp. 90-100.

V. Amar, 1996, «Les entreprises somatisent, elles ont mal à leur âme», *Management et Conjoncture sociale*, juin, pp. 13-22.

ANACT, 1995, *Changement organisationnel et instrumentation de gestion*, collection «Dossiers documentaires».

APEC, 1995, «Les cadres satisfaits mais vigilants», Cadroscope, *Courrier Cadres*, juillet.

B. Appay, 1993, «Individuel et collectif. Questions à la sociologie du travail. L'autonomie contrôlée», *Cahiers du GEDISST*, n° 6, pp. 57-92.

G. Archier et H. Sérieyx, 1984, *L'entreprise du troisième type*, Seuil.

C.H. d'Arcimoles, 1997, «Information sociale, bilan social et évaluation financière de l'entreprise : pratiques et attentes des professionnels», *Actes du Colloque du vingtième anniversaire du bilan social*, LIRHE, 5 et 6 juin, Toulouse, pp. 193-203.

R. Ardenti et P. Vrain, 1991, «Licenciements économiques, plans sociaux et politiques de gestion de la main-d'œuvre des entreprises», *Travail et Emploi*, n° 50, pp. 15-32.

P. Artus, 1994, «Récessions, financement des entreprises, et situation particulière des petites entreprises», *Groupe Caisse des Dépôts, Service des études économiques et financières, document de travail*, n° 1994-03/T, 28 p.

P. Artus et M. Kaabi, 1994, «Mimétisme. Un modèle théorique simple et une application au cas de la structure des taux d'intérêt», *Revue économique*, n° 3, mai, pp. 613-624.

P. Artus et R. Wind, 1994, «Le cycle économique de 1990-1994 en France a-t-il eu des caractéristiques particulières ?», *Groupe Caisse des dépôts*, Document d'étude, n° 1994-04/E, 14 p.

Association Santé et Médecine du travail, 1994, *Souffrances et précarité au travail, Paroles de médecins du travail*, Syros/Mutualité française, 357 p.

J. Atkinson, 1984, «Manpower strategies for flexible organizations», *Personnel Management*, août, pp. 28-31.

N. Aubert et V. de Gaulejac, 1991, *Le coût de l'excellence*, Le Seuil.

A.L. AUCOUTURIER, 1995, *Portraits en relief des cellules de reclassement*, Rapport d'étude réalisé par le CREDOC, 260 p.

R. BAKTAVATSALOU, 1996, « Les licenciements pour motif économique et leur accompagnement du début des années 70 au milieu des années 90 », *Données sociales*, INSEE, pp. 150-156.

D. BALMARY, 1994, « L'administration et les plans sociaux : convaincre ou contraindre ? », *Droit social*, n° 5, mai.

BANQUE DE FRANCE, B. PARANQUE, 1993, « Emploi, accumulation et rentabilité financière », *Dossier de la Centrale des bilans*, n° B94/02, 37 p., décembre.

C.I. BARNARD, 1938 (édition de 1970), *The functions of the executive*, Cambridge, Mass : Harvard University Press.

B. BAUDRY, 1995, *L'économie des relations interentreprises*, La Découverte, 125 p.

R. BEAUJOLIN, 1995, « Outils de gestion et prise de décision en matière de réductions d'effectifs », *Travail*, n° 34, printemps-été, pp. 59-74.

— 1996, « Une industrie de montagne face aux donneurs d'ordres », *Annales de l'Ecole de Paris*, vol. III, Séminaire « Crises et Mutations. »

— 1997, *De la détermination du sureffectif à la quête infinie de flexibilité : où mènent les processus de réduction des effectifs ?*, Thèse de Doctorat de l'Ecole Polytechnique, 380 p.

— 1998, « Les engrenages de la décision de réduction des effectifs », *Travail et Emploi*, n° 75.

RAPPORT BELIER sur « la représentation dans les petites entreprises », *Liaisons sociales*, Doc. R, n° 37/90 du 30 avril 1989.

M. BERNIER, 1990, « La productivité globale : des instruments de gestion pour accompagner la modernisation de l'entreprise », in ECOSIP, *Gestion industrielle et mesure économique*, Economica.

M. BERRY, 1983, *Une technologie invisible ? L'impact des instruments de gestion sur l'évolution des systèmes humains*, Centre de Recherche en Gestion de l'École Polytechnique.

— 1984, « Logique de la connaissance et logique de l'action, Réflexions à partir de l'expérience des recherches en Gestion menées au CGS et au CRG », *Communication à l'Université Laval*, Québec, 70 p.

— 1988, « Comment tenir des propos raisonnables sur un sujet à la mode ? », *Annales des Mines*, n° spécial : « Pour une automatisation raisonnable de l'industrie », janvier.

M. BERRY et M. MATHEU, 1986, « Pratique et morale de l'irrévérence », *Revue Française de Gestion*, Dossier « Un regard d'ethnographe dans l'entreprise », juin-juillet-août, pp. 40-42.

C. BESSY, 1993, *Les licenciements économiques entre la loi et le marché*, CNRS éditions.

C. BESSY, F. EYMARD-DUVERNAY, B. GOMEL et B. SIMONIN, 1995, « Les politiques publiques de l'emploi : le rôle des agents locaux », *Cahiers du Centre d'études de l'emploi, Les politiques publiques d'emploi et leurs acteurs*, n° 34, pp. 16-17.

S. Bikhchandani, D. Hirshleifer et I. Welch, 1992, «A Theory of Fads, Fashion, Custom, and Cultural Change as Informational Cascades», *Journal of Political Economy*, vol. 100, n° 5, pp. 992-1026.

L. Boltanski et L. Thévenot, 1991, *De la justification, les économies de la grandeur*, Gallimard Essais, 485 p.

E.H. Bowman et B.G. McWilliams, 1986, «La logique implacable de la dérégulation», *Revue française de gestion*, mars-avril-mai.

R. Boyer, B. Chavance, o. godard (sous la direction de), 1991, *Les figures de l'irréversibilité en économie*, Introduction : «La dialectique réversibilité — irréversibilité: une mise en perspective», pp. 11-33.

R. Brenner, 1996, «Le downsizing et les marchés boursiers», *Le Figaro*, 20 décembre.

B. Brunhes Consultants, 1994, *L'Europe de l'emploi, ou comment font les autres*, Les Editions d'organisation.

B. Brunhes Consultants, D. Kaisergruber (sous la dir. de), 1997, *Négocier la flexibilité, pratiques en Europe*, Les Editions d'organisation, 237 p.

M. Burdillat, 1990, «Les définitions de l'emploi dans l'entreprise», *Cahier du GIP — Mutations industrielles*, n° 41.

— 1992, «Du sureffectif à la gestion prévisionnelle : quels processus de définition de l'emploi?», in M.C. Villeval (sous la dir. de), *Mutations industrielles et reconversion des salariés*, L'Harmattan, pp. 37-244.

M. Callon, 1991, «Réseaux technico-économiques et irréversibilités», in R. Boyer, B. Chavance et O. Godard (sous la direction de), *Les figures de l'irréversibilité en économie*, Editions de l'EHESS, pp. 195-230.

P. Cam, 1995, «Recruter n'est pas jouer», in CEREQ, G. Podevin éd., *Le recrutement*, Documents, n° 108, septembre, pp. 287-292.

A. Camus, 1947, *La peste*, Gallimard.

M. Capron et F. Ginsbourger, 1996, «La prise en compte décentralisée de coûts de reclassement», in *Cahier de l'ANACT, Pour une gestion intentionnelle de l'emploi*, n° 10, juin, pp. 53-60.

G.R. Carroll, 1994, «Organizations... The Smaller They Get», *California Management Review*, vol 37, n° 1, pp. 28-41.

P. Cassassuce, 1988, «La flexibilité de l'emploi et du travail dans les entreprises industrielles», in F. Stankiewicz (sous la dir. de), *Les stratégies d'entreprises face aux ressources humaines, L'après-taylorisme*, Economica, pp. 139-148.

D. Centlivre, 1995, «Historique du concept de productivité globale dans le groupe Danone», *Colloque Entreprise et Personnel*, Journées d'études du 12 octobre, 7 p.

CEREQ, 1995, «L'insertion professionnelle des diplômés de l'enseignement supérieur se dégrade» *Bref Céreq*, n° 107.

CFTC, 1992, *Licenciement économique et plan social, orientations pour l'action syndicale*, Service emploi-formation.

A.D. Chandler, 1977, *The visible hand. The managerial révolution in the american business*, The Belknap Press f Harvard University Press.

P. CHEVALIER ET D. DURE, 1993, « Quelques effets pervers des mécanismes de gestion », Dossier « Pourquoi licencie-t-on ? », *Annales des Mines — Gérer et Comprendre*, septembre, pp. 4-25.

R. COASE, 1937, « The nature of the firm », *Economica*, 4, pp. 386-405.

T. COLIN ET R. ROUYER, 1996, *Mise en œuvre, négociation et instrumentation des plans sociaux, observation sur quatre zones d'emploi dans la période 1993-1994*, Rapport de recherche du GREE pour la DARES, mai.

B. COLLOMB, 1995, « La relation avec les actionnaires dans une multinationale française », *Séminaire Vie des Affaires de l'Ecole de Paris*, séance du 30 juin, 11p.

COMMISSARIAT GÉNÉRAL AU PLAN, 1992, *France : la performance globale*, Commission « Compétitivité française » du XIᵉ Plan, présidée par J. Gandois, La Documentation française.

— (rapporteur : T. PRIESTLEY), 1994, « Droit du travail et régulation des rapports sociaux », *Groupe prospective travail-emploi*, juin.

B. CORIAT, 1990, *L'atelier et le robot*, C. Bourgeois éditeur.

M. CROZIER, 1963, *Le phénomène bureaucratique*, Le Seuil, Points, 382 p.

R. M. CYERT et J.G. MARCH, 1963, *A Behavioral Theory of the Firm*, Englewood Cliffs, Prentice-Hall.

DARES, 1994, « Embauches et licenciements au cours de l'année 1993 : un marché de l'emploi en voie de redressement ? », *Premières Synthèses*, n° 69, 2 septembre.

— 1995, « Les licenciements économiques selon le secteur d'activité en 1993 et 1994 », *Premières Informations*, n° 473, 4 juillet.

— 1996 a, « Quand les entreprises réembauchent : le redémarrage de 1994 au regard de celui de 1988 », *Premières Synthèses*, n° 123, 12 février.

— 1996 b, « La mise en œuvre des plans sociaux : résultats de deux recherches », *Premières Synthèses*, n° 96-08-32-2, 8 p.

— 1998, « La reprise de l'intérim au premier semestre 1997 », *Premières Informations*, janvier, 8 p.

J.C. DAUMAS, 1997, « Industrialisation et structures des entreprises en France, 1880-1970 », in J. Marseille (sous la dir. de), *L'industrialisation de l'Europe occidentale (1880-1970)*, pp. 215-236.

H. DENT, 1995, *La révolution du travail, « le job choc »*, Les Editions Québécor, 335 p.

P.B. DOERINGER et M.J. PIORE, 1971, *Internal labor markets and manpower analysis*, D.C. Health, Lexington, 214 p.

M. DOUGLAS, 1992, 1967 pour l'édition originale, *De la souillure, études sur la notion de pollution et de tabou*, Editions La Découverte, « Textes à l'appui », 193 p.

C. DUBAR, 1991, *La socialisation. Construction des identités sociales et professionnelles*, Armand Colin.

H. DUMEZ, 1994, « La décennie prodigieuse, prises de contrôle et marchés financiers dans les années 80 », *Analyses de la SEDEIS*, n° 99, mai, pp. 21-26.

H. DUMEZ ET A. JEUNEMAITRE, 1995, « Savoirs et décisions : réflexions sur le mimétisme stratégique», in *Des savoirs en action*, sous la direction de F. Charue-Duboc, pp 25-49.

J.P. Dupuy, 1988, «Spécularité et Common knowledge», *Cahier du CREA* n° 11, pp. 11-51.

— 1989, «Convention et Common Knowledge», *Revue économique, L'économie des conventions*, vol. 40, n° 2, pp. 361-400.

— 1990, «La panique, du mythe au concept», *Document du CREA*, août, 50 p.

ECOSIP, 1990, *Gestion industrielle et mesure économique*, Economica.

— 1996, *Cohérence, pertinence et évaluation*, Economica.

A. Ehrenberg, 1991, *Le culte de la performance*, Calmann-Lévy, coll. Pluriel.

K. Eisenhardt, 1989, «Agency theory : An assessment and review», *Academy of Management Review*, 14, pp. 57-74.

N. Elias, 1985 (1969), *La société de cour*, Flammarion, coll. «Champs.»

B. Ernst, 1996, «Marché du travail et cycle conjoncturel», *Données sociales 1996*, INSEE, pp. 98-103.

F. Eymard-Duvernay, 1989, «Conventions de qualité et formes de coordination», *Revue Economique, L'économie des conventions*, mars, pp. 329-359.

O. Favereau, 1991, «Valeur d'option et flexibilité : de la rationalité substantielle à la rationalité procédurale», in EHESS, *Les figures de l'irréversibilité en économie*, pp. 121-181.

J.P. Faye, 1972, *Langages totalitaires, critique de la raison/de l'économie narrative*, Hermann.

J.P. Fitoussi, 1995, *Le débat interdit*, Arléa.

D. Fixari et F. Pallez, 1992, «Comment traiter l'urgence», *Annales des Mines — Gérer et Comprendre*, juin, pp. 78-86.

H. von Foerster, 1988, «La construction d'une réalité», in P. Watzlawick, *L'invention de la réalité, contributions au constructivisme*, Seuil, Points Essais, pp. 45-69.

V. Forrester, 1996, *L'horreur économique*, Fayard, 215 p.

I. Francfort, F. Osty, r. Sainsaulieu, M. Uhalde, 1995, *Les mondes sociaux de l'entreprise*, Desclée de Brouwer.

S.J. Freeman et K.S. Cameron, 1993, «Organizational downsizing : a convergence and reorientation framework», *Organization Science*, vol. 4, n° 1, février, pp. 10-29.

J. Gadrey, T. Noyelle et T. Stanback, 1992, «Les rendements décroissants du concept de productivité du travail», in J.H. Jacot et J.F. Troussier, *Travail, compétitivité, performance*, Economica, pp. 51-68.

B. Galambaud, 1988, «La gestion sociale à la surface des mots», *Gérer et Comprendre, Annales des Mines*, mars, pp. 55-61.

X. Gaullier, 1994, «Emploi, politiques sociales et gestion des âges», *Revue française des affaires sociales*, n° 1, janvier-mars, pp. 11-44.

B. Gazier, 1992, 2° édition, *Economie du travail et de l'emploi*, Précis Dalloz, 435 p.

F. GINSBOURGER, 1996, «Entre travail et emploi : des médiations à recons-truire», in *Cahier de l'ANACT*, «*Pour une gestion intentionnelle de l'emploi*», n° 10, juin.

J. GIRIN, 1981, *Les machines de gestion*, CRG, octobre, 4 p.

E. GODELIER, 1994, «Le vieillissement et l'âge dans un cas particulier : l'exemple d'USINOR», *Revue française des affaires sociales*, n° 1, janvier-mars, pp. 59-63.

A. GORGEU et R. MATHIEU, 1990, «Partenaire ou sous-traitant?», *Dossier de recherche du Centre d'Etudes de l'Emploi,* n° 31, juillet, 87 p.

— 1993, «Dix ans de relations de sous-traitance dans l'industrie fran-çaise», *Travail*, n° 28, printemps-été, pp. 23-43.

— 1995, «Recrutement et production au plus juste. Les nouvelles usines d'équipement automobile en France», *Dossier du CEE*, n° 7, 122 p.

M. GRANOVETTER, 1995, «La notion d'embeddedness», in A. Jacob et H. Vérin (sous la dir. de), *L'inscription sociale du marché*, L'Harmattan, pp. 11-21.

M. HAMMER et J. CHAMPY, 1993, *Le reengineering, réinventer l'entreprise pour une amélioration spéctaculaire de ses performances*, Dunod, 247 p.

A.O. HIRSCHMAN, 1970, *Exit, voice and loyalty, Responses to decline in firms, organizations, and states*, Harvard University Press, 162 p.

P. D'IRIBARNE, 1995, «La science économique et la barrière du sens», in A. Jacob et H. Vérin (sous la dir. de), *L'inscription sociale du marché*, L'Harmattan, pp. 29-44.

J.H. JACOT, 1990, «A propos de l'évaluation économique des systèmes intégrés de production», in ECOSIP, 1990, *Gestion industrielle et mesure économique*, Economica, pp. 61-70.

D. KAISERGRUBER, 1994, «Frontières de l'emploi, frontières de l'entre-prise», *Futuribles*, décembre, pp. 3-20.

N. KERSCHEN et A.V. NENOT, 1989, «Délégation à l'emploi et négociation des conventions du Fonds national de l'emploi : la pratique des contre-parties», *Droit social,* n° 1, janvier, pp. 17-22.

J.M. KEYNES, 1969 pour la traduction française (1re édition : 1936), *Théorie générale de l'emploi, de l'intérêt et de la monnaie,* Bibliothèque scien-tifique Payot, 384 p.

— 1971 pour l'édition française, 1923 pour l'édition originale, «Les effets sociaux des fluctuations de la valeur de la monnaie», in *Essais sur la monnaie et l'économie*, Petite Bibliothèque Payot.

F.H. KNIGHT, 1921, *Risk, Uncertainty and Profit*, Boston-NY, Houghton Mifflin Company.

J.P. LABORDE, 1992, «La cause économique du licenciement», *Droit social*, n° 9/10, sept-oct, pp. 774-779.

P. LAGADEC, 1992, *La gestion des crises, outils de réflexion à l'usage des décideurs*, McGraw-Hill, 323 p.

— 1996, «Un nouveau champ de responsabilité pour les dirigeants», *Revue française de gestion*, mars-avril-mai, pp. 100-109.

C. Lagarenne et E. Marchal, 1995, «Recrutements et recherche d'emploi», *La lettre du Centre d'études de l'emploi*, n° 38, juin, 10 p.

H. Laroche, 1994, «Le paradoxe de l'urgence», *L'urgence dans les organisations : où, comment et pourquoi,* Journées d'études «Temps et Organisation», CRG Ecole Polytechnique, 1er et 2 décembre.

A. Lebaube, 1995, «Menottes dorées», *Le Monde*, mercredi 7 juin, supplément «Initiatives».

C. Leboucher et P. Logak, 1995, «L'entreprise face à l'embauche», *Annales de l'Ecole de Paris,* vol. II, Séminaire «Crises et Mutations», 22 septembre, 10 p.

P. Levi, 1987 (1re édition italienne : 1958), *Si c'est un homme,* Julliard, 214 p.

M.B. Lieberman et D.B. Montgomery, 1988, «First-mover advantages», *Strategic Management Journal*, vol. 9, pp. 41-58.

P. Llerna et M. Willinger, 1991, «Préférences pour la flexibilité et fondements de la décision», in EHESS, *Les figures de l'irréversibilité en économie*, pp. 73-102.

P. Lorino, 1991, *L'économiste et le manageur*, La Découverte.

W. McKinley, C.M. Sanchez et A.G. Schick, 1995, «Organizational downsizing : Constraining, cloning, learning», *Academy of Management Executive*, vol. 9, n° 3, pp. 32-43.

H. Mahé de Boislandelle, 1993, «Les théories de la transaction et de l'agence, bases explicatives des nouvelles pratiques de GRH», *Colloque de l'AGRH*, Jouy-en-Josas, groupe thématique n° 5, pp. 248-255.

L. Mallet, 1989, «La détermination du sureffectif dans l'entreprise : démarche gestionnaire et construction sociale», *Travail et Emploi*, 2° trimestre.

— 1993, «L'évolution des politiques de promotion interne des cadres», *Revue française de gestion*, juin-juillet-août, pp. 38-48.

L. Mallet et F. Teyssier, 1992, «Sureffectif et licenciement économique», *Droit social,* n° 4, avril, pp. 348-359.

J.G. March, 1991 (1978), «Rationalité limitée, ambiguïté et ingénierie des choix», in J.G. March, *Décisions et organisations*, Les Editions d'organisation, pp. 133-161.

J.G. March et J.P. Olsen, 1991 a, «Le modèle du "garbage can" dans les anarchies organisées», in J.G. March, *Décisions et organisations*, Les Editions d'organisation, pp. 163-204.

— 1991 b (1988), «La mémoire incertaine : apprentissage organisationnel et ambiguïté», in J.G. March, *Décisions et organisations*, Les Editions d'organisation, pp. 205-229.

J.G. March et Z. Shapira, 1991 (1987), «Les managers face au risque», in *Décisions et organisations*, chapitre 5, pp. 109-130.

J.G. March et H.A. Simon, 1991 (2e éd. ; éd. originale, 1958), *Les organisations*, Paris, Dunod.

O. Marchand et L. Salzberg, 1996, «La gestion des âges à la française, un handicap pour l'avenir?», *Données sociales*, INSEE, pp. 165-173.

P. Mévellec, 1990, *Outils de gestion, la pertinence retrouvée*, Ed. Comptables Malesherbes, 198 p.

C. Midler, 1986, « Logique de la mode managériale », *Gérer et Comprendre — Annales des Mines*, juin.

— 1991, « Evolution des règles de gestion et processus d'apprentissage », *Colloque « L'économie des conventions »*, 27 et 28 mars, 27 p.

H. Mintzberg, 1982, *Structure et dynamique des organisations*, Les Editions d'Organisation.

— 1996 a, *The rise and fall of strategic planning*, Prentice Hall, 458 p.

— 1996 b, « Managers, méfiez-vous du management », *Harvard Business Review*.

Y. Minvielle et H. Vacquin, 1996, *Le sens d'une colère, novembre-décembre 1995, chances et perspectives*, Stock, 295 p.

J.C. Moisdon, 1984, « Recherche en gestion et intervention », *Revue Française de Gestion*, septembre-octobre, pp. 61-73.

E. Morin, 1976, « Pour une crisologie », *Communications*, n° 25, pp. 149-163.

M.L. Morin, 1994, *Sous-traitance et relations salariales, Aspects de droit du travail*, Rapport au Commissariat général au Plan, janvier, 227 p.

A. Orléan, 1985, « Hétérodoxie et incertitude », *Cahier du CREA*, n° 5, pp. 247-275.

— 1989, « Pour une approche cognitive des conventions économiques », *Revue économique*, vol. 40, n° 2, mars, pp. 241-272.

— 1994, « Analyse des phénomènes d'influence », *Revue économique*, mai, pp. 657-672.

B. Paranque, 1994, « Fonds propres, rentabilité et efficacité chez les PMI », *Revue d'économie industrielle*, n° 67, 1er trimestre, pp. 175-190.

J. Pfeffer et G.R. Salancik, 1978, *The External Contrôl of Organizations, A Resource Dependence Perspective*, J. Greenman, Harper & Row.

F. Pinardon, 1987, *L'irréductible multiplicité des critères de rentabilité*, Thèse de doctorat, Ecole polytechnique, 275 p.

F. Piotet et R. Sainsaulieu, 1994, *Méthodes pour une sociologie de l'entreprise*, Presses de la FNSP et ANACT, 374 p.

A. Pollert, 1989, « L'entreprise flexible : réalité ou obsession ? », *Sociologie du travail*, n° 1, pp. 75-106.

W.W. Powell, 1990, « Neither market nor hierarchy : network forms of organizations », in B.M. Staw and L.L. Cumints, *Research in Organizational Behavior*, 12, pp. 295-336.

S.M. Puffer et J.B. Weintrop, 1991, « Corporate Performance and CEO Turnover : The Role of Performance Expectations », *Administrative Science Quarterly*, 36, pp 1-19.

C. Ramaux, 1994, « Comment s'organise le recours aux CDD et à l'intérim ? », *Travail et Emploi*, n° 58, janvier, pp. 55-76.

R. Reich, 1993, *L'économie mondialisée*, Dunod, 336 p.

B. Reynaud, 1993, « La règle de droit : outils d'analyse de la relation salariale », *Travail et Emploi*, pp. 4-21.

— 1995, « Les cabinets conseils en rémunération : obstacles au dépasse-

ment du modèle taylorien et défis lancés au marché du travail», in
A. Jacob et H. Vérin (sous la dir. de), *L'inscription sociale du marché*,
L'Harmattan, pp. 94-111.

J.D. REYNAUD, 1989, *Les règles du jeu*, Armand Colin.

A. RIBOUD, 1987, *Modernisation, mode d'emploi, Rapport au Premier
ministre*, Paris, C. Bourgeois éditeur, 10/18, 214 p.

C. RIVELINE, 1990, *Evaluation des coûts, éléments d'une théorie de la
gestion*, Cours de l'ENSMP.

— 1991, «Un point de vue d'ingénieur sur la gestion des organisations»,
Gérer et Comprendre, Annales des Mines, décembre, pp. 50-62.

— 1993, «La gestion et les rites», *Annales des Mines — Gérer et
Comprendre*, décembre, pp. 82-90.

J. RIVERO et J. SABATIER, 1981, *Droit du travail*, Presses universitaires de
France.

R. SAINSAULIEU, 1987, *Sociologie de l'organisation et de l'entreprise*,
Presses de la FNSP & Dalloz.

R. SALAIS, 1989, «L'analyse économique des conventions de travail»,
Revue économique, L'économie des conventions, vol. 40, n° 2, pp. 199-
240.

H. SAVALL et V. ZARDET, 1992, *Le nouveau contrôle de gestion, méthode
des coûts-performances cachés*, Ed. Comptables Malesherbes, 399 p.

SÉNAT, 1995, *Rapport d'information sur les plans d'option de souscription
ou d'achat d'actions*, dirigé par J. Arthuis, P. Loridant et P. Marini,
mai.

O. SERVAIS, 1995, «Méthodes et outils du licenciement collectif», *Travail*,
n° 34.

H.A. SIMON, 1951, «A formal theory of the employment relationship»,
Econometrica, pp. 293-305.

— 1955, «A Behavorial Model of Rational Choice», *Quarterly Journal
of Economics*, vol. 69, p. 99-118.

— 1991, «Organizations and markets», *Journal of Economic
Perspectives*, vol. 5, n° 2, printemps, pp. 25-44.

SUN TZU, 1972 (1963), *L'art de la guerre*, Flammarion, Champs, 255 p.

A. SUPIOT, 1994, *Critique du droit du travail*, PUF, «Les Voies du droit».

J.D. THOMPSON, 1967, *Organizations in Action*, NY : McGraw-Hill.

P. VELTZ et P. ZARIFIAN, 1994, «De la productivité des ressources à la productivité par l'organisation», *Revue française de gestion*, janvier-
février, pp. 59-66.

M. VILLETTE, 1996, *Le manager jetable, récits du management réel*, La
Découverte.

L.J.D. WACQUANT, 1996, «La généralisation de l'insécurité salariale en
Amérique», *Actes de la recherche en sciences sociales*, n° 115, Seuil,
«Les nouvelles formes de domination dans le travail», décembre,
pp. 65-79.

P. WATZLAWICK, 1988, 1981 pour l'édition originale, «Avec quoi
construit-on des réalités idéologiques ?», in P.Watzlawick (sous la dir.

de), *L'invention de la réalité, contributions au constructivisme*, Seuil, Points Essais, pp. 223-253.

P. WATZLAWICK, J. H. BEAVIN et D.D. JACKSON, 1972, 1967 pour l'édition originale, *Une logique de la communication*, Points Seuil, 280 p.

P. WATZLAWICK, J. WEAKLAND, R. FISCH, 1975, *Changements, paradoxes et psychothérapie*, Le Seuil, Points Essais, 189 p.

K.E. WEICK, 1993, « The Collapse of Sensemaking in Organizations : The Mann Gulch Disaster », *Administrative Science Quarterly*, 38, pp. 628-652.

— 1995, *Sensemaking in organizations*, SAGE publications, 229 p.

O.E. WILLIAMSON, 1975, *Markets and Hiérarchies : Analysis and antitrust implications*, NY : Free Press.

P. ZARIFIAN, 1990, *La nouvelle productivité*, L'Harmattan, Coll. Logiques économiques.

— 1992, « De la productivité des opérations de travail à la productivité de l'emploi », in ANACT, 1995, *Changements organisationnels et instrumentation de gestion*, pp. 219-221.

***, directeur général de ***, 1994, « Chronique ordinaire des licenciements annoncés », *Gérer et Comprendre, Annales des Mines*, dossier « Pourquoi licencie-t-on ? », septembre, pp. 27-28.

Remerciements

La thèse s'est déroulée dans le cadre d'une Convention industrielle de formation par la recherche (CIFRE), signée en novembre 1993, entre l'ANRT, le cabinet H. Vacquin et le Centre de recherche en gestion de l'École polytechnique (CRG). Je remercie tous ces partenaires pour leur collaboration.

L'aventure de la thèse aura duré quatre années et ce travail a pu être mené à son terme grâce au soutien, à la collaboration et à l'attention d'un certain nombre de personnes que je tiens ici à remercier. Je dois à la constante présence, à l'exigence attentive et au regard vigilant de mon directeur de thèse, Michel Berry, directeur de recherche au CNRS et responsable de l'Ecole de Paris du management, de m'avoir progressivement guidée dans un cycle d'apprentissage très riche. Je lui en ai la plus vive reconnaissance. Henri Vacquin m'a intitiée au métier de l'intervention et à l'analyse des relations sociales en entreprise ; il est à l'origine de ce travail et en tant que responsable de l'entreprise d'accueil de la convention CIFRE, il a toujours fait en sorte que je puisse travailler dans les meilleures conditions pour le mener à bien. Je lui exprime toute ma gratitude. Je suis redevable à Claude Riveline, professeur à l'Ecole des mines de Paris, de m'avoir éclairée à des moments clés de la construction de la thèse, par ses réactions stimulantes. Ma gratitude va également à messieurs François Eymard-Duvernay, professeur à Paris-X Nanterre, Antoine Martin, ancien président de l'ANPE, Bernard Ramanantsoa, directeur général du groupe HEC et Renaud Sainsaulieu, professeur à l'Institut d'études politiques de Paris, membres du jury de thèse, qui par leurs remarques et leurs critiques, m'ont permis de progresser. Les membres du Centre de recherche en gestion de l'Ecole polytechnique — et en particulier son directeur, Jacques Girin —, ceux du cabinet H. Vacquin et de l'Ecole de Paris du management ont été à l'origine d'échanges fructueux qui ont permis ce travail. Je les remercie pour tout ce qui fait la vie quotidienne et scientifique du travail de thèse.

Quant à l'aventure de l'« après-thèse », elle a été relancée et orchestrée par l'ensemble des partenaires du Prix *Le Monde* de la recherche universitaire. C'est à eux que je dois d'avoir donné un second souffle à la thèse.

Ma famille et mes amis furent d'une présence indispensable au cours de toutes ces années, où ils ont tour à tour partagé mes enthousiasmes et supporté mes absences. Qu'ils trouvent ici l'expression de mes plus chaleureux remerciements.

TABLE

COLLECTION «PARTAGE DU SAVOIR»

Parce que l'Université n'a pas seulement vocation à transmettre et créer des savoirs, mais également à les faire partager au plus grand nombre, *Le Monde de l'éducation* a décidé, encouragé par Jean-Marie Colombani, directeur du *Monde*, de créer le Prix *Le Monde* de la recherche universitaire, avec le concours de la Fondation d'entreprise Banques CIC pour le livre et la Fondation Charles Léopold Mayer pour le progrès de l'homme, et le soutien de l'UNESCO.

Notre ambition commune est triple : décloisonner les lieux de production du savoir et encourager la recherche universitaire en lui offrant un autre canal de valorisation, une audience élargie au grand public ; créer une dynamique d'échange entre le monde éditorial et les universités et impulser un débat d'idées permanent autour des savoirs ; encourager, enfin, les chercheurs à aborder des problématiques de recherche visant à réduire les clivages entre l'espace de production des connaissances et les besoins des hommes.

Le prix est ouvert aux titulaires d'un doctorat ayant soutenu, au sein d'une université française ou étrangère, une thèse rédigée en français et non publiée. Les travaux font l'objet d'une sélection effectuée par un comité scientifique composé de trente personnalités qualifiées. Un jury final attribue la possibilité à cinq thésards d'être publiés chez Grasset.

En créant cette collection, nous cherchons avant tout à donner aux lecteurs les moyens d'approcher un nouveau type de savoirs, et la possibilité de s'aventurer, s'ils le souhaitent, sur des territoires inédits de la pensée contemporaine.

JEAN-MICHEL DJIAN,
directeur du *Monde de l'éducation*.

Cet ouvrage a été composé
*par l'**Imprimerie Bussière***
et imprimé sur presse Cameron
dans les ateliers
*de **Bussière Camedan Imprimeries***
à Saint-Amand-Montrond (Cher)
en janvier 1999
pour le compte des Éditions Grasset
61, rue des Saints-Pères, 75006

Nº d'édition : 10999. Nº d'impression : 2387-985028/4.
Dépôt légal : janvier 1999

Imprimé en France

ISBN : 2-246-57071-9